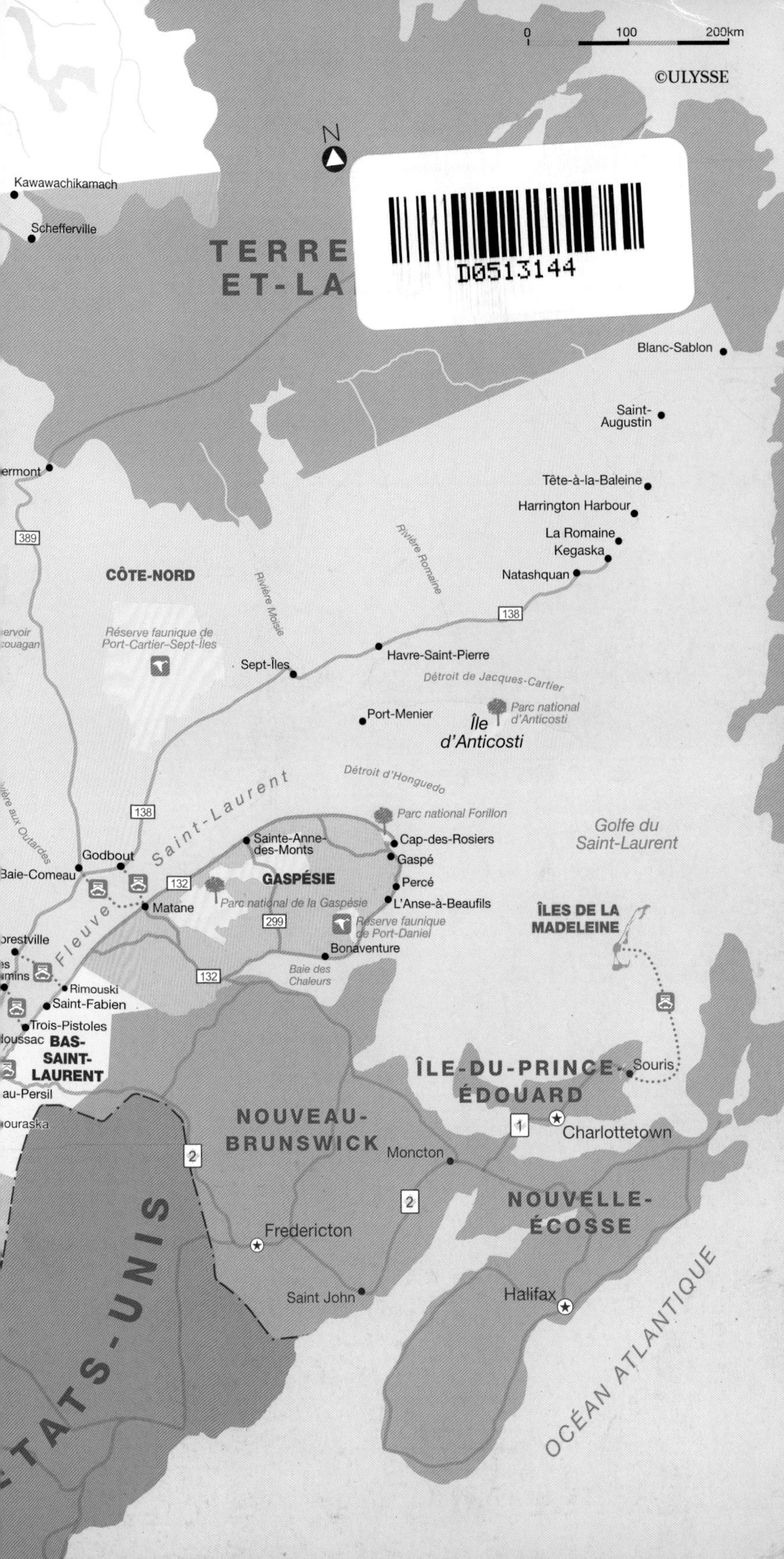

0
100
200km
©ULYSSE
D0513144
TERRE
ET-LA
Kawawachikamach
Schefferville
Blanc-Sablon
Saint-
Augustin
Tête-à-la-Baleine
Harrington Harbour
La Romaine
Kegaska
Natashquan
389
CÔTE-NORD
Rivière Moisie
Rivière Romaine
138
Réserve faunique de
Port-Cartier–Sept-Îles
Sept-Îles
Havre-Saint-Pierre
Détroit de Jacques-Cartier
Port-Menier
Parc national
d'Anticosti
Île
d'Anticosti
Détroit d'Honguedo
Fleuve Saint-Laurent
Parc national Forillon
Golfe du
Saint-Laurent
Godbout
Baie-Comeau
Sainte-Anne-
des-Monts
Cap-des-Rosiers
Gaspé
GASPÉSIE
Percé
L'Anse-à-Beaufils
132
Matane
Parc national de la Gaspésie
299
Réserve faunique
de Port-Daniel
ÎLES DE LA
MADELEINE
Bonaventure
Baie des
Chaleurs
Rimouski
Saint-Fabien
Trois-Pistoles
BAS-
SAINT-
LAURENT
ÎLE-DU-PRINCE-
ÉDOUARD
Souris
1
Charlottetown
NOUVEAU-
BRUNSWICK
2
Moncton
NOUVELLE-
ÉCOSSE
Fredericton
Saint John
Halifax
OCÉAN ATLANTIQUE
TATS-UNIS

Fabuleux **Québec**

2e édition

ULYSSE

Crédits

Recherche, rédaction et mise à jour : Annie Gilbert

Recherche et rédaction antérieures, extraits du guide Ulysse *Le Québec* : Gabriel Audet, Anne Bécel, Caroline Béliveau, Jean-François Bouchard, Julie Brodeur, Alexandre Chouinard, Pascale Couture, Thierry Ducharme, Ambroise Gabriel, Alexandra Gilbert, Lyse Gravel, Jacqueline Grekin, François Henault, Rodolphe Lasnes, Judith Lefebvre, Alain Legault, Stéphane G. Marceau, Jennifer McMorran, Philippe Opzoomer, Yves Ouellet, Mariève Paradis, Joël Pomerleau, Benoît Prieur, François Rémillard, Sylvie Rivard, Jean-Hugues Robert, Yves Séguin, Vincent Vichit-Vadakan, Marcel Verreault

Éditeur : Pierre Ledoux

Correcteur : Pierre Daveluy

Adjoint à l'édition : Ambroise Gabriel

Infographistes : Judy Tan, Philippe Thomas

Photographies des pages couverture : Première de couverture, Parc national Forillon : © iStockphoto.com/Jean-Francois Rivard; Quatrième de couverture, L'île du Havre Aubert, aux Îles de la Madeleine : © Dreamstime.com/Craig Doros; Demeures victoriennes du Square Saint-Louis, à Montréal : © iStockphoto.com/Pgiam; Fous de Bassan à l'île Bonaventure, en Gaspésie : © iStockphoto.com/JHVEPhoto; Camping hivernal en Abitibi : © iStockphoto.com/matdupuis

Photographies de la page de titre : L'île du Havre Aubert, aux Îles de la Madeleine : © Dreamstime.com/Craig Doros; Demeures victoriennes du Square Saint-Louis, à Montréal : © iStockphoto.com/Pgiam; Fous de Bassan à l'île Bonaventure, en Gaspésie : © iStockphoto.com/JHVEPhoto; Camping hivernal en Abitibi : © iStockphoto.com/matdupuis

Cet ouvrage a été réalisé sous la direction de Claude Morneau.

Remerciements

Financé par le gouvernement du Canada
Funded by the Government of Canada | Canada

Guides de voyage Ulysse tient également à remercier le gouvernement du Québec – Programme de crédit d'impôt pour l'édition de livres – Gestion SODEC.

Guides de voyage Ulysse est membre de l'Association nationale des éditeurs de livres.

Note aux lecteurs

Tous les moyens possibles ont été pris pour que les renseignements contenus dans ce guide soient exacts au moment de mettre sous presse. Toutefois, des erreurs peuvent toujours se glisser, des omissions sont toujours possibles, des adresses peuvent disparaître, etc.; la responsabilité de l'éditeur ou des auteurs ne pourrait s'engager en cas de perte ou de dommage qui serait causé par une erreur ou une omission.

Écrivez-nous

Nous apprécions au plus haut point vos commentaires, précisions et suggestions, qui permettent l'amélioration constante de nos publications. Il nous fera plaisir d'offrir un de nos guides aux auteurs des meilleures contributions. Écrivez-nous à l'une des adresses suivantes, et indiquez le titre qu'il vous plairait de recevoir.

Guides de voyage Ulysse

4176, rue Saint-Denis, Montréal (Québec), Canada H2W 2M5, www.guidesulysse.com, texte@ulysse.ca

Les Guides de voyage Ulysse, sarl

127, rue Amelot, 75011 Paris, France, voyage@ulysse.ca

Catalogage avant publication de Bibliothèque et Archives nationales du Québec et Bibliothèque et Archives Canada

Vedette principale au titre :

Fabuleux Québec

2e édition.

Comprend un index.

ISBN 978-2-89464-288-7

1. Québec (Province) - Guides. 2. Québec (Province) - Ouvrages illustrés. Fabuleux Québec.

FC2907.R435 2016 917.1404'5 C2015-942286-8

Bibliothèque et Archives nationales du Québec

Dépôt légal – Deuxième trimestre 2016

ISBN 978-2-89464-288-7 (version imprimée)

ISBN 978-2-76582-919-5 (version numérique PDF)

ISBN 978-2-76582-920-1 (version numérique ePub)

Imprimé au Canada

◂ Fleuve Saint-Laurent. (page 2)
© iStockphoto.com/Onfokus

▸ Parc national Forillon, Gaspésie.
© iStockphoto.com/Onfokus

▸ Un harfang des neiges. (double page suivante)
© iStockphoto.com/skynavin

Sommaire

Le meilleur du Québec............14

Le portrait 19

Géographie et climat 20
Histoire 25
Population 43

Les attraits 48

Montréal 50
Le Vieux-Montréal 52
Le centre-ville 60
Le quartier Milton-Parc et la *Main* 66
Le Quartier latin 67
Le Plateau Mont-Royal 68
Le mont Royal 68
Outremont et le Mile-End 70
Les îles Sainte-Hélène et Notre-Dame 71
Hochelaga-Maisonneuve 72

Laval 74
Saint-Vincent-de-Paul 76
Sainte-Rose 76
Sainte-Dorothée 76
Chomedey 77
Duvernay 77

La Montérégie..........................78
Chambly 80
Saint-Jean-sur-Richelieu 80
L'Acadie 80
Saint-Paul-de-l'Île-aux-Noix 81
Saint-Mathias-sur-Richelieu 81
Mont-Saint-Hilaire 82
Saint-Hyacinthe 82
Saint-Jude 84
La Présentation 84
Saint-Denis-sur-Richelieu 84
Sainte-Catherine 84
Saint-Constant 84
La Prairie 85
Saint-Bruno-de-Montarville 85
Longueuil 85
Boucherville 86
Verchères 86
Vaudreuil-Dorion 86
Rigaud 86
Coteau-du-Lac 87
Notre-Dame-de-l'Île-Perrot 87
Kahnawake 87
Melocheville 88
Saint-Anicet 88
Howick 88
Ormstown 89
Saint-Antoine-Abbé 89
Saint-Bernard-de-Lacolle 89

Les Cantons-de-l'Est 90
Frelighsburg 92
Dunham 92
La Route des vins 92
Stanbridge East 93
Mystic 93
Bromont 94
Waterloo 94
Valcourt 94
Granby 94
Roxton Pond 94
Knowlton 94
Sutton 95
Le lac Memphrémagog 95
Saint-Benoît-du-Lac 95
Magog 96
Orford 96
Georgeville 96
Stanstead 97
Compton 97
North Hatley 97
Lennoxville 97
Sherbrooke 98
Eaton Corner 100
Notre-Dame-des-Bois 100

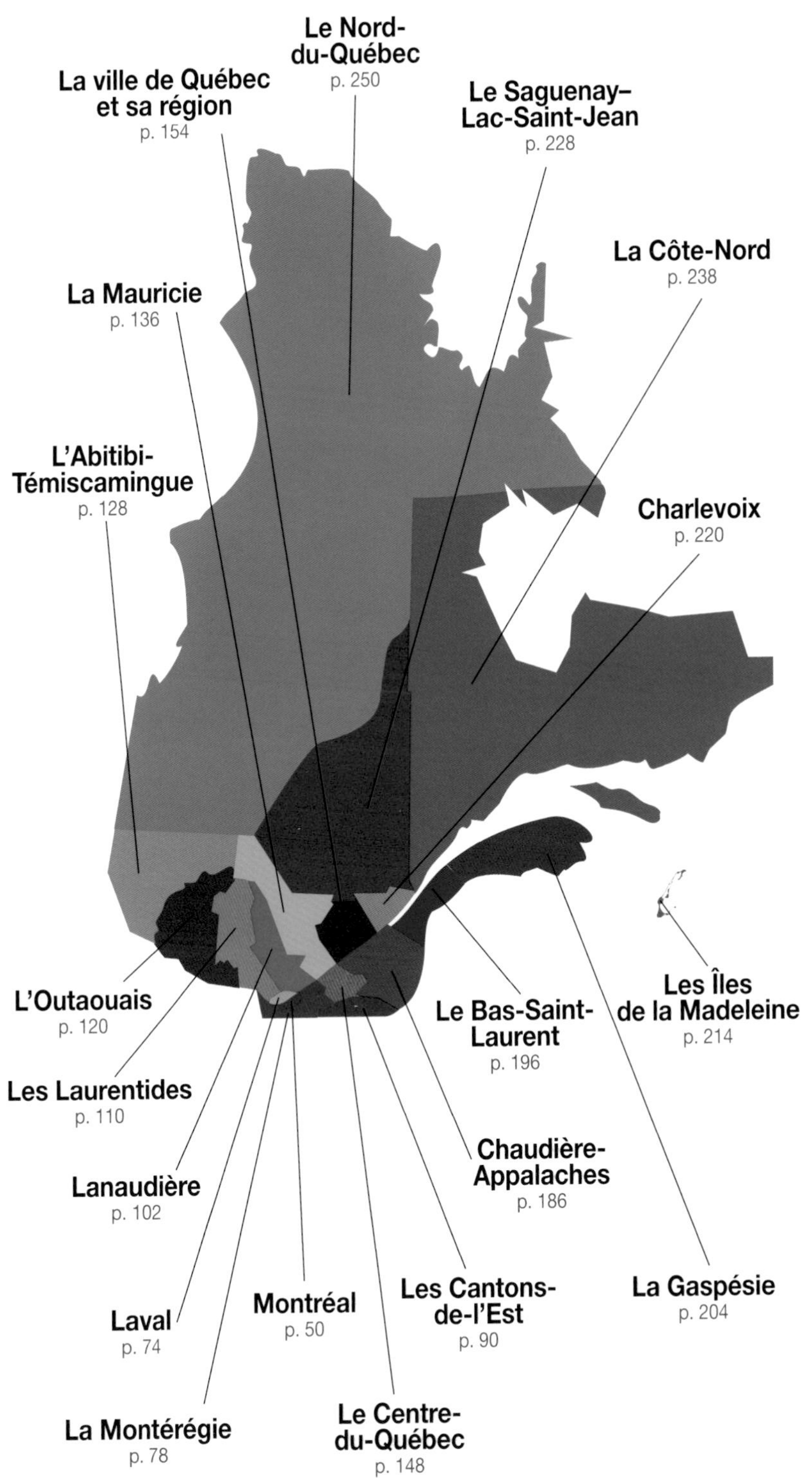
Le Nord-
du-Québec
p. 250
La ville de Québec
et sa région
p. 154
Le Saguenay–
Lac-Saint-Jean
p. 228
La Côte-Nord
p. 238
La Mauricie
p. 136
L'Abitibi-
Témiscamingue
p. 128
Charlevoix
p. 220
Les Îles
de la Madeleine
p. 214
L'Outaouais
p. 120
Le Bas-Saint-
Laurent
p. 196
Les Laurentides
p. 110
Chaudière-
Appalaches
p. 186
Lanaudière
p. 102
Laval
p. 74
Montréal
p. 50
Les Cantons-
de-l'Est
p. 90
La Gaspésie
p. 204
La Montérégie
p. 78
Le Centre-
du-Québec
p. 148

Lac-Mégantic 100
Danville 100

Lanaudière ... 102
Terrebonne 104
L'Assomption 104
Joliette 105
Berthierville 107
Lavaltrie 107
Repentigny 107
Saint-Lin–Laurentides 107
Rawdon 107
Saint-Jean-de-Matha 108
Notre-Dame-de-la-Merci 108
Saint-Donat 108
Saint-Côme 108
Saint-Zénon 109
Saint-Michel-des-Saints 109

Les Laurentides ... 110
Saint-Eustache 112
Oka 113
Saint-Placide 115
Saint-André-d'Argenteuil 115
Mirabel 115
Saint-Jérôme 115
Saint-Sauveur 117
Sainte-Adèle 117
Sainte-Marguerite-du-Lac-Masson 117
Val-David 118
Sainte-Agathe-des-Monts 118
Mont-Tremblant 118
Lac-Supérieur 119
Labelle 119

L'Outaouais ... 120
Montebello 122
Petite-Nation 123
Saint-André-Avellin 123
Duhamel 123
Plaisance 123
Gatineau 124
Fort-Coulonge 126
Parc de la Gatineau 127

L'Abitibi-Témiscamingue ... 128
L'Abitibi 130
Le Témiscamingue 134

La Mauricie ... 136
Trois-Rivières 138
Cap-de-la-Madeleine 141
Notre-Dame-du-Mont-Carmel 142
Batiscan 142
Saint-Narcisse 142
Sainte-Anne-de-la-Pérade 143
Saint-Tite 143
Shawinigan 143
Grandes-Piles 145
Trois-Rives 145
La Tuque 146
Saint-Mathieu-du-Parc 146
Saint-Élie-de-Caxton 146
Saint-Alexis-des-Monts 146
Pointe-du-Lac 146
Sainte-Ursule 147
Saint-Édouard-de-Maskinongé 147
Maskinongé 147

Le Centre-du-Québec ... 148
Bécancour 150
Saint-Pierre-les-Becquets 150
Plessisville 150
Victoriaville 151
Drummondville 151
Odanak 151
Saint-François-du-Lac 152
Baie-du-Febvre 152
Nicolet 152
Saint-Grégoire 153

La ville de Québec et sa région ... 154
Le Vieux-Québec 156
Le Petit-Champlain et Place-Royale 165
Le Vieux-Port 167
La colline Parlementaire et la Grande Allée 168
Le faubourg Saint-Jean 170
Saint-Roch 171
La Côte-de-Beaupré 172
L'île d'Orléans 175
Le chemin du Roy 177
La vallée de la Jacques-Cartier 181

Chaudière-Appalaches ... 186
La Côte-du-Sud 188
La Beauce 195

Le Bas-Saint-Laurent ... 196
La Pocatière 198
Rivière-Ouelle 198
Saint-Denis-De La Bouteillerie 198
Kamouraska 198
Saint-André 198
Notre-Dame-du-Portage 198
Rivière-du-Loup 199
L'île aux Lièvres et les îles du Pot à l'Eau-de-Vie 199
Cacouna 200

L'Isle-Verte 200
Trois-Pistoles 200
Saint-Fabien 201
Le Bic 201
Rimouski 202
Saint-Narcisse-de-Rimouski 202
Pointe-au-Père 202
Sainte-Luce 203
Le Témiscouata 203

La Gaspésie 204
La péninsule 206
La baie des Chaleurs et la Matapédia 210

Les Îles de la Madeleine 214
Île du Cap aux Meules 216
Île du Havre Aubert 217
Île du Havre aux Maisons 218
Île de la Pointe aux Loups 218
La Grosse Île 218
Île de la Grande Entrée 219
Île d'Entrée 219
Île Brion 219

Charlevoix 220
Petite-Rivière-Saint-François 222
Baie-Saint-Paul 222
Saint-Urbain 222
Saint-Joseph-de-la-Rive 223
Île aux Coudres 223
Les Éboulements 224
Saint-Irénée 224
La Malbaie 224
Cap-à-l'Aigle 227
Saint-Fidèle 227
Port-au-Persil 227

Le Saguenay–Lac-Saint-Jean 228
Le Saguenay 230
Le Lac-Saint-Jean 234

La Côte-Nord 238
Manicouagan 240
De Rivière-Pentecôte à Sept-Îles 245
La Minganie 245
Au pays de Gilles Vigneault 247

Le Nord-du-Québec 250
Eeyou Istchee Baie-James 252
Le Nunavik 255

Les grands thèmes 259

Loisirs et plein air..................260
Agrotourisme 260
Baignade 260
Canot 260
Canyoning 260
Chasse 261
Pêche 261
Descente de rivière 262
Équitation 262
Escalade 262
Golf 262
Kayak 262
Motoneige 262
Observation des baleines et des phoques 263
Observation des oiseaux 263
Parcours d'aventure en forêt 263
Patin 264
Patin à roues alignées 264
Pêche sur glace 264
Planche à neige 264
Planche à voile et cerf-volant de traction 264
Plongée sous-marine 265
Randonnée pédestre 265
Raquette 265
Ski alpin 265
Ski de fond 265
Ski nautique et motomarine 266
Traîneau à chiens 266
Vélo 266
Vol libre (deltaplane et parapente) 267

La flore...................................267

La faune..................................268

Les arts au Québec 270
Lettres québécoises 271
Musique et chanson 272
Les arts visuels 273
Le cinéma 274

Cuisine....................................277
Cabane à sucre 277

Index 280

Classification des attraits

★★★ À ne pas manquer ★★ Vaut le détour ★ Intéressant

Liste des cartes

Abitibi-Témiscamingue 129
Bas-Saint-Laurent 197
Cantons-de-l'Est 91
Sherbrooke 99
Centre-du-Québec 149
Charlevoix 221
Chaudière-Appalaches 187
Côte-Nord 239
Gaspésie 205
Percé 211
Îles de la Madeleine 215
Lanaudière 103
Laurentides 111
Laval 75
Mauricie 137
Trois-Rivières 139
Montérégie 79
Montréal 51
centre 56-57
Vieux-Montréal 53
Nord-du-Québec 251
Outaouais 121
Gatineau - secteur de Hull 125
Québec
région 155
Vieux-Québec 157
ville 160-161
Saguenay–Lac-Saint-Jean 229
arrondissement de Chicoutimi 233

Liste des encadrés

Alexis le Trotteur 226
Félix Leclerc 175
Joseph-Elzéar Bernier (1852-1934) 193
La bataille des plaines d'Abraham 169
La croix de Gaspé 209
La légende du mont Tremblant 118
La poutine, un mets québécois à la conquête du monde 276
L'art autochtone 274
La ville souterraine 61
Le Circuit des murales de Sherbrooke 98
Le Festival international de jazz de Montréal 64
Le naufrage de l'*Empress of Ireland* 203
Le rocher de Grand-Mère 143
Le sirop d'érable 83
Mais que diable est donc un «canton»? 93
Richard Desjardins, artiste engagé 133
Tragédie ferroviaire 100

Légende des cartes

Aéroport international
Aéroport régional
Attrait
Bâtiment/Point d'intérêt
Capitale provinciale
Capitale de pays
Cimetière
Église
Gare ferroviaire
Gare routière
Glacier
Hôpital
Information touristique
Marché
Montagne
Musée
Parc
Plage
Point de vue
Réserve faunique
Station de ski
Stationnement
Traversier (ferry)
Traversier (navette)

◂ Ville de Québec.
© iStockphoto.com/Tony Tremblay

Le **meilleur** du **Québec**

Pour revivre la riche histoire du Québec

- Pointe-à-Callière, Musée d'archéologie et d'histoire de Montréal, qui présente un intéressant panorama de l'histoire de la métropole p. 55
- Le Lieu historique national des Fortifications-de-Québec, qui met en valeur les fortifications de la capitale p. 156
- Le Lieu historique national du Fort-Chambly, plus important ouvrage militaire du Régime français qui soit parvenu jusqu'à nous p. 80
- Le musée Boréalis à Trois-Rivières, qui relate l'histoire de l'industrie des pâtes et papiers p. 141
- Le Fort Ingall, une reconstitution du système défensif mis en place par les Britanniques aux abords du lac Témiscouata p. 203
- Le Lieu historique national de la Grosse-Île-et-le-Mémorial-des-Irlandais, un retour dans le passé douloureux de l'immigration en Amérique du Nord p. 191
- Le Lieu historique national du Fort-Témiscamingue, qui rappelle l'importance de la traite des fourrures dans l'économie québécoise p. 135
- Le Magasin Général Historique Authentique 1928, qui propose d'entrer dans l'univers d'un magasin général gaspésien des années 1920 p. 210
- Le Manoir Mauvide-Genest sur l'île d'Orléans, le plus important manoir du Régime français encore existant p. 175
- Le Site de la Nouvelle-France à Saint-Félix-d'Otis, un magnifique site d'interprétation sur la vie des premiers arrivants en Amérique du Nord p. 231
- Le Village historique de Val-Jalbert à Chambord, un riche morceau du patrimoine industriel nord-américain p. 235

Pour combler les passionnés de culture

- Le Musée des beaux-arts de Montréal, le plus important et le plus vieux musée québécois p. 60
- Le Musée d'art contemporain de Montréal, qui abrite une collection de plus de 7 600 œuvres québécoises et internationales p. 64
- Le Festival international de jazz de Montréal, plus important rendez-vous du jazz au monde p. 64
- Le Musée national des beaux-arts du Québec, où l'on retrouve plus de 37 000 œuvres et objets d'art datant du XVIIe siècle à nos jours p. 170
- Le Musée de la civilisation à Québec, qui propose des expositions temporaires des plus variées p. 167
- Le Musée canadien de l'histoire à Gatineau, le musée le plus visité au Canada p. 124

- Le Musée d'art de Joliette, le plus important musée régional de la province p. 105
- Le Musée des beaux-arts de Sherbrooke, qui présente des œuvres contemporaines des artistes de la région p. 98
- L'Espace Félix-Leclerc sur l'île d'Orléans, dédié au célèbre auteur-compositeur-interprète et poète québécois p. 176

Pour visiter de charmants villages

- Baie-Saint-Paul, qui attire depuis longtemps des artistes séduits par les paysages de Charlevoix p. 222
- Kamouraska, qui s'étend sur une série de monticules rocailleux du Bas-Saint-Laurent p. 198
- Knowlton, une petite localité des Cantons-de-l'Est qui rappelle la Nouvelle-Angleterre p. 94
- L'Anse-Saint-Jean, la plus vieille municipalité du Saguenay–Lac-Saint-Jean p. 230
- Mystic, un joli hameau qui sert de porte d'entrée aux Cantons-de-l'Est p. 93
- Port-au-Persil, au cœur de la nature spectaculaire de Charlevoix p. 227
- Saint-Élie-de-Caxton, ce village de la Mauricie qui se transforme en véritable conte vivant durant la belle saison p. 146
- Saint-Roch-des-Aulnaies, en bordure du fleuve dans la région de Chaudière-Appalaches p. 194
- Tadoussac, sur la Côte-Nord, où se rencontrent le Saguenay et le fleuve Saint-Laurent p. 240
- Wakefield, une jolie petite ville anglophone située à l'embouchure de la rivière La Pêche en Outaouais p. 127

Pour amuser les enfants

- Le Biodôme de Montréal, qui présente sur 10 000 m^2 cinq écosystèmes fort différents les uns des autres p. 73
- Le Centre des sciences de Montréal, qui invite à pénétrer les secrets du monde scientifique et technologique p. 58
- L'Insectarium de Montréal, le plus important musée entièrement consacré aux insectes en Amérique du Nord p. 73
- La Ronde, le populaire parc d'attractions montréalais p. 72
- Le Planétarium de Montréal, qui raconte et explique l'apparition de la vie dans l'univers et sur la Terre p. 73
- Le Cosmodôme à Laval, un superbe musée interactif consacré à l'espace p. 77
- L'Aquarium du Québec à Québec, riche de plus de 10 000 spécimens de poissons p. 178

- L'Éco-Odyssée près de Wakefield, un véritable labyrinthe aquatique de plus de 6 km de long p. 127
- Le Parc Oméga près de Montebello, qui abrite plusieurs espèces d'animaux que l'on peut observer en restant à bord de son véhicule. p. 123
- Le Zoo Parc Safari en Montérégie, où l'on peut observer 80 espèces d'animaux en effectuant une balade en voiture p. 89
- Le Village du Père Noël à Val-David, qui attire les enfants désireux de rencontrer ce célèbre personnage dans sa retraite d'été p. 118
- Le Zoo de Granby, où l'on peut observer plus de 225 espèces d'animaux provenant des Amériques, de l'Afrique, de l'Asie et de l'Océanie p. 94
- Le Zoo sauvage de Saint-Félicien, où 75 espèces animales indigènes et exotiques sont représentées p. 236

Pour découvrir de beaux points de vue

- L'ASTROLab du Mont-Mégantic, au cœur de la première «Réserve internationale de ciel étoilé» p. 100
- Le belvédère de l'Anse-de-Tabatière, qui offre un point de vue spectaculaire sur les falaises abruptes du fjord du Saguenay p. 230
- Le belvédère du pic Champlain, dans le magnifique parc national du Bic p. 201
- Le belvédère Kondiaronk, endroit privilégié pour admirer le centre-ville de Montréal p. 69
- Le parc de la Chute-Montmorency, pour profiter du spectacle grandiose de cette chute de 83 m p. 172
- Le village de Percé en Gaspésie, pour admirer le mythique rocher Percé p. 209
- La Terrasse de Lévis, qui offre des points de vue spectaculaires sur la ville de Québec p. 190
- La Terrasse Dufferin à Québec, qui offre un panorama superbe sur le fleuve et l'île d'Orléans p. 158

Pour faire des randonnées mémorables

- Le parc national Forillon en Gaspésie, une succession de forêts et de montagnes sillonnées de sentiers et bordées de falaises p. 208
- Le parc national de la Gaspésie, qui abrite une partie des célèbres monts Chic-Chocs p. 207
- Le parc national de la Mauricie, dont les forêts dissimulent plusieurs lacs et rivières, entre autres richesses naturelles p. 145
- Le parc national des Hautes-Gorges-de-la-Rivière-Malbaie, qui protège un site d'une grande richesse écologique dans Charlevoix p. 227
- Le parc national du Bic, un splendide enchevêtrement d'anses, de presqu'îles, de collines, de marais et de baies profondes p. 201
- Le parc national du Mont-Tremblant, avec ses 82 km de sentiers de tous les niveaux de difficulté p. 119
- Le Sentier des Caps de Charlevoix, qui s'étend sur 48 km sur des sommets de 500 m à 800 m en surplomb sur le fleuve p. 222
- Le sentier Le Fjord, au départ de Tadoussac, l'un des sentiers de longue randonnée les plus remarquables du Québec p. 240

Pour s'offrir de belles balades sur deux roues

- L'île aux Coudres, pour savourer la beauté du superbe paysage et profiter du fleuve omniprésent p. 223
- La piste cyclable du canal de Chambly, pour le plaisir de voir les éclusiers à l'œuvre et le magnifique point de vue sur la rivière Richelieu p. 80
- L'île aux Grues, pour ses petites routes planes qui longent le fleuve et de grands champs de blé p. 192
- L'île d'Orléans, toute en côtes et en vallons p. 175
- Le parc linéaire Le P'tit Train du Nord, qui s'étend sur 232 km en suivant le tracé de l'ancien chemin de fer des Laurentides p. 116
- La piste du canal de Lachine, un des parcours préférés des Montréalais p. 58
- La promenade Samuel-De Champlain, pour rouler le long des berges du fleuve Saint-Laurent dans la vill de Québec p. 178
- La Véloroute des Bleuets, qui ceinture le lac Saint-Jean sur 256 km p. 234

Pour observer la faune québécoise

- Les croisières d'observation des baleines proposées dans le parc marin du Saguenay–Saint-Laurent p. 230, 241
- L'île d'Anticosti, réputée pour ses cerfs de Virginie p. 246
- Le parc national de la Gaspésie, seul endroit au Québec où se trouvent à la fois des cerfs de Virginie, des orignaux et des caribous p. 207
- Le Refuge Pageau, qui recueille les animaux blessés (ours, loups, renards, orignaux, aigles...) pour les soigner et ensuite les remettre en liberté p. 133
- La réserve de parc national de l'Archipel-de-Mingan, où l'on peut notamment observer quelque 35 000 couples d'oiseaux marins répartis en 12 espèces différentes p. 246
- La réserve nationale de faune du Cap-Tourmente, dont les battures sont fréquentées chaque année par des nuées d'oies blanches p. 174
- La réserve nationale de faune du Lac-Saint-François, qui abrite quelque 220 espèces d'oiseaux et plus de 50 espèces de mammifères p. 88

Pour profiter des joies de l'hiver

- Le parc du Mont-Royal, pour patiner, glisser ou faire du ski de fond en plein cœur de Montréal p. 68
- Le parc national de la Gaspésie, paradis du ski de fond et de la raquette p. 207
- Le parc national des Grands-Jardins, où un réseau de sentiers de 50 km a été aménagé pour le ski de fond et la raquette p. 222
- La Station Mont Tremblant, l'un des plus importants centres récréotouristiques hivernaux en Amérique du Nord p. 118
- Le Domaine de la forêt perdue, qui offre plus de 10 km de sentiers glacés à parcourir en patins dans une pinède et d'autres types de forêts p. 142

Le portrait

▲ Parc national du Bic, Bas-Saint-Laurent. © iStockphoto.com/Onfokus

Géographie et climat

Vaste contrée située à l'extrémité nord-est du continent américain, le Québec s'étend sur 1 667 441 km^2, ce qui équivaut à plus de trois fois la superficie de la France. Cet immense territoire à peine peuplé, sauf dans ses régions les plus méridionales, comprend de formidables étendues sauvages, riches en lacs, en rivières et en forêts.

◄ Îles de la Madeleine. (double page précédente) © iStockphoto.com/mfcloutier

Il forme une grande péninsule septentrionale dont les interminables fronts maritimes plongent à l'ouest dans les eaux de la baie James et de la baie d'Hudson, au nord dans le détroit d'Hudson et la baie d'Ungava, et à l'est dans le golfe du Saint-Laurent.

La géographie du pays est marquée de trois formations géomorphologiques d'en-

vergure continentale. D'abord, le puissant et majestueux fleuve Saint-Laurent, le plus important cours d'eau de l'Amérique du Nord à se jeter dans l'Atlantique, le traverse sur plus d'un millier de kilomètres. Tirant sa source des Grands Lacs, le Saint-Laurent reçoit dans son cours les eaux de grands affluents tels que l'Outaouais, le Richelieu, le Saguenay et la Manicouagan. Principale voie de pénétration du territoire, le fleuve a depuis toujours été le pivot du développement du Québec. Encore aujourd'hui, la majeure partie de la population québécoise se regroupe sur les basses terres qui le bordent, principalement dans la région métropolitaine de Montréal, qui compte environ la moitié de la population du Québec. Plus au sud, près de la frontière canado-américaine, la chaîne des Appalaches longe les basses terres du Saint-Laurent depuis le sud-est du Québec jusqu'à la péninsule gaspésienne. Les paysages vallonnés de ces régions ne sont pas sans rappeler ceux de la Nouvelle-Angleterre, alors que les montagnes atteignent rarement plus de

1 000 m d'altitude. Le reste du Québec, soit près de 90% de son territoire, est formé du Bouclier canadien, une formation rocheuse qui s'étend de la rive nord du fleuve Saint-Laurent jusqu'au détroit d'Hudson. Le Bouclier canadien est doté de richesses naturelles fabuleuses, de grandes forêts et d'un formidable réseau hydrographique dont plusieurs rivières servent à la production d'électricité.

Un paysage façonné par l'homme

Le mode d'occupation du sol des premiers colons modèle encore de nos jours l'espace territorial québécois. Les paysages des basses terres du Saint-Laurent portent ainsi l'empreinte du système seigneurial français. Ce système, qui divisait les terres en longs rectangles très étroits, avait été élaboré pour permettre au plus grand nombre possible de colons d'avoir accès aux cours d'eau. Lorsque les terres bordant les cours d'eau étaient enfin peuplées, on traçait alors un chemin (un rang) avant de répéter cette même division du sol plus loin. Plusieurs régions du Québec restent quadrillées de la sorte. Comme les terres sont très étroites, derrière des maisons rapprochées les unes des autres qui s'alignent le long des rangs, les champs s'étendent à perte de vue. Dans certaines régions qui longent la frontière canado-américaine, les premiers occupants, des colons britanniques, implantèrent, quant à eux, un système de cantons, soit une division du sol en forme de carré. Ce système subsiste dans certaines parties des Cantons-de-l'Est et de l'Outaouais.

Climat

L'une des caractéristiques du Québec par rapport à l'Europe est que les saisons y sont très marquées. Les températures peuvent monter au-delà de 30°C en été et descendre en deçà de -25°C en hiver. Si vous visitez le Québec durant chacune des deux saisons «principales» (été et hiver), il pourra vous sembler avoir visité deux pays totalement différents, les saisons influant non seulement sur les paysages, mais aussi sur le mode de vie et le comportement des habitants.

› Hiver

Mon pays ce n'est pas un pays, c'est l'hiver... – Gilles Vigneault

▲ Ski au mont Tremblant. © iStockphoto.com/AlpamayoPhoto

Même si l'hiver s'étend de la mi-novembre à la fin mars, les mois de janvier et février sont les meilleurs pour les amateurs de ski, de motoneige, de patin, de randonnée en raquettes et autres sports d'hiver. En général, il faut compter cinq ou six tempêtes de neige par hiver. Le vent refroidit encore davantage les températures et provoque parfois ce que l'on nomme ici la «poudrerie» (neige très fine emportée par le vent). Cependant, l'une des caractéristiques propres à l'hiver québécois est son nombre d'heures d'ensoleillement, plus élevé ici qu'à Paris ou Bruxelles.

› Printemps

Il est bref (de la fin mars à la fin mai) et annonce la période de la «sloche» (mélange de neige fondue et de boue). La fonte des neiges laisse apercevoir une herbe jaunie par le gel et la boue, puis le réveil de la nature se fait spectaculaire.

› Été

De la fin mai à la fin août s'épanouit une saison qui s'avère à bien des égards surprenante pour les Européens habitués à voir le Québec comme un pays de neige. Les chaleurs peuvent en effet être élevées en juillet et août et souvent accompagnées d'humidité. La végétation prend des allures luxuriantes, et il ne faut pas s'étonner de voir des poivrons rouges ou verts pousser dans un pot sur le bord d'une fenêtre. Dans les villes, les principales artères sont ornées de fleurs et les terrasses ne désemplissent pas. C'est aussi la saison de nombreux festivals en tout genre (voir les sections «Festivals et événements» de chacune des régions couvertes par ce guide).

› Automne

L'automne s'étend de septembre à novembre. De la mi-septembre à la mi-octobre, les arbres dessinent ce qui est probablement la plus belle peinture vivante du continent nord-américain. La nature semble exploser en une multitude de couleurs allant du vert vif au rouge écarlate en passant par le jaune ocre. S'il peut encore y avoir des retours de chaleur, comme l'été des Indiens, les jours refroidissent très vite et les soirées peuvent déjà être froides.

› Été des Indiens

Cette période relativement courte (quelques jours vers la mi-octobre) pendant l'automne donne l'impression d'un retour en force de l'été. Ce sont en fait des courants chauds venus du golfe du Mexique qui réchauffent les températures déjà fraîches. Cette période de l'année porte le nom d'«été des Indiens», car il s'agissait de la dernière chasse avant l'hiver pour les Autochtones. Les Amérindiens profitaient de ce réchauffement pour faire le plein de nourriture pour la saison froide.

◂ Paysage automnal dans le parc de la Gatineau. © Dreamstime.com/Metalrose

Histoire

Lorsque les Européens découvrent le Nouveau Monde, une mosaïque de peuples indigènes occupe déjà ce vaste continent depuis plusieurs millénaires. Les ancêtres de ces populations autochtones, des nomades originaires de l'Asie septentrionale, auraient franchi le détroit de Béring vers la fin de la période glaciaire, il y a plus de 12 000 ans, pour lentement s'approprier l'ensemble du continent.

C'est au cours des millénaires suivants, et ce, à la faveur du recul des glaciers, que certains d'entre eux commencent à émigrer vers les terres les plus septentrionales, notamment celles de la péninsule québécoise. Ainsi, au moment où les Européens lancent leurs premières explorations intensives de l'Amérique du Nord, plusieurs nations (voir p. 43) regroupées au sein de trois familles linguistiques (algonquienne, iroquoienne et inuktitut) se partagent le territoire qui deviendra par la suite le Québec.

Vivant en groupes, les Autochtones de ce vaste territoire ont élaboré des sociétés aux modes de fonctionnement très distincts les uns des autres. Par exemple, les peuples de la vallée du Saint-Laurent se nourrissent principalement des produits de leurs potagers, y ajoutant du poisson et du gibier, alors que les communautés plus au nord dépendent essentiellement des fruits de leur chasse pour survivre.

Au fil des siècles s'est tissé sur l'ensemble du continent un intense réseau de communication impliquant l'ensemble des Amérindiens; tous utilisent abondamment le canot pour circuler sur les «chemins qui marchent» et entretiennent des relations commerciales avec les nations voisines. Ces sociétés, bien adaptées aux rigueurs et aux particularités du territoire, seront rapidement marginalisées à partir du XVIe siècle avec le début de la conquête européenne.

Jacques Cartier. © Gravure attribuée à Pierre-Louis Morin/User:Kelson/Wikimedia Commons/Domaine public

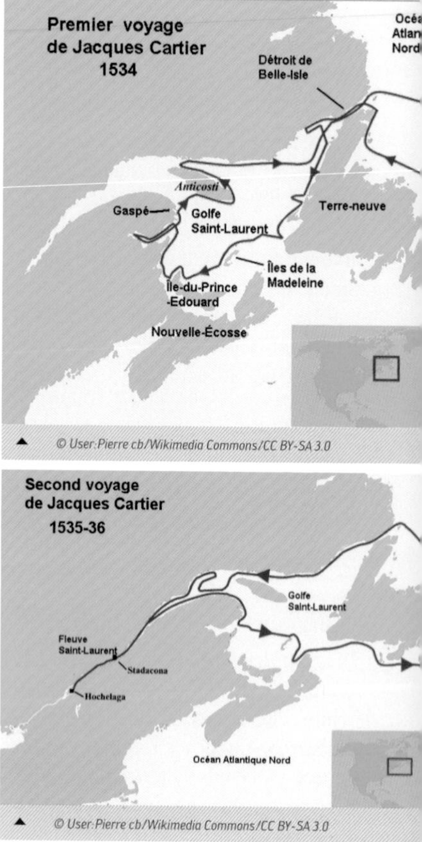

© User:Pierre cb/Wikimedia Commons/CC BY-SA 3.0

© User:Pierre cb/Wikimedia Commons/CC BY-SA 3.0

La Nouvelle-France

Lors de sa première exploration des côtes de Terre-Neuve et de l'embouchure du fleuve Saint-Laurent, en 1534, Jacques Cartier croise des navires de pêche basques, normands et bretons. En fait, ces eaux, qui ont d'abord été explorées par les Vikings vers l'an 900, sont déjà, à l'époque des voyages de Cartier, régulièrement visitées par de nombreux baleiniers et pêcheurs de morue provenant de différentes régions d'Europe. Les trois voyages de Jacques Cartier, à partir de 1534, marquent néanmoins une étape importante, puisqu'ils constituent les premiers contacts officiels de la France avec les peuples et le territoire de cette partie de l'Amérique.

Au cours de ses expéditions, le navigateur breton remonte très loin le fleuve Saint-Laurent, jusqu'aux villages amérindiens de Stadaconé (Québec) et d'Hochelaga (sur l'île de Montréal). Les découvertes de Cartier sont toutefois considérées par les autorités françaises comme étant de peu d'intérêt. Cartier ayant été mandaté par François Ier, roi de France, pour chercher de l'or et un passage vers l'Asie, ses trois voyages en Amérique ne lui ont permis de découvrir ni l'un ni l'autre. À la suite de cet échec, la Couronne française oublie cette contrée au climat inhospitalier pendant plusieurs décennies.

La mode grandissante en sol européen de coiffures et de vêtements de fourrure ainsi que les bénéfices que laisse présager ce commerce relancent par la suite l'intérêt de la France pour l'Amérique du Nord. Comme la traite des fourrures nécessite des liens étroits et constants avec les fournisseurs locaux, une présence permanente devient alors rapidement indispensable.

Jusqu'à la fin du XVIe siècle, plusieurs tentatives d'installation de comptoirs sur la côte Atlantique ou à l'intérieur du continent sont lancées. Enfin, en 1608, sous le commandement de Samuel de

Champlain, un premier poste permanent est érigé. Champlain et ses hommes choisissent un emplacement au pied d'un gros rocher faisant face à un étranglement du fleuve pour construire quelques bâtiments fortifiés que l'on nomme l'«Habitation de Québec» (d'ailleurs, le nom d'origine algonquine *kebec* signifie «passage étroit»).

Le premier hiver à Québec est extrêmement pénible, et 20 des 28 hommes meurent du scorbut ou de sous-alimentation avant l'arrivée de navires de ravitaillement au printemps de 1609. Quoi qu'il en soit, cette date marque les débuts du premier établissement français permanent en Amérique du Nord. Lorsque meurt Samuel de Champlain le jour de Noël 1635 à Québec, la Nouvelle-France compte déjà environ 300 pionniers.

Entre 1627 et 1663, la Compagnie des Cent-Associés détient le monopole du commerce des fourrures et assure un lent peuplement de la colonie. Simultanément, la Nouvelle-France commence à intéresser de plus en plus les milieux religieux français. Les Récollets arrivent les premiers en 1615, avant d'être remplacés par les Jésuites à partir de 1632.

Déterminés à convertir les Autochtones, les Jésuites s'installent profondément dans l'hinterland de la Nouvelle-France, près du littoral de la baie Georgienne, y fondant Sainte-Marie-des-Hurons. L'entente commerciale les liant aux Français est sans doute la principale raison pour laquelle les Hurons consentent à la présence des religieux. La mission est toutefois abandonnée quand cinq jésuites périssent lors de la défaite des Hurons en 1648 et en 1649 aux mains des Iroquois. Cette guerre fait d'ailleurs partie d'une vaste campagne militaire lancée par la puissante Confédération iroquoise des Cinq-Nations, qui anéantit, entre 1645 et 1655, toutes les nations rivales. Comptant chacune au moins 10 000 individus, les nations des Hurons, des Pétuns, des Neutres et des Ériés disparaissent presque totalement en l'espace d'une décennie. L'offensive menace même l'existence de la colonie française.

▲ Samuel de Champlain.
© iStockphoto.com/ConstanceMcGuire

En 1660 et 1661, des guerriers iroquois frappent partout en Nouvelle-France, entraînant la ruine des récoltes et le déclin de la traite des fourrures. Louis XIV, roi de France, décide alors de prendre la situation en main. Il dissout en 1663 la Compagnie des Cent-Associés et décide d'administrer lui-même la colonie. La Nouvelle-France, qui regroupe environ 3 000 habitants, devient dès lors une province française.

L'émigration vers la Nouvelle-France se poursuit sous le régime royal. On recrute alors principalement des travailleurs agricoles, mais également des militaires, comme ceux du régiment de Carignan-Salières, envoyés en 1665 pour combattre les Iroquois. La Couronne prend également des initiatives pour augmenter la croissance naturelle de la population, jusqu'alors entravée par la faible proportion d'immigrantes célibataires. Ainsi, entre 1663 et 1673, environ 800 «Filles du Roy» viennent trouver des époux en Nouvelle-France contre une dot payée par le roi.

▲ Coureur des bois. © Domaine public

Cette période de l'histoire de la Nouvelle-France est aussi celle de la glorieuse épopée des « ». Délaissant leurs terres pour le commerce des fourrures, ces jeunes gens intrépides pénètrent profondément dans le continent afin de traiter directement avec les trappeurs amérindiens. L'occupation principale de la majorité des colons demeure néanmoins l'agriculture.

Les revendications territoriales françaises en Amérique du Nord s'accroissent rapidement à cette époque, à la faveur des expéditions de coureurs des bois, de religieux et d'explorateurs, à qui l'on doit la découverte de la presque totalité du continent nord-américain. La Nouvelle-France atteint son apogée à l'aube du XVIIIe siècle, au moment où elle monopolise le commerce des fourrures en Amérique du Nord, contrôle le fleuve Saint-Laurent et entreprend la mise en valeur de la Louisiane. Ses positions lui permettent de contenir l'expansion des colonies anglaises, pourtant beaucoup plus peuplées, entre l'océan Atlantique et les Appalaches.

Mais la France, vaincue en Europe, accepte par le traité d'Utrecht de 1713 de céder le contrôle de la baie d'Hudson, de Terre-Neuve et de l'Acadie française à l'Angleterre. Ce traité, qui fait perdre à la Nouvelle-France une grande partie du commerce des fourrures et des positions militaires stratégiques, l'affaiblit sévèrement et sera le prélude à sa chute.

Dans les années suivantes, l'étau ne cesse de se resserrer sur la colonie française. Dès 1755, le colonel britannique Charles Lawrence ordonne ce qu'il conçoit comme une mesure préventive: la déportation des Acadiens. Ce « grand dérangement » entraîne l'exode d'au moins 7 000 Acadiens, ces paysans de langue française, citoyens britanniques depuis 1713, qui occupaient jusqu'alors les terres de l'actuelle Nouvelle-Écosse. En 1758, quelque 3 500 Acadiens de l'île Saint-Jean (l'actuelle Île-du-Prince-Édouard) seront également déportés.

L'épreuve de force pour le contrôle de l'Amérique du Nord connaît son dénouement quelques années plus tard, avec la victoire définitive des troupes britanniques sur les Français. Bien que Montréal soit tombée la dernière en 1760, c'est la célèbre et brève bataille des plaines d'Abraham, où s'affrontent les troupes de Montcalm et de Wolfe, qui concrétise, l'année précédente, la fin de la Nouvelle-France par la chute de Québec. Au moment de la Conquête anglaise, la population de la Nouvelle-France s'élève à environ 60 000 habitants, dont 8 967 vivent à Québec et 5 733 à Montréal.

Le Régime anglais

Par le traité de Paris de 1763, la France cède officiellement à l'Angleterre le Canada, ses possessions à l'est du Mississippi et ce qui lui reste de l'Acadie. Pour

▲ La bataille des plaines d'Abraham. © Hervey Smyth (1734-1811)/Domaine public

les anciens sujets de la Couronne française, les premières années de l'administration britannique sont très éprouvantes. D'abord, les dispositions de la Proclamation royale de 1763 instaurent un découpage territorial qui prive la colonie du secteur le plus dynamique de son économie, la traite des fourrures. De plus, la mise en place des lois civiles anglaises et le refus de reconnaître l'autorité du pape signifient la destruction des deux piliers sur lesquels reposait jusqu'alors la société coloniale : le système seigneurial et la hiérarchie religieuse. Enfin, indispensable pour occuper toute haute fonction administrative, le serment de Test (aboli en 1774), niant la transsubstantiation dans l'Eucharistie et l'autorité du pape, ne peut que discriminer les Canadiens français. Une part importante de l'élite quitte le pays pour la France, tandis que des marchands anglais prennent graduellement les commandes du commerce.

L'Angleterre accepte par la suite d'annuler la Proclamation royale, car, pour mieux pouvoir résister aux poussées indépendantistes de ses 13 colonies du Sud qui allaient bientôt former les États-Unis d'Amérique, elle doit rapidement accroître son emprise sur le Canada et gagner la faveur de la population. Ainsi, à partir de 1774, l'Acte de Québec remplace la Proclamation royale et inaugure une politique plus réaliste envers cette colonie anglaise dont la population est catholique et de langue française. Il donne ainsi un pouvoir important à l'Église catholique, pouvoir qu'elle conservera jusqu'en 1963.

La population canadienne reste presque essentiellement de souche française jusqu'à la fin de la guerre de l'Indépendance américaine, qui amène une première vague de colons britanniques. Citoyens américains désirant rester fidèles à la Couronne britannique, les loyalistes viennent s'installer au Canada, principalement aux abords du lac Ontario et dans l'ancienne Acadie, mais aussi dans les régions de peuplement français.

Avec l'arrivée de ces nouveaux colons, les autorités britanniques divisent, en 1791, le Canada en deux provinces. Le Haut-Canada, situé à l'ouest de la rivière

▲ La bataille de Saint-Eustache. © Lord Charles Beauclerk (1813-1842)/Domaine public

Outaouais, est principalement peuplé de Britanniques, et les lois civiles anglaises y ont désormais cours. Le Bas-Canada, qui comprend le territoire de peuplement à majorité française, reste régi par la coutume de Paris. D'autre part, l'Acte constitutionnel de 1791 introduit une amorce de parlementarisme au Canada en créant une Chambre d'assemblée dans chacune des deux provinces.

En ce qui concerne l'économie, le blocus continental de Napoléon, qui pousse l'Angleterre à venir s'approvisionner en bois au Canada, est à l'origine d'une nouvelle vocation pour la colonie. Cet événement arrive à point, car le motif initial de la colonisation, la traite des fourrures, ne cesse de péricliter. En 1821, l'absorption de la Compagnie du Nord-Ouest, qui regroupe les intérêts montréalais, par la

Compagnie de la Baie d'Hudson, concrétise le déclin de Montréal en tant que pôle du commerce des fourrures en Amérique du Nord. D'autre part, l'épuisement des sols et la surpopulation relative causée par le haut taux de natalité des familles canadiennes-françaises entraînent, au cours de cette même période, une profonde crise agricole. Le niveau de vie du paysan chute de telle sorte que son régime alimentaire se compose presque essentiellement de soupe aux pois et de galettes de sarrasin.

Ces difficultés économiques, mais aussi les luttes de pouvoir entre les deux groupes linguistiques du Bas-Canada, seront les éléments catalyseurs des rébellions des Patriotes de 1837 et 1838. La période d'effervescence précédant les

▲ Louis-Joseph Papineau. © Library and Archives Canada, Acc. No. 1986-36-1/Domaine public

événements s'amorce en 1834, avec la publication des *Quatre-Vingt-Douze Résolutions*, un réquisitoire impitoyable contre la politique coloniale de Londres. Ses auteurs, un groupe de parlementaires conduit par Louis-Joseph Papineau, décident de ne plus voter le budget aussi longtemps que l'Angleterre n'accédera pas à leurs demandes. La métropole britannique réagit en mars 1837 par la voie des *Dix Résolutions* de Lord Russell, refusant catégoriquement tout compromis avec les parlementaires du Bas-Canada.

Dès l'automne suivant, de violentes émeutes éclatent à Montréal, opposant les Fils de la Liberté, composés de jeunes Canadiens français, au Doric Club, formé de Britanniques loyaux. Les affrontements se déplacent par la suite dans la vallée du Richelieu et dans le comté de Deux-Montagnes, où de petits groupes d'insurgés tiennent tête pendant un temps à l'armée britannique avant d'être écrasés dans le sang.

L'année suivante, tentant de rallumer l'insurrection, des Patriotes connaissent le même sort à Napierville en affrontant 7 000 soldats de l'armée britannique. Par contre, cette fois-ci, les autorités coloniales entendent donner l'exemple. En 1839, 12 Patriotes meurent sur l'échafaud, alors que de nombreux autres sont déportés.

Entre-temps, Londres avait envoyé un émissaire, Lord Durham, afin d'étudier les problèmes de la colonie. S'attendant à découvrir un peuple en rébellion contre l'autorité coloniale, Durham constate plutôt qu'il s'agit de deux peuples en lutte, l'un canadien-français et l'autre britannique. Dans son rapport, Durham avance une solution radicale afin de résoudre définitivement le problème canadien : il propose aux autorités de la métropole d'assimiler graduellement les Canadiens français.

Dicté par Londres, l'Acte d'Union de 1840 s'inspire dans une large mesure des conclusions du rapport Durham. Dans cet esprit, on instaure un parlement unique composé d'un nombre égal de délégués des deux anciennes colonies, même si le Bas-Canada possède une population bien supérieure à celle du Haut-Canada. On unifie également les finances publiques, et enfin la langue anglaise devient la seule langue officielle de cette nouvelle union.

Comme les soulèvements armés ont été sans résultat, la classe politique canadienne-française décide alors de s'allier aux anglophones les plus progressistes afin de combattre ces dispositions. La lutte pour l'obtention de la responsabilité ministérielle devient par la suite le principal cheval de bataille de cette coalition.

Par ailleurs, la crise agricole qui frappe toujours aussi durement le Bas-Canada, doublée de l'arrivée constante d'immi-

▲ Les pères de la Confédération. © George P. Roberts/Library and Archives Canada, C-000733/Domaine public

grants et d'un haut taux de natalité, entraîne une émigration massive de Canadiens français vers les États-Unis. Entre 1840 et 1850, 40 000 Canadiens français quittent le pays pour aller tenter leur chance dans les usines de la Nouvelle-Angleterre. Pour contrer cette hémorragie démographique, l'Église et le gouvernement érigent un vaste plan de colonisation des régions périphériques, notamment le Lac-Saint-Jean. La rude vie des colons de ces nouvelles régions de peuplement, agriculteurs en été et bûcherons en hiver, fut dépeinte avec brio par l'écrivain d'origine bretonne Louis Hémon dans le roman *Maria Chapdelaine*. Mais cette désertion massive ne cesse pas pour autant avant le début du siècle suivant, si bien que, selon les estimations, environ un million de Canadiens français auraient émigré entre 1840 et 1930. De ce point de vue, la colonisation, qui a permis de doubler la superficie des terres cultivées, se solde par un échec retentissant. La pression démographique qui sévit dans le monde rural ne pourra être absorbée que plusieurs décennies plus tard grâce à l'essor de l'industrialisation.

L'économie canadienne reçoit à cette même époque un dur coup, lorsque l'Angleterre abandonne sa politique de mercantilisme et de tarifs préférentiels à l'égard de ses colonies. Pour amortir les contrecoups du changement de cap de la politique coloniale britannique, le Canada-Uni signe en 1854 un traité permettant la libre entrée de certains de ses produits aux États-Unis. L'économie canadienne reprend timidement son souffle, jusqu'à ce que le traité soit répudié en 1866 sous la pression d'industriels américains. C'est pour aider à résoudre ces difficultés économiques que l'on conçoit alors, en 1867, la Confédération canadienne.

La Confédération

Par la Confédération de 1867, l'ancien Bas-Canada reprend forme sous le nom de *Province of Quebec*. Trois autres provinces, la Nouvelle-Écosse, le Nouveau-Brunswick et l'Ontario (ancien Haut-Canada), adhèrent à ce pacte qui unira par la suite un vaste territoire s'étendant de l'Atlantique au Pacifique.

▲ Le procès de Louis Riel. © O.B. Buell/Domaine public

Pour les Canadiens français, ce nouveau système politique confirme leur statut de minorité amorcé par l'Acte d'Union de 1840. La création de deux ordres de gouvernement octroie par contre au Québec la juridiction dans les domaines de l'éducation, de la culture et des lois civiles.

D'un point de vue économique, la Confédération tarde à résoudre les difficultés. En fait, il faut attendre trois décennies ponctuées de fortes fluctuations avant que l'économie du Québec ne connaisse un véritable essor. Ces premières années de la Confédération permettent néanmoins une consolidation de l'industrie nationale grâce à la mise en place de tarifs douaniers protecteurs, à la création d'un grand marché unifié et au développement du système ferroviaire sur l'ensemble du territoire. La révolution industrielle amorcée au milieu du XIXe siècle reprend de la vigueur à partir des années 1880. Si Montréal demeure le centre incontesté de ce mouvement, cette industrialisation touche aussi de nombreuses autres villes de moindre importance.

L'exploitation forestière, qui constitue un moteur économique majeur au cours du XIXe siècle, fait que l'on exporte désormais plus de bois scié que de bois équarri, donnant ainsi naissance à une industrie de transformation. Par ailleurs, l'expansion du système ferroviaire, qui a pour pôle Montréal, permet une spécialisation dans le secteur du matériel fixe des chemins de fer. Les industries du cuir, du vêtement et de l'alimentation connaissent également une croissance notable. De plus, cette période donne lieu à l'émergence d'une toute nouvelle industrie, le textile, qui deviendra par la suite, et pour longtemps, le symbole de la structure industrielle du Québec. Bénéficiant d'un large réservoir de main-d'œuvre peu qualifiée, les industries textiles occupent au début principalement les femmes et les enfants.

Cette vague d'industrialisation a pour conséquence d'accroître le rythme de l'urbanisation et de créer une importante classe ouvrière aux conditions de vie difficiles. Agglutinés près des usines, les quartiers ouvriers de Montréal sont terriblement insalubres et la mortalité infantile y atteint un taux deux fois plus élevé que dans les quartiers riches.

Alors que le monde urbain vit de profondes transformations, la campagne amorce une sortie de crise. Une production dominée par les produits laitiers remplace graduellement les cultures de

▲ Wilfrid Laurier. © William James Topley (1845-1930)/Library and Archives Canada, C-001971/Domaine public

subsistance, contribuant à augmenter le niveau de vie des cultivateurs.

Enfin, un événement tragique, la pendaison de Louis Riel en 1885, témoigne une nouvelle fois de l'opposition qui règne entre les deux groupes linguistiques du Canada. Ayant pris la tête de rebelles métis et amérindiens dans l'ouest du Canada, Riel, un Métis francophone et catholique, est jugé coupable de haute trahison et condamné à mort. Alors que l'opinion publique canadienne-française se mobilise pour demander au cabinet fédéral de commuer la peine, du côté anglais on réclame avec insistance la pendaison de Riel. Le gouvernement Macdonald tranche finalement pour que Riel soit pendu, déclenchant une vive réaction populaire au Québec.

L'âge d'or du libéralisme économique

Le début du XXe siècle coïncide avec le commencement d'une période de croissance économique prodigieuse devant se prolonger jusqu'à la crise des années 1930. Euphorique et optimiste comme bien d'autres Canadiens, le premier ministre de l'époque, Wilfrid Laurier, prédit alors que le XXe siècle sera celui du Canada.

Cette croissance profite au secteur manufacturier québécois. Mais, grâce à la mise au point de nouvelles technologies et à l'émergence de certains marchés, ce sont les richesses naturelles du territoire qui deviennent le principal facteur de localisation dans cette seconde vague d'industrialisation.

L'électricité joue un rôle de pivot. En quelques années, grâce au grand nombre de rivières à fort débit et à leur dénivellation, le Québec devient l'un des plus importants producteurs d'hydroélectricité. Cette disponibilité d'énergie bon marché attire dans son sillage des industries nécessitant une forte consommation d'électricité. Des alumineries et certaines industries chimiques s'établissent ainsi à proximité des centrales hydroélectriques.

Par ailleurs, le secteur minier connaît un timide démarrage, alors que commence l'exploitation du sous-sol des Cantons-de-l'Est, riche en amiante, et de l'Abitibi, où l'on découvre des gisements de cuivre, d'or, de zinc et d'argent. Mais surtout, le secteur des pâtes et papiers québécois trouve de fabuleux débouchés aux États-Unis avec l'épuisement des forêts américaines et l'essor de la grande presse. Pour favoriser la création d'industries de transformation en sol québécois, le gouvernement du Québec intervient en 1910 pour interdire l'exportation de billes de bois.

Cette nouvelle vague d'industrialisation diffère de la première à bien des égards. Ayant lieu à l'extérieur des grands centres, elle accentue l'urbanisation des régions périphériques, créant dans certains cas des villes en quelques années. L'exploitation des richesses naturelles se distingue également du secteur manufacturier par la nécessité d'une main-d'œuvre plus qualifiée, mais surtout par le besoin d'imposants capitaux dont la finance locale est presque complètement dépourvue. Les Britanniques, jusque-là principaux pourvoyeurs de capitaux, cèdent cette fois devant l'ascension triomphante du capitalisme américain.

Cette société en pleine transformation, dont la population devient à moitié urbaine à partir de 1921, reste néanmoins fortement encadrée par l'Église. Rassemblant 85% de la population du Québec et pour ainsi dire tous les Canadiens français, l'Église catholique s'élève alors au rang d'acteur politique majeur au Québec. Grâce au contrôle qu'elle exerce sur les domaines de l'éducation, des soins hospitaliers et de l'assistance sociale, son autorité est incontournable. L'Église n'hésite d'ailleurs pas à intervenir dans les débats politiques, combattant tout particulièrement les politiciens jugés trop libéraux.

Enfin, lorsque la Première Guerre mondiale éclate en Europe, le gouvernement canadien s'engage sans réticence aux côtés de la Grande-Bretagne. Un bon nombre de Canadiens français s'enrôlent volontairement dans l'armée, quoique dans une proportion beaucoup plus faible que les autres Canadiens. Ce manque d'enthousiasme des francophones s'explique par les sentiments plutôt mitigés qu'ils entretiennent envers la Grande-Bretagne. Bientôt, le gouvernement canadien fixe l'objectif de mobiliser 500 000 hommes et, comme les volontaires ne sont plus suffisants, il vote en 1917 la conscription.

Au Québec, la colère gronde: émeutes, bagarres, dynamitages. La population réagit furieusement. La conscription se solde finalement par un échec, en ne parvenant pas à enrôler un nombre appréciable de Canadiens français. Mais surtout, elle a pour conséquence de river les deux groupes linguistiques du Canada l'un contre l'autre.

La Grande Dépression

Entre 1929 et 1945, deux événements d'envergure internationale, la crise éco-

▲ Une soupe populaire à Montréal durant la Grande Dépression.
© Library and Archives Canada, PA-168131/Domaine public

nomique et la Seconde Guerre mondiale, perturbent considérablement la vie politique, économique et sociale du pays. La Grande Dépression des années 1930, que l'on perçoit d'abord comme une crise cyclique et temporaire, se prolonge en un long cauchemar d'une décennie et brise l'essor économique du Québec. La chute des échanges internationaux frappe durement l'économie canadienne, fortement dépendante des marchés extérieurs.

Le Québec est inégalement touché. Montréal, dont une grande partie de l'économie repose sur l'exportation, et les villes axées sur l'exploitation des richesses naturelles absorbent les coups les plus durs. Les industries du textile et de l'alimentation qui écoulent leur production sur le marché canadien résistent mieux pendant les premières années, avant de sombrer également dans les difficultés. Comme elle peut nourrir sa population, la campagne devient alors un refuge, apportant un répit au mouvement séculaire d'urbanisation. La misère ne cesse de se généraliser et le chômage frappe, touchant jusqu'à 27% de la population en 1933.

Les gouvernements ne savent que faire devant cette crise que l'on pensait d'abord passagère. Le gouvernement du Québec lance d'abord de vastes travaux publics pour employer les chômeurs, mais, devant l'insuffisance de cette solution, il introduit le secours direct. D'abord très timidement avancée, puisque le chômage a toujours été perçu comme un problème individuel, cette mesure vient par la suite en aide à de nombreux Québécois.

La crise incite également le gouvernement fédéral à remettre en cause certains

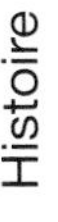

dogmes du libéralisme économique et à redéfinir le rôle de l'État. La mise sur pied de la Banque du Canada en 1935 va dans ce sens, en permettant un meilleur contrôle du système monétaire et financier.

C'est aussi au cours des années de guerre que seront lancées les mesures qui conduiront par la suite à la naissance de l'État providence canadien. Entretemps, la crise qui secoue le libéralisme débouche sur un foisonnement d'idéologies au Québec. Les tendances se multiplient, mais le nationalisme traditionnel accapare une place de choix, encensant les valeurs traditionnelles que sont le monde rural, la famille, la religion et la langue.

La Seconde Guerre mondiale

La guerre éclate en 1939 et le Canada s'y engage officiellement dès le 10 septembre de la même année. La nécessité de moderniser le matériel militaire canadien et les besoins logistiques des Alliés permettent la relance de l'économie du pays. De plus, ses relations privilégiées avec la Grande-Bretagne et les États-Unis accordent au Canada un rôle diplomatique appréciable, comme en témoigneront les Conférences de Québec de 1943 et de 1944.

Mais, très rapidement, la polémique entourant la conscription refait surface. Bien que le gouvernement fédéral se soit engagé à ne pas y recourir, devant la montée de l'opposition anglophone du pays, il organise un plébiscite afin de se dégager de cette promesse. Les résultats démontrent sans équivoque le clivage existant entre les deux groupes linguistiques: les Canadiens anglais votent à 80% en faveur de la conscription, alors que les Québécois francophones s'y opposent dans une même proportion. Les sentiments équivoques à l'égard de la France et de la Grande-Bretagne, de même que l'emprise de l'Église catholique aux penchants mussoliniens, font en sorte que les Québécois se sentent très peu enclins à s'engager dans ce conflit. Ils doivent néanmoins se plier à la décision de la majorité. L'engagement total du Canada s'élève à plus d'un million de personnes, dont 45 000 trouveront la mort.

La guerre a pour effet de modifier en profondeur le visage du Québec. Son économie en sort davantage diversifiée et beaucoup plus puissante. Du côté des relations entre Québec et Ottawa, l'intervention massive du gouvernement fédéral au cours de la guerre devient le prélude à l'accroissement de son rôle dans l'économie et à la marginalisation relative des gouvernements provinciaux.

1945-1960: le duplessisme

À la fin du second conflit mondial s'amorce une période exaltante de croissance économique, où les désirs de consommation réprimés, par la crise et le rationnement du temps de guerre, peuvent enfin être assouvis. Jusqu'en 1957, malgré quelques fluctuations, l'économie fonctionne à merveille.

Cette richesse touche néanmoins inégalement les divers groupes sociaux et ethniques du Québec. De nombreux travailleurs, surtout les non-syndiqués, gagnent toujours des salaires relativement bas. De plus, en moyenne, la minorité anglophone du Québec bénéficie d'un niveau de vie supérieur à celui des francophones. À compétence et expérience égales, les francophones touchent des salaires moindres et sont discriminés dans leur ascension sociale par le puissant contrôle qu'exercent les Canadiens anglais et les Américains sur l'économie.

Quoi qu'il en soit, cette croissance de l'économie favorise la stabilité politique, si bien que le chef de l'Union nationale, Maurice Duplessis, demeure premier ministre du Québec de 1944 jusqu'à sa

▲ Maurice Duplessis. © Domaine public

mort, en 1959. Cette période qu'on a souvent qualifiée de «grande noirceur» est profondément marquée par la personnalité de Duplessis.

L'idéologie duplessiste est formée d'un amalgame parfois paradoxal de nationalisme traditionnel, de conservatisme et de capitalisme débridé. Le «Chef» fait l'apologie du monde rural, de la religion et de l'autorité, tout en octroyant aux grandes entreprises étrangères des conditions très favorables à l'exploitation des richesses du territoire. Dans l'esprit de Duplessis, la main-d'œuvre bon marché fait partie de ces richesses nationales qu'il faut préserver. Il lutte donc farouchement contre la syndicalisation et n'hésite pas à employer des mesures d'intimidation musclées. Des nombreuses grèves, c'est celle de l'amiante, en 1949, qui marque le plus la conscience collective.

Bien que Maurice Duplessis soit la personnalité dominante de cette époque, son passage au pouvoir ne peut s'expliquer que par la collaboration tacite d'une grande partie des élites traditionnelles et du monde des affaires tant francophone qu'anglophone. Le clergé, qui, en apparence, vit ses heures les plus glorieuses, ressent un affaiblissement de son autorité, ce qui le pousse à soutenir à fond le régime duplessiste.

Malgré la prédominance du discours duplessiste, cette période donne néanmoins lieu à l'émergence d'importants foyers de contestation. Le Parti libéral du Québec ayant de la difficulté à s'organiser, l'opposition se veut alors surtout extraparlementaire. Certains artistes et écrivains témoignent de leur impatience en publiant en 1948 le *Refus global*, un réquisitoire terrible contre l'atmosphère étouffante du Québec d'alors. Mais l'opposition organisée émane surtout de

▲ Pierre Elliott Trudeau. © User:Rob Mieremet/Anefo/Wikimedia Commons/CC BY-SA 3.0

groupes d'intellectuels, de syndicalistes et de journalistes.

Tous désirent moderniser le Québec et sont en majorité favorables à la mise en place d'un État providence. Cependant, très tôt au sein de ces réformistes, deux tendances s'organisent. Certains, comme Gérard Pelletier et Pierre Trudeau, soutiennent que la modernisation du Québec passe par un fédéralisme centralisateur; d'autres, les néonationalistes, comme André Laurendeau, souscrivent plutôt à un accroissement des pouvoirs du gouvernement du Québec. Ces deux groupes, qui auront tôt fait de marginaliser le traditionalisme avec la Révolution tranquille, s'opposeront par la suite tout au long de l'histoire contemporaine du Québec.

La Révolution tranquille

«L'équipe du tonnerre» du Parti libéral de Jean Lesage, qui a pour slogan *C'est le temps que ça change*, prend le pouvoir en 1960 et le conserve jusqu'en 1966. Cette période qu'on désigne du nom de «Révolution tranquille» a l'allure d'une véritable course à la modernisation.

Mouvement accéléré de rattrapage, la Révolution tranquille réussit en quelques années à mettre le Québec «à l'heure de la planète». L'État accroît son rôle en prenant à sa charge les domaines de l'éducation, de la santé et des services sociaux. L'Église, dépouillée ainsi de ses principales sphères d'influence, perd alors de son autorité et plonge dans une douloureuse remise en question accentuée par la désaffection massive de la part de ses fidèles.

Du point de vue économique, la nationalisation de l'électricité est à l'origine d'un vaste mouvement visant à octroyer au gouvernement du Québec un rôle moteur dans le développement économique. L'État québécois se dote au surplus de puissants instruments économiques lui permettant d'intervenir massivement et de consolider l'emprise des francophones dans le monde des affaires. Cette Révolution tranquille se traduit par un remarquable dynamisme dans la société québécoise, que symbolisera la tenue à Montréal d'événements internationaux d'envergure tels que l'Exposition universelle en 1967 et les Jeux olympiques en 1976.

Cette société en pleine effervescence engendre un pluralisme idéologique, cependant marqué par la prédominance des mouvements de gauche. On assiste à des débordements à partir de 1963, alors que le Front de libération du Québec (FLQ), un groupuscule d'extrémistes désirant accélérer la «décolonisation» du Québec, lance une première vague d'attentats à Montréal. Puis, en octobre 1970, le FLQ récidive en kidnappant le diplomate britannique James Cross et le ministre Pierre Laporte, ce qui déclenche une crise politique au pays. Le premier ministre canadien de l'époque, Pierre Elliott Trudeau, qui prétexte un soulè-

▲ L'Exposition universelle de 1967. © User:Laurent Bélanger/Wikimedia Commons/CC BY-SA 3.0

vement appréhendé, réagit en promulguant la Loi sur les mesures de guerre. L'armée canadienne prend alors position en territoire québécois; on effectue des milliers de perquisitions et on emprisonne des centaines de personnes innocentes. Peu de temps après, le ministre Pierre Laporte est retrouvé mort. La crise se termine finalement lorsque les ravisseurs de James Cross acceptent sa libération contre un sauf-conduit vers Cuba. Tout au long de cette crise, et par la suite, le premier ministre Trudeau sera critiqué sévèrement pour avoir eu recours à la Loi sur les mesures de guerre. On l'accusera d'avoir tenté, par ce coup de force, de briser le mouvement autonomiste québécois.

Le phénomène politique le plus marquant entre 1960 et 1980 demeure cependant l'ascension rapide du nationalisme modéré. Rompant avec le traditionalisme d'antan, le néonationalisme se veut le promoteur d'un Québec fort, ouvert et moderne. Il préconise un accroissement des pouvoirs du gouvernement québécois et, ultimement, l'indépendance politique. Les forces nationalistes se regroupent rapidement autour de René Lévesque, fondateur du Mouvement Souveraineté-Association, puis, en 1968, du Parti québécois. Après deux élections où il ne fait élire que quelques députés, le Parti québécois remporte, en 1976, une étonnante victoire. S'étant fixé comme mandat de négocier la souveraineté du Québec, le Parti québécois organise en 1980 un référendum pour obtenir l'assentiment du peuple.

Dès le début, la campagne référendaire met en lumière la division des Québécois entre souverainistes et fédéralistes. La lutte demeure vive et mobilise l'ensemble de la population jusqu'aux derniers moments. Mais finalement, après une campagne axée sur des promesses visant à réaménager le fédéralisme, les tenants du «non» remportent la victoire avec près de 60% des voix.

Malgré l'amertume que suscite cette défaite, les souverainistes se consolent néanmoins en constatant que le soutien

▲ René Lévesque. © Wikimedia Canada/Bibliothèque et Archives nationales du Québec, P243,S1,D865/CC BY-SA 3.0

à leur cause a fait un bond de géant en l'espace de quelques années. Mouvement marginal dans les années 1960, le nationalisme s'affirme désormais comme un phénomène incontournable de la politique québécoise. Le soir de la défaite, René Lévesque, déçu mais toujours aussi charismatique, prédit que ce serait *« pour la prochaine fois »*.

Depuis 1980 : ruptures et continuités

Le mouvement amorcé par la Révolution tranquille connaît une rupture avec la défaite souverainiste au premier référendum et, pour plusieurs, les années 1980 s'amorcent avec ce que l'on a appelé la «déprime post-référendaire». Le climat s'envenime davantage lorsqu'en 1981 et 1982 l'économie traverse la pire récession depuis les années 1930. Plus tard, bien qu'il y ait une lente relance de l'économie, le taux de chômage demeurera très élevé et les finances publiques accumuleront des déficits vertigineux. À l'instar de plusieurs autres gouvernements occidentaux, le Québec remet alors en question ses choix passés, même si, pour certains, cette nouvelle rationalité du gouvernement québécois fait craindre que les «acquis» de la Révolution tranquille soient sacrifiés.

La décennie des années 1980 et le début des années 1990 sont donc marqués du sceau de la rationalisation, mais aussi de la mondialisation des marchés et de la consolidation de grands blocs économiques. Dans cet esprit, le Canada et les États-Unis concluent un accord de libre-échange en 1987, élargi au Mexique à partir de 1994.

Du point de vue politique, la question du statut du Québec refait surface et le mouvement souverainiste québécois reprend une étonnante vigueur avec le début des années 1990. Les Québécois acceptent alors très mal l'échec de l'Accord du lac Meech, en juin 1990, qui visait à réintégrer le Québec dans la «famille constitutionnelle» en lui accordant un statut particulier. Plus tard, les gouvernants tentent de résoudre l'impasse en organisant, le 26 octobre 1992, un référendum pancanadien sur de nouvelles offres constitutionnelles, que rejette avec éclat, mais pour des raisons opposées, tant la population québécoise que canadienne.

Par la suite, lors de l'élection fédérale du 25 octobre 1993, le Bloc québécois, un parti favorable à la souveraineté du Québec, remporte plus des deux tiers des comtés du Québec et forme l'opposition officielle au Parlement canadien; puis, l'année suivante, le Parti québécois se fait élire et forme le gouvernement du Québec, en ayant à son programme la tenue d'un référendum sur la souveraineté du Québec.

Moins d'un an après son arrivée au pouvoir, comme prévu, le Parti québécois déclenche une campagne référendaire sur la souveraineté du Québec. Tout comme

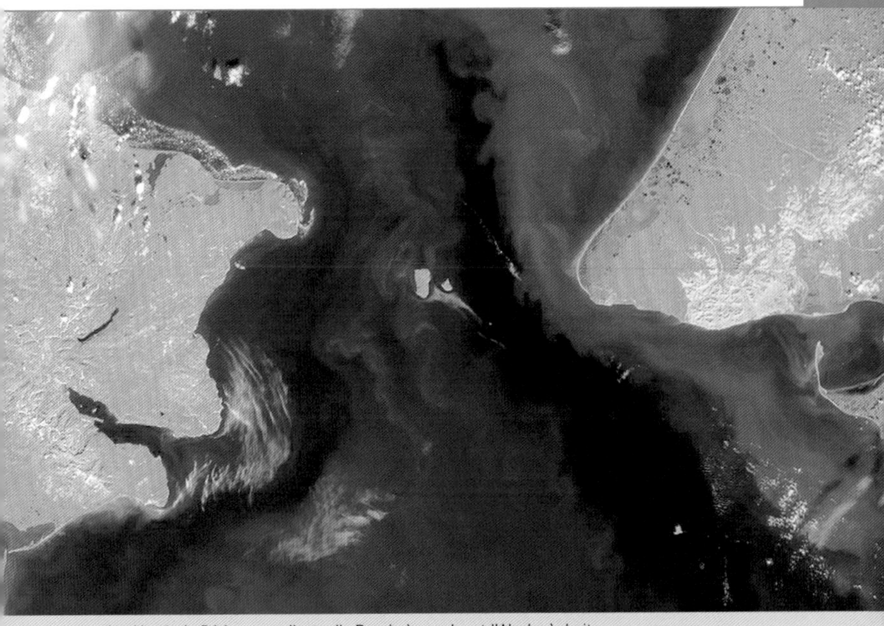

▲ Le détroit de Béring, avec l'actuelle Russie à gauche et l'Alaska à droite. © Nasa/Domaine public

au référendum de 1980, 15 années plus tôt, on sait que la population québécoise est très divisée sur le sujet. Par contre, cette fois-ci, les résultats seront autrement plus serrés. Au soir du 30 octobre 1995, date du référendum, le résultat ne laisse aucun doute sur le déchirement des Québécois: 49,4% votent «oui» au projet de souveraineté du Québec, et 50,6% votent «non»! Ce référendum, qui devait résoudre définitivement la question du statut politique du Québec, a plutôt ramené tout le monde à la case départ.

Population

Le Québec est constitué d'une population aux origines diverses. Aux peuples autochtones se sont joints, à partir du XVIe siècle, des colons d'origine française dont les descendants forment aujourd'hui la majorité de la population québécoise. Arrivés au pays entre 1608 et 1759, ils provenaient pour la plupart des régions du nord et de l'ouest de la France, principalement de Normandie, d'Île-de-France, d'Anjou, du Maine, de la Touraine, de la Bretagne, de la Champagne et de la Picardie. Par la suite, le Québec s'est enrichi d'immigrants des îles Britanniques et des États-Unis. Tout au long du XIXe siècle, le Québec connut de grandes vagues d'immigration en provenance des îles Britanniques. Ces Anglais, Écossais ou Irlandais, souvent dépossédés dans leur pays ou victimes de la famine, s'installèrent surtout dans les Cantons-de-l'Est, en Outaouais et à Montréal.

L'immigration autre que française, américaine ou britannique n'a réellement commencé qu'au tournant du XXe siècle, d'abord constituée majoritairement de Juifs d'Europe centrale et d'Italiens. À partir des années 1960, le Québec accueille une immigration diversifiée en provenance de tous les continents.

Les Inuits et les Amérindiens

Premiers occupants du territoire québécois, les Autochtones représentent une petite fraction de la population totale du Québec. Leurs ancêtres, qui provenaient d'Asie septentrionale, franchirent le détroit de Béring il y a plus de 12 000

▲ Famille inuite. © George R. King./Domaine public

ans et, quelques millénaires plus tard, commencèrent à peupler la péninsule québécoise par vagues successives.

Ainsi, lorsque Jacques Cartier «découvrit» au nom du roi François Ier les terres bordant le golfe et le fleuve Saint-Laurent, des civilisations y vivaient déjà depuis des millénaires. À cette époque, le territoire que l'on nommera par la suite le «Québec» était peuplé d'une mosaïque complexe de cultures indigènes se distinguant les unes des autres par leur langue, leur mode de vie et leurs rites religieux. Ayant su apprivoiser les rigueurs du climat et les particularités du territoire, les peuples du Nord tiraient leur subsistance de la chasse et de la pêche, alors que ceux qui vivaient dans la vallée du Saint-Laurent se nourrissaient principalement de leurs récoltes. Comme ces peuples ne maîtrisaient pas l'écriture, le peu que nous sachions de leur mode de vie à l'époque repose sur les traditions orales, les récits d'explorateurs européens et les recherches anthropologiques.

Le déclin de ces cultures millénaires débuta à partir du XVIe siècle, avec l'arrivée des premiers colonisateurs européens. Contrairement aux conquêtes européennes de certaines autres régions des Amériques, les affrontements armés entre Autochtones et colonisateurs ont été relativement peu nombreux. La faible densité de population de ce vaste territoire permettait aux Européens de fonder leurs premières petites colonies en évitant d'affronter directement les nations autochtones, longtemps beaucoup plus puissantes qu'eux.

Néanmoins, les Autochtones souffrirent cruellement de la colonisation européenne dès ses premières années. D'abord, des maladies introduites par les Européens, comme la grippe, la variole et la tuberculose, que le système immunitaire des Autochtones ne pouvait combattre, emportèrent jusqu'à la moitié de certaines nations.

Tout aussi dévastatrice, la lutte pour le contrôle du lucratif commerce des fourrures, instauré par les colonisateurs, provoqua de sanglantes guerres entre nations amérindiennes, désormais pourvues d'armes à feu. C'est ainsi qu'entre 1645 et 1665 la Confédération iroquoise des Cinq-Nations anéantit presque totalement les Hurons, les Pétuns, les Neutres et les

Ériés, nations comptant respectivement plus de 10 000 personnes.

L'agonie des peuples autochtones se poursuivit par la suite avec l'avancée implacable de la colonisation qui, arrachant graduellement les territoires, repoussa sans relâche les Autochtones. Finalement, sans avoir véritablement jamais été défaits militairement, Amérindiens et Inuits vivent désormais sous la loi des Blancs.

On estime aujourd'hui que plus des trois quarts des Autochtones vivent toujours dans de petites communautés dispersées un peu partout sur le territoire. Quoique plusieurs puissent encore jouir de territoires de chasse et de pêche, leur mode de vie traditionnel a été, dans une large mesure, anéanti.

Mal adaptés à la société moderne, souffrant d'acculturation, les peuples autochtones sont actuellement piégés par d'importants problèmes sociaux. Depuis quelques années, ils ont néanmoins réussi à obtenir davantage d'attention de la part des médias, de la population et des gouvernements. L'intérêt a surtout été porté vers leurs revendications politiques et territoriales, plus particulièrement lors de l'été 1990, alors que, pendant plus de deux mois, des Mohawks armés ont réussi à bloquer l'un des principaux ponts reliant l'île de Montréal à la rive sud du Saint-Laurent. Occasionnant de fortes tensions sociales, cette crise politique a sans doute nui à court terme à la cause des Autochtones. Cependant, les revendications des Amérindiens et des Inuits trouvent maintenant des appuis très solides un peu partout au Canada, et des accords leur octroyant une plus grande autonomie ont commencé à être signés ces dernières années.

Les 11 nations autochtones du Québec se regroupent en trois familles culturelles distinctes. Ainsi, les Abénaquis, les Algonquins, les Attikameks, les Cris, les Malécites, les Micmacs, les Montagnais et les Naskapis sont tous de culture algonquienne, alors que les Hurons-Wendat et les Mohawks sont de culture iroquoienne. Les Inuits forment, de leur côté, une entité culturelle tout à fait à part.

Les francophones

Les Québécois francophones sont les descendants, dans une écrasante majorité, des colons d'origine française arrivés au pays entre 1608 et 1759. Cette émigration vers la Nouvelle-France fut d'abord très lente, si bien qu'en 1663 la colonie française ne comptait qu'environ 3 000 habitants. Le mouvement migratoire s'accéléra légèrement par la suite, ce qui, combiné à la croissance naturelle, donna à la Nouvelle-France une population d'environ 60 000 habitants au moment de la Conquête anglaise (1759-1760). Les Français venus peupler le Canada, majoritairement des paysans, provenaient pour la plupart des régions de la côte ouest de la France.

Ces 60 000 Canadiens français ont légué, après un peu plus de deux siècles, un impressionnant héritage démographique de plusieurs millions d'individus, dont environ sept millions vivent toujours au Canada. Des démographes ont établi des comparaisons très étonnantes à ce sujet: entre 1760 et 1960, la population mondiale s'est multipliée par 3, la population de souche européenne par 5, alors que la population française du Canada se multipliait par 24! Cette statistique est surprenante, d'abord parce que l'immigration en provenance de la France fut presque nulle au cours de cette période, mais aussi parce que, mis à part les quelques unions avec des Irlandais, il y eut très peu de mariages entre citoyens des îles Britanniques et Canadiens français, et que les immigrants des autres pays d'Europe se sont surtout assimilés à la minorité anglophone. De plus, entre 1840 et 1930, environ 1 000 000 de Québécois quittèrent le pays pour les États-Unis.

Cette croissance phénoménale de la population française du Canada tient donc, essentiellement, à un taux d'accroissement naturel remarquable. Ainsi, pendant longtemps, les femmes canadiennes-françaises engendraient en moyenne 8 enfants, les familles de 15 ou de 20 enfants étant chose courante. Ce phénomène s'explique en partie par les pressions qu'exerçait le puissant clergé catholique, désireux de combattre la progression du protestantisme au Canada. Situation plutôt paradoxale, les francophones du Québec partagent aujourd'hui, avec des pays comme l'Allemagne, l'un des taux d'accroissement naturel les moins élevés du monde.

Majoritaires au Québec, les francophones ont toutefois longtemps été dépourvus du contrôle de leur économie. On estime qu'en 1960 la moyenne de revenus des Québécois francophones correspondait à environ 66% de celle des Anglo-Québécois. Alors que le rattrapage économique s'amorçait avec la Révolution tranquille, on assista parallèlement à une ascension de l'affirmation nationale des francophones, qui, dès lors, cessèrent de se considérer comme Canadiens français et se définirent plutôt comme Québécois. Les francophones, qui intègrent maintenant de plus en plus d'immigrants, représentent actuellement plus de 80% de la population totale du Québec.

Les anglophones

On a longtemps véhiculé une conception très monolithique de la communauté québécoise de langue anglaise. Selon l'image populaire, les «Anglais» étaient essentiellement protestants et bien nantis. Dans la réalité, cependant, les Anglo-Québécois forment à bien des égards, et ce, depuis longtemps, une communauté très diversifiée. D'abord, même si, en moyenne, ils ont toujours bénéficié de revenus supérieurs aux Québécois d'expression française, dans les faits on retrouve des anglophones dans tous les milieux socioéconomiques. De plus, grâce à l'intégration de nombreux immigrants, ils constituent un groupe aux origines ethniques particulièrement hétérogènes.

Les premiers arrivés après la Conquête, surtout des marchands, n'ont représenté qu'une fraction infime de la population québécoise durant près d'un quart de siècle. Ils furent ensuite rejoints par des colons américains (loyalistes ou simples paysans à la recherche de terres) entre 1783 et le début du XIXe siècle. Vinrent par la suite, et ce, tout au cours du XIXe siècle, de grandes vagues d'immigrants en provenance des îles Britanniques. Ces Anglais, Écossais ou Irlandais, souvent dépossédés dans leur pays ou victimes de la famine, s'installèrent surtout dans les Cantons-de-l'Est, dans l'Outaouais et à Montréal. La diminution de l'immigration britannique, dès la fin du XIXe siècle, fut compensée par l'intégration d'arrivants d'autres souches. Les immigrants d'origine autre que britannique ou française ont ainsi longtemps préféré adopter la langue anglaise, considérée comme un gage de réussite économique. Pour cette même raison, la minorité anglophone du Québec parvint même à assimiler de nombreux Québécois de langue française. En jetant un coup d'œil aux origines ethniques des Anglo-Québécois, on constate qu'aujourd'hui 60% se disent d'origine britannique, 15% d'origine française, 8% d'origine juive et 3% d'origine italienne.

Représentant actuellement un peu plus de 10% de la population totale du Québec, les Québécois ayant l'anglais comme langue maternelle vivent pour les trois quarts à Montréal, plus particulièrement dans l'ouest de la ville. Ils possèdent leurs propres institutions (écoles, universités, hôpitaux, médias), qui fonctionnent parallèlement à celles des francophones. Ils forment encore aujourd'hui un groupe au poids économique relativement important.

Depuis la Révolution tranquille, la montée du mouvement indépendantiste québécois, le rattrapage économique des

▲ Montréal. © iStockphoto.com/lavi37

francophones et la promulgation de lois linguistiques visant à protéger et à promouvoir l'usage du français au Québec ont provoqué une série de chocs dans la communauté anglophone. Bien que la majorité se soit adaptée à ces changements, plusieurs ont quitté définitivement le Québec. Ceux qui sont restés ont par ailleurs modifié sensiblement la perception qu'ils ont de leur place au Québec. Par exemple, désormais, environ 60% des Anglo-Québécois affirment être en mesure de s'exprimer en français, ce qui représente une nette progression. Même s'il y a parfois divergence de vue entre eux et les francophones, les Anglo-Québécois éprouvent généralement un attachement très profond pour le Québec et plus particulièrement pour Montréal, une ville qu'ils ont grandement contribué à construire.

Les Québécois d'autres origines ethniques

L'immigration autre que française, américaine ou britannique n'a réellement commencé qu'au tournant du XXe siècle. Jusqu'à ce que la crise économique des années 1930 et le second conflit mondial imposent une halte aux mouvements migratoires vers le Québec, cette immigration se constituait surtout de Juifs d'Europe centrale et d'Italiens. Avec la prospérité de l'après-guerre, l'arrivée d'immigrants reprit de plus belle, très majoritairement d'Europe du Sud et de l'Est. Puis, à partir des années 1960, le Québec accueillit une immigration en provenance de tous les continents, dont notamment beaucoup d'Indochinois et de Haïtiens. Aujourd'hui, après les Québécois d'origine française ou britannique, les communautés italiennes, arabes, antillaises, juives et chinoises sont les plus importantes.

Évidemment, ces nouveaux arrivants, même s'ils tendent souvent à préserver leurs attaches culturelles, finissent par adopter le français ou l'anglais comme langue d'échange, et par s'intégrer à l'une ou l'autre des deux communautés. Il n'y a pas si longtemps, les immigrants s'assimilaient massivement à la minorité anglophone, ce qui fit craindre un renversement de l'équilibre linguistique et, à terme, un clivage de la société québécoise entre les francophones et les autres groupes ethniques. Promulguée en 1977, la Charte de la langue française avait pour but de remédier à cette situation, en poussant, par l'intermédiaire de l'école française, les nouveaux arrivants à s'intégrer à la majorité linguistique du Québec.

▶ Le Marché Bonsecours et les Quais du Vieux-Port à Montréal. (double page suivante) © iStockphoto.com/Mlenny

Les attraits

Montréal

Ville exceptionnelle, latine, nordique et cosmopolite, **Montréal** ★★★ est avant tout la métropole du Québec et la seconde ville francophone du monde après Paris par sa population de langue maternelle française. Ceux qui la visitent l'apprécient d'ailleurs pour des raisons souvent fort diverses, si bien que, tout en parvenant à étonner les voyageurs d'outre-Atlantique par son caractère anarchique et sa nonchalance, Montréal réussit à charmer les touristes américains par son cachet européen.

Bien que son patrimoine architectural soit riche, on l'aime sans doute d'abord et avant tout pour son atmosphère unique et attachante. De plus, si l'on visite Montréal avec ravissement, c'est avec enivrement qu'on la découvre, car elle est généreuse, accueillante et pas mondaine pour un sou.

Aussi, lorsque vient le temps d'y célébrer le jazz, le cinéma, l'humour, la chanson ou la fête nationale des Québécois, c'est par centaines de milliers qu'on envahit ses rues pour faire de ces événements de chaleureuses manifestations populaires. Montréal, une grande ville restée à l'échelle humaine? Certainement. D'ailleurs, derrière les airs de cité nord-américaine que projette sa haute silhouette de verre et de béton, Montréal cache bien mal le fait qu'elle est d'abord une ville de quartiers, de «bouts de rue», qui possèdent leurs propres églises, leurs commerces, leurs restaurants, leurs brasseries artisanales, bref, leurs caractères, façonnés au fil des années par l'arrivée d'une population aux origines diverses.

Fuyante et mystérieuse, la magie qu'opère Montréal n'en demeure pas moins véritable. Et elle se vit avec passion au jour le jour ou à l'occasion d'une simple visite.

MONTRÉAL
LAVAL
Île Jésus
LANAUDIÈRE
MONTÉRÉGIE
Deux Montagnes
Ottawa
Toronto
Boisbriand
Mont-Tremblant
Terrebonne
Trois-Rivières, Québec
Sorel-Tracy
Saint-Hyacinthe
Sherbrooke
Salaberry-de-Valleyfield
L'Île-Bizard
SAINTE-GENEVIÈVE
DOLLARD-DES-ORMEAUX
SENNEVILLE
SAINTE-ANNE-DE-BELLEVUE
KIRKLAND
BAIE-D'URFÉ
BEACONSFIELD
Île Perrot
POINTE-CLAIRE
DORVAL
L'ÎLE-DORVAL
Lac Saint-Louis
boul. St-Charles
boul. St.-Jean
boul. des Sources
boul. Gouin
Aéroport international Pierre-Elliott-Trudeau
Rivière des Prairies
SAINT-LAURENT
boul. de la Côte-Vertu
ch. de la Côte-de-Liesse
CÔTE-SAINT-LUC
MONT-ROYAL
OUTREMONT
MONTRÉAL-OUEST
HAMPSTEAD
WESTMOUNT
Parc du Mont-Royal
LACHINE
LASALLE
Pont Mercier
VERDUN
Île des Sœurs
Fleuve Saint-Laurent
Pont Champlain
Pont Victoria
Pont Jacques-Cartier
rue Sauvé
boul. Pie-IX
av. Papineau
Parc Maisonneuve
rue Sherbrooke
MONTRÉAL-NORD
boul. Henri-Bourassa
RIVIÈRE-DES-PRAIRIES
ANJOU
POINTE-AUX-TREMBLES
rue Notre-Dame
MONTRÉAL-EST
Pont-tunnel L.-H.-La Fontaine
Îles de Boucherville
Boucherville
Longueuil
St-Lambert
Châteauguay
Kahnawake
Ste-Catherine
Mercier
Delson
0
5
10km
©ULYSSE

▲ Le Vieux-Montréal. © iStockphoto.com/DenisTangneyJr

Le Vieux-Montréal ★★★

Au XVIIIe siècle, Montréal était, tout comme Québec, entourée de fortifications en pierre. Entre 1801 et 1817, cet ouvrage défensif fut démoli à l'instigation des marchands qui y voyaient une entrave au développement de la ville. Cependant, la trame des rues anciennes, comprimée par près de 100 ans d'enfermement, est demeurée en place. Ainsi, le Vieux-Montréal d'aujourd'hui correspond à peu de chose près au territoire couvert par la ville fortifiée.

Il faut pénétrer dans le hall de l'**ancien siège social de la Banque Royale** ★★ pour admirer les hauts plafonds de ce «temple de la finance», érigé à une époque où les banques devaient se doter de bâtiments imposants afin de donner confiance à l'épargnant.

Sous le Régime français, la **place d'Armes** ★★ constituait le cœur de la cité et fut utilisée pour des manœuvres militaires et des processions religieuses. On y installe en 1895 le **monument à Maisonneuve** ★★ du sculpteur Louis-Philippe Hébert, qui représente le fondateur de Montréal, Paul de Chomedey, sieur de Maisonneuve, entouré de personnages ayant marqué les débuts de la ville, entre autres Jeanne Mance, cofondatrice de Montréal et fondatrice de l'Hôtel-Dieu.

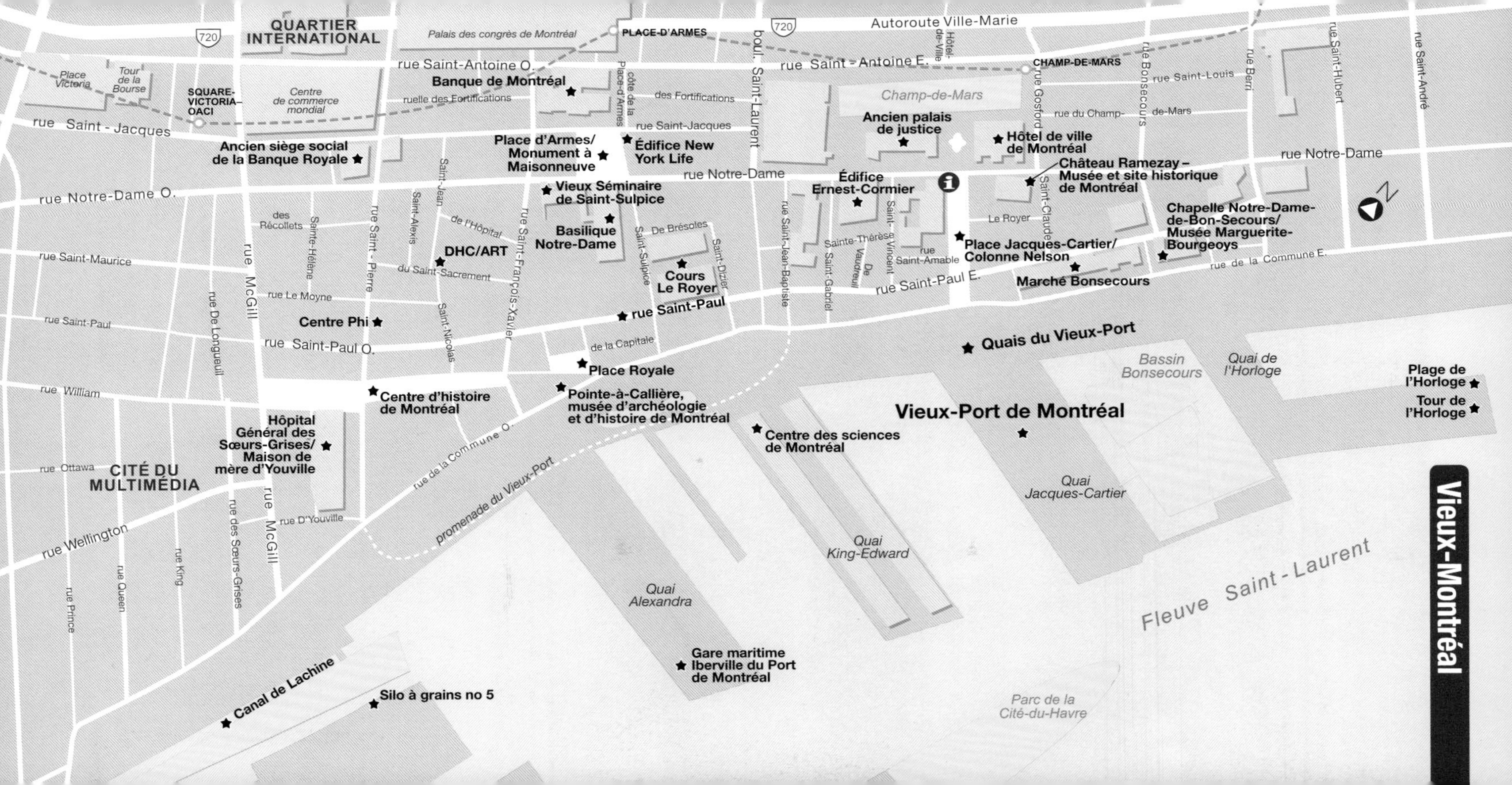

Vieux-Montréal
QUARTIER INTERNATIONAL
Palais des congrès de Montréal
PLACE-D'ARMES
720
Autoroute Ville-Marie
Hôtel-de-Ville
CHAMP-DE-MARS
Place Victoria
Tour de la Bourse
SQUARE-VICTORIA-OACI
Centre de commerce mondial
rue Saint-Antoine O.
rue Saint-Antoine E.
Banque de Montréal
ruelle des Fortifications
côte de la Place-d'Armes
des Fortifications
rue Saint-Jacques
boul. Saint-Laurent
Champ-de-Mars
Ancien palais de justice
Hôtel de ville de Montréal
rue Gosford
rue du Champ-de-Mars
rue Bonsecours
rue Saint-Louis
rue Berri
rue Saint-Hubert
rue Saint-André
rue Saint-Jacques
Ancien siège social de la Banque Royale
Place d'Armes/ Monument à Maisonneuve
Édifice New York Life
rue Notre-Dame
Édifice Ernest-Cormier
Château Ramezay – Musée et site historique de Montréal
rue Notre-Dame O.
Vieux Séminaire de Saint-Sulpice
Basilique Notre-Dame
des Récollets
Sainte-Hélène
rue Saint-Pierre
Saint-Alexis
Saint-Jean
de l'Hôpital
rue Saint-François-Xavier
Saint-Sulpice
De Brésoles
Saint-Dizier
rue Saint-Jean-Baptiste
Sainte-Thérèse
Saint-Gabriel
Vaudreuil
Saint-Vincent
rue Saint-Amable
Le Royer
Saint-Claude
Chapelle Notre-Dame-de-Bon-Secours/ Musée Marguerite-Bourgeoys
rue Saint-Maurice
DHC/ART
du Saint-Sacrement
Cours Le Royer
Place Jacques-Cartier/ Colonne Nelson
rue de la Commune E.
rue Saint-Paul E.
Marché Bonsecours
rue McGill
rue De Longueuil
rue Le Moyne
rue Saint-Paul
Centre Phi
Saint-Nicolas
rue Saint-Paul
rue Saint-Paul O.
de la Capitale
Quais du Vieux-Port
Place Royale
Bassin Bonsecours
Quai de l'Horloge
Plage de l'Horloge
Tour de l'Horloge
rue William
Centre d'histoire de Montréal
Pointe-à-Callière, musée d'archéologie et d'histoire de Montréal
Vieux-Port de Montréal
Hôpital Général des Sœurs-Grises/ Maison de mère d'Youville
Centre des sciences de Montréal
rue Ottawa
CITÉ DU MULTIMÉDIA
rue de la Commune O.
Quai Jacques-Cartier
promenade du Vieux-Port
rue des Sœurs-Grises
rue D'Youville
rue Wellington
rue King
rue Queen
rue Prince
Quai King-Edward
Quai Alexandra
Fleuve Saint-Laurent
Gare maritime Iberville du Port de Montréal
Canal de Lachine
Silo à grains no 5
Parc de la Cité-du-Havre

▲ La basilique Notre-Dame. © iStockphoto.com/johany

La place est entourée de plusieurs édifices dignes de mention. La **Banque de Montréal** ★★, fondée en 1817 par un groupe de marchands, est la plus ancienne institution bancaire du pays.

L'**édifice New York Life** ★, une surprenante tour de grès rouge, fut élevé en 1888 pour la compagnie d'assurances New York Life. Il est considéré comme le premier gratte-ciel montréalais, avec seulement huit étages.

La **basilique Notre-Dame** ★★★, construite entre 1824 et 1829, est un véritable chef-d'œuvre du style néogothique en Amérique. Le décor intérieur actuel est entièrement de bois peint et doré à la feuille.

On remarque en outre le baptistère, le puissant orgue Casavant de 7 000 tuyaux, ainsi que les vitraux qui dépeignent des épisodes de l'histoire de Montréal et qui furent installés lors du centenaire de l'église.

Le **Vieux Séminaire de Saint-Sulpice** ★ fut construit en 1683 sur le modèle des hôtels particuliers parisiens, édifiés entre cour et jardin. C'est le plus vieux bâtiment de la ville.

Les immenses entrepôts du **Cours Le Royer** ★ ont été conçus entre 1860 et 1871. Ils sont situés sur l'emplacement même du premier Hôtel-Dieu de Montréal, fondé par Jeanne Mance en 1642 et inauguré en 1645. Comme bon nombre de leurs homologues, ces anciens entrepôts ont été recyclés en appartements et en bureaux.

Plus vieille rue montréalaise, tracée en 1672, la **rue Saint-Paul** fut pendant longtemps la principale artère commerciale de Montréal. C'est probablement la rue la plus emblématique du Vieux-Montréal, avec ses beaux immeubles en pierre datant du XIXe siècle, ses galeries d'art et ses boutiques d'artisanat. La **place Royale**, quant à elle, date de 1657, ce qui en fait la plus vieille place publique de Montréal.

L'établissement muséal nommé **Pointe-à-Callière, Musée d'archéologie et d'histoire de Montréal** ★★ se trouve sur l'emplacement même où Montréal fut fondée le 17 mai 1642, soit la pointe à Callière. Le musée présente aux visiteurs un intéressant panorama de l'histoire de la ville. Ne manquez pas de grimper dans la tour de l'Éperon pour une vue magistrale sur le Vieux-Port.

DHC/ART ★ est une fondation privée financée par la mécène Phoebe Greenberg. Ce centre d'exposition ultracontemporain dévoile des expositions consacrées à de jeunes artistes internationaux dont les œuvres sont souvent exposées pour la première fois au Canada.

Lieu de rencontre pluridisciplinaire, le superbe **Centre Phi** ★ accueille des expositions contemporaines et bien d'autres événements culturels.

Installé dans l'ancienne caserne de pompiers n° 1, le **Centre d'histoire de Montréal** ★ raconte l'histoire de la ville, depuis sa fondation jusqu'à nos jours. Au dernier étage, une passerelle vitrée permet d'observer les toits du Vieux-Montréal.

En 1747, la fondatrice de la communauté des Sœurs Grises, Marguerite d'Youville, prend en main l'ancien hôpital des frères Charon, fondé en 1693, qu'elle transforme en **Hôpital général des Sœurs Grises** ★, où sont hébergés les «enfants trouvés» de la ville. On peut aujourd'hui y visiter la **Maison de mère d'Youville**, qui retrace l'histoire de la fondatrice de la communauté.

Le **Vieux-Port de Montréal** ★ correspond à la portion historique du havre, située devant la ville ancienne. Les **Quais du Vieux-Port** comportent un agréable

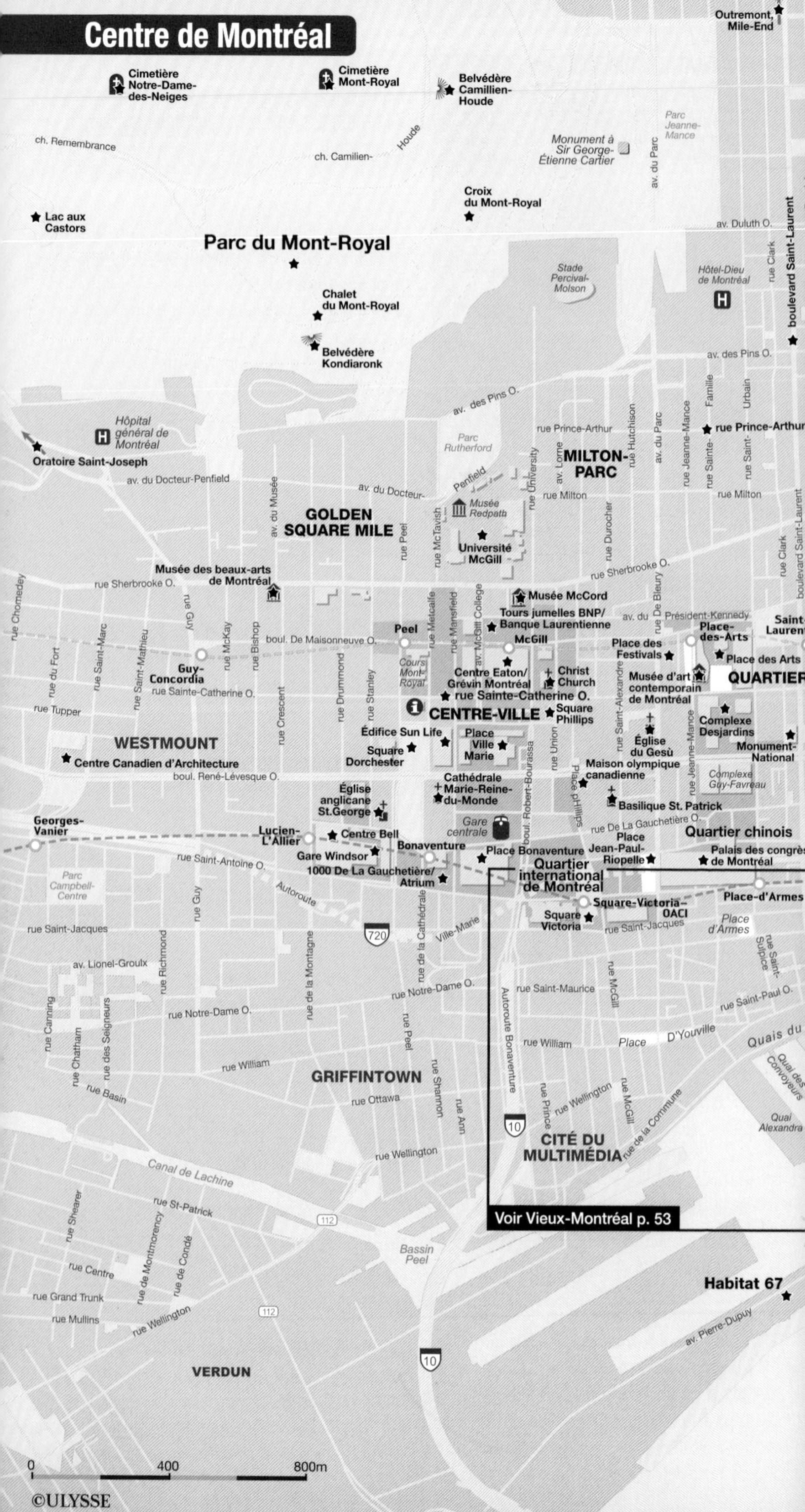
Centre de Montréal
Cimetière Notre-Dame-des-Neiges
Cimetière Mont-Royal
Belvédère Camillien-Houde
Outremont, Mile-End
Parc Jeanne-Mance
ch. Remembrance
ch. Camilien-Houde
Monument à Sir George-Étienne Cartier
av. du Parc
Croix du Mont-Royal
Lac aux Castors
av. Duluth O.
Parc du Mont-Royal
Stade Percival-Molson
Hôtel-Dieu de Montréal
rue Clark
boulevard Saint-Laurent
Chalet du Mont-Royal
Belvédère Kondiaronk
av. des Pins O.
Hôpital général de Montréal
Oratoire Saint-Joseph
av. du Docteur-Penfield
Parc Rutherford
rue Prince-Arthur
MILTON-PARC
rue Hutchison
rue Jeanne-Mance
rue Sainte-Famille
rue Saint-Urbain
rue Milton
av. du Musée
GOLDEN SQUARE MILE
Musée Redpath
rue University
av. Lorne
Université McGill
rue Peel
rue McTavish
rue Durocher
Musée des beaux-arts de Montréal
rue Sherbrooke O.
rue Chomedey
rue Guy
Musée McCord
Tours jumelles BNP/ Banque Laurentienne
av. du Président-Kennedy
rue De Bleury
Place-des-Arts
Saint-Laurent
Peel
rue Metcalfe
rue Mansfield
av. McGill College
McGill
boul. De Maisonneuve O.
Place des Festivals
Place des Arts
rue du Fort
rue Saint-Marc
rue Saint-Mathieu
rue McKay
rue Bishop
Guy-Concordia
Cours Mont-Royal
Centre Eaton/ Grévin Montréal
Christ Church
Musée d'art contemporain de Montréal
QUARTIER
rue Sainte-Catherine O.
rue Tupper
rue Crescent
rue Drummond
rue Stanley
CENTRE-VILLE
Square Phillips
rue Saint-Alexandre
Complexe Desjardins
Édifice Sun Life
Place Ville Marie
Église du Gesù
Monument-National
WESTMOUNT
Square Dorchester
boul. Robert-Bourassa
rue Union
Centre Canadien d'Architecture
Maison olympique canadienne
boul. René-Lévesque O.
Complexe Guy-Favreau
Église anglicane St.George
Cathédrale Marie-Reine-du-Monde
Place Phillips
Basilique St. Patrick
Georges-Vanier
Gare centrale
rue De La Gauchetière O.
Quartier chinois
Lucien-L'Allier
Centre Bell
Bonaventure
Place Bonaventure
Place Jean-Paul-Riopelle
Palais des congrès de Montréal
Gare Windsor
rue Saint-Antoine O.
Quartier international de Montréal
1000 De La Gauchetière/ Atrium
Parc Campbell-Centre
Autoroute Ville-Marie
Square-Victoria-OACI
Place-d'Armes
rue Guy
Square Victoria
rue Saint-Jacques
Place d'Armes
rue Saint-Sulpice
720
rue de la Cathédrale
av. Lionel-Groulx
rue Richmond
rue de la Montagne
rue Notre-Dame O.
rue Saint-Maurice
rue McGill
rue Saint-Paul O.
rue Canning
rue Chatham
rue des Seigneurs
Autoroute Bonaventure
rue William
Place D'Youville
Quais du
Quai des Convoyeurs
rue Basin
GRIFFINTOWN
rue Shannon
rue Ann
rue Ottawa
rue Prince
rue Wellington
rue de la Commune
Quai Alexandra
10
CITÉ DU MULTIMÉDIA
Canal de Lachine
rue St-Patrick
112
Voir Vieux-Montréal p. 53
rue Shearer
rue de Montmorency
rue de Condé
Bassin Peel
rue Centre
rue Grand Trunk
rue Mullins
Habitat 67
av. Pierre-Dupuy
VERDUN
0
400
800m
©ULYSSE

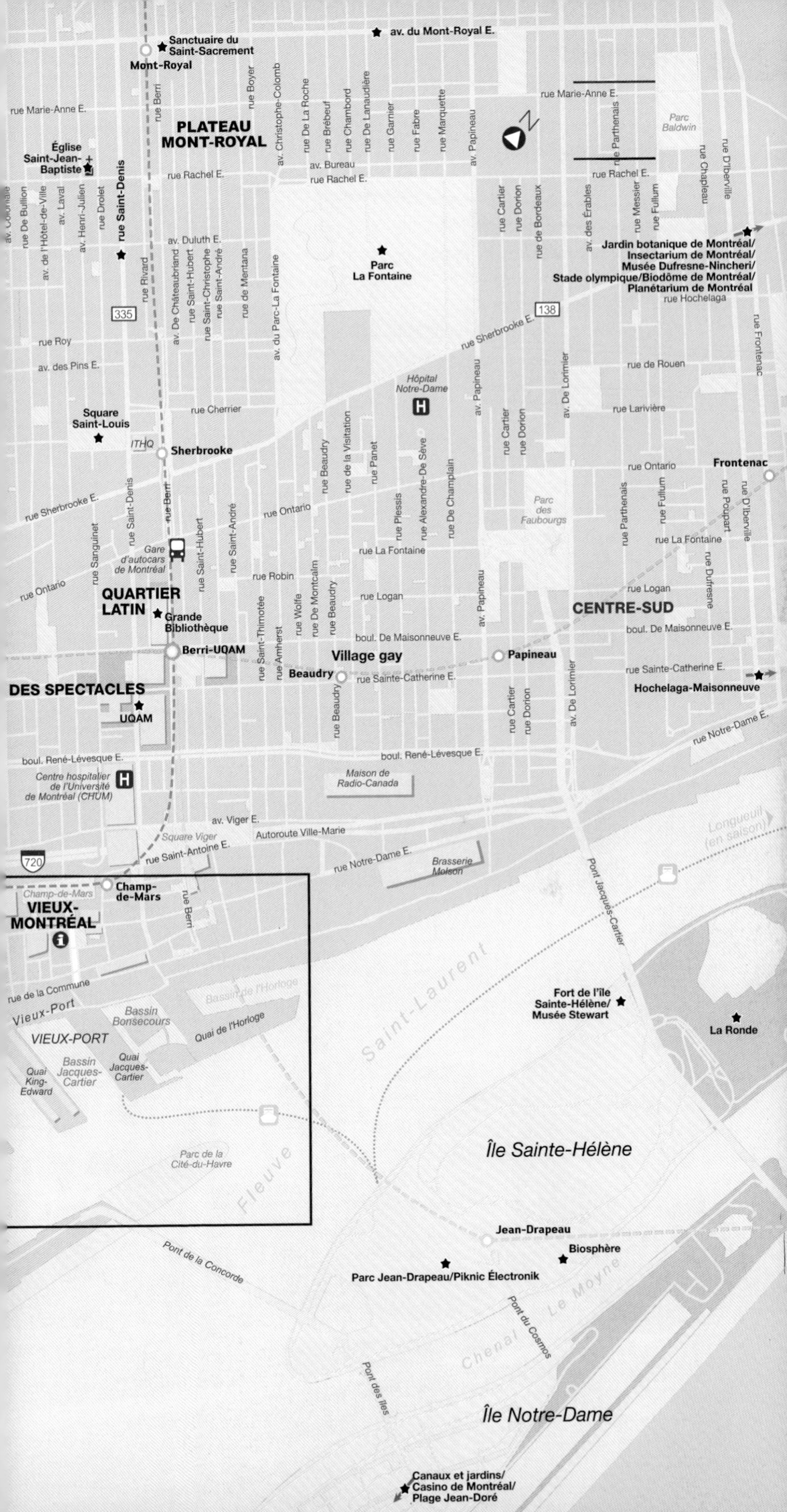
PLATEAU MONT-ROYAL
QUARTIER LATIN
DES SPECTACLES
VIEUX-MONTRÉAL
VIEUX-PORT
CENTRE-SUD
Village gay
Sanctuaire du Saint-Sacrement
Mont-Royal
Église Saint-Jean-Baptiste
Parc La Fontaine
Jardin botanique de Montréal/ Insectarium de Montréal/ Musée Dufresne-Nincheri/ Stade olympique/Biodôme de Montréal/ Planétarium de Montréal
Square Saint-Louis
Sherbrooke
Hôpital Notre-Dame
Frontenac
Gare d'autocars de Montréal
Grande Bibliothèque
Berri-UQAM
Beaudry
Papineau
UQAM
Hochelaga-Maisonneuve
Centre hospitalier de l'Université de Montréal (CHUM)
Maison de Radio-Canada
Square Viger
Brasserie Molson
Champ-de-Mars
Bassin Bonsecours
Quai de l'Horloge
Bassin Jacques-Cartier
Quai Jacques-Cartier
Quai King-Edward
Parc de la Cité-du-Havre
Fleuve Saint-Laurent
Pont Jacques-Cartier
Fort de l'île Sainte-Hélène/ Musée Stewart
La Ronde
Île Sainte-Hélène
Jean-Drapeau
Biosphère
Parc Jean-Drapeau/Piknic Électronik
Pont de la Concorde
Pont du Cosmos
Pont des Îles
Chenal Le Moyne
Île Notre-Dame
Canaux et jardins/ Casino de Montréal/ Plage Jean-Doré
Longueuil (en saison)
Parc Baldwin
Parc des Faubourgs
ITHQ
rue Sherbrooke E.
rue Ontario
boul. De Maisonneuve E.
rue Sainte-Catherine E.
boul. René-Lévesque E.
av. Viger E.
Autoroute Ville-Marie
rue Saint-Antoine E.
rue Notre-Dame E.
rue de la Commune
av. du Mont-Royal E.
rue Rachel E.
rue Marie-Anne E.
rue Saint-Denis
rue Berri
av. Papineau
av. De Lorimier
rue Frontenac
rue Hochelaga
335
138
720

parc linéaire, aménagé sur les remblais et doublé d'une promenade offrant une «fenêtre» sur le fleuve.

À l'ouest, dans l'axe de la rue McGill, est située l'embouchure du **canal de Lachine** ⋆, inauguré en 1825. Une agréable piste cyclable reliant le Vieux-Port à Lachine est aménagée sur ses berges.

En face se dresse le dernier des grands silos à grains du Vieux-Port, le **Silo à grains n° 5**. Derrière, on aperçoit l'étrange amoncellement de cubes d'**Habitat 67** ⋆⋆, cet ensemble résidentiel expérimental réalisé par l'architecte Moshe Safdie dans le cadre de l'Exposition universelle. Sur la gauche se trouve la **gare maritime Iberville du Port de Montréal**, où accostent les paquebots en croisière sur le fleuve Saint-Laurent.

Le **Centre des sciences de Montréal**, installé dans un hangar recyclé, vous invite à pénétrer les secrets du monde scientifique et technologique tout en vous amusant. Il abrite aussi un cinéma IMAX, ainsi que des restaurants et des boutiques.

L'**édifice Ernest-Cormier** ⋆⋆ comporte d'exceptionnelles torchères en bronze, dont l'installation en 1925 marqua les débuts de l'Art déco au Canada. Le hall principal, percé de puits de lumière en forme de coupole, mérite une petite visite.

L'**ancien palais de justice** ⋆, doyen des palais de justice montréalais, a été érigé entre 1849 et 1856 sur l'emplacement du

▼ Habitat 67. © Dreamstime.com/Radu Borcoman

premier palais de justice de 1800. Il s'agit d'un bel exemple d'architecture néoclassique.

Située sur le site du château de Vaudreuil, incendié en 1803, la **place Jacques-Cartier** ⋆ fut aménagée pour accueillir un marché public. La **colonne Nelson** est un monument érigé en 1809 à la mémoire de l'amiral Horatio Nelson. Elle est le plus vieux monument commémoratif qui subsiste à Montréal.

C'est du balcon de l'**hôtel de ville de Montréal** ⋆⋆ que le général de Gaulle a lancé son célèbre « *Vive le Québec libre* » en 1967, au plus grand plaisir de la foule massée devant l'édifice.

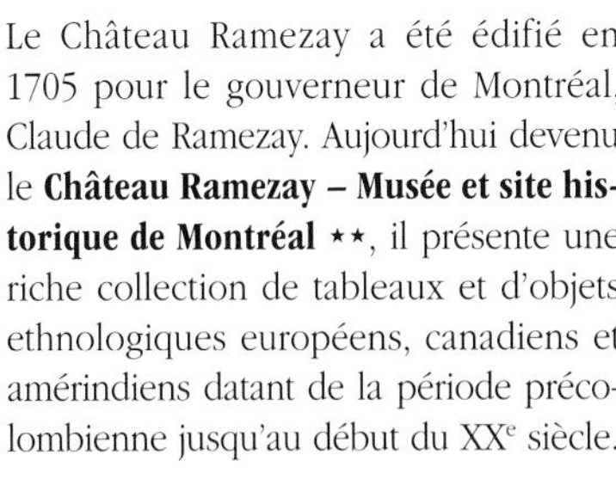

Le Château Ramezay a été édifié en 1705 pour le gouverneur de Montréal, Claude de Ramezay. Aujourd'hui devenu le **Château Ramezay – Musée et site historique de Montréal** ⋆⋆, il présente une riche collection de tableaux et d'objets ethnologiques européens, canadiens et amérindiens datant de la période précolombienne jusqu'au début du XXe siècle.

Construite en 1771, la **chapelle Notre-Dame-de-Bon-Secours** ⋆ est le lieu de divers concerts et activités. Son intérieur contient de nombreux ex-voto offerts par des marins sauvés d'un naufrage. Certains prennent la forme de maquettes de navires, suspendues au plafond de la nef.

Les fouilles effectuées en 1996-1997 et en 2015 sous la nef de la chapelle Notre-Dame-de-Bon-Secours ont mis au jour entre autres plusieurs objets amérindiens préhistoriques. Ces intéressantes pièces archéologiques font partie d'une exposition du **Musée Marguerite-Bourgeoys** ⋆.

Entre 1845 et 1850, on construit entre la rue Saint-Paul et la rue de la Commune le **Marché Bonsecours** ⋆⋆, un bel édifice néoclassique en pierres grises, doté de fenêtres à guillotine à l'anglaise. Son dôme argenté a longtemps été le symbole de la ville.

La **tour de l'Horloge** ⋆ est en réalité un monument érigé en 1922 à la mémoire des marins de la marine marchande morts au cours de la Première Guerre mondiale. Au sommet de la tour se trouve un observatoire permettant d'admirer l'île Sainte-Hélène, le pont Jacques-Cartier et l'est du Vieux-Montréal.

Avec son sable fin, ses chaises longues et ses parasols, la **plage de l'Horloge** ⋆ offre une ambiance de vacances avec vue sur la ville. Même si on ne peut pas s'y baigner, des brumisateurs permettent de se rafraîchir et une buvette, de se sustenter.

▲ Le centre-ville de Montréal. © iStockphoto.com/MIHAI ANDRITOIU

Le centre-ville ★★★

Les gratte-ciel du centre-ville donnent à Montréal son visage typiquement nord-américain. Toutefois, à la différence d'autres villes du continent, un certain esprit latin s'infiltre entre les tours pour animer ce secteur de jour comme de nuit. Au centre-ville, les bars, les cafés, les grands magasins, les boutiques, les sièges sociaux, deux universités (Concordia et McGill) et de multiples collèges sont tous intégrés à l'intérieur d'un périmètre restreint au pied du mont Royal.

Le **Musée des beaux-arts de Montréal** ★★★ est le plus important et le plus vieux musée québécois. Il regroupe des collections variées qui dressent un portrait de l'évolution des arts dans le monde depuis l'Antiquité jusqu'à nos jours. La collection d'art québécois et canadien constitue le fleuron du musée.

Anciennement nommé «square Dominion», le **square Dorchester** ★ est orné de plusieurs monuments, telle la statue équestre à la mémoire des soldats canadiens tués lors de la guerre des Boers en Afrique du Sud.

L'**édifice Sun Life** ★★, construit entre 1913 et 1933 pour la puissante compagnie d'assurances Sun Life, fut pendant longtemps le plus vaste immeuble de l'Empire britannique.

La **cathédrale Marie-Reine-du-Monde** ★★ est une réduction au tiers de la basilique Saint-Pierre de Rome. À l'intérieur, il faut remarquer le beau baldaquin et la chapelle mortuaire où sont inhumés les évêques et archevêques de Montréal.

L'**église anglicane St. George** ★★, de style néogothique, est revêtu de grès délicatement sculpté. On remarque à l'intérieur l'exceptionnel plafond à charpente apparente.

Bâtiment à l'allure massive, la **gare Windsor** ★★, avec ses arcades en série, ses arcs cintrés soulignés dans la pierre et ses contreforts d'angle, s'avère le meilleur exemple montréalais du style néoroman.

Le **Centre Bell** est le plus grand amphithéâtre de la Ligue nationale de hockey. C'est également le plus bruyant: la clameur de la foule pendant un match de hockey est inoubliable!

La ville souterraine

L'inauguration de la Place Ville Marie, en 1962, avec sa galerie marchande au sous-sol, marque le point de départ de ce que l'on appelle aujourd'hui les galeries intérieures ou le Montréal souterrain. Le développement de cette « cité sous la cité » est accéléré par la construction du métro, qui débute la même année. Rapidement, plusieurs commerces et immeubles de bureaux ainsi que quelques hôtels du centre-ville sont stratégiquement reliés au réseau piétonnier souterrain (le RÉSO) et, par extension, au métro. À chaque station de métro du centre-ville, vous trouverez des plans du RÉSO affichés aux murs, qui permettent de se diriger dans ce dédale de couloirs et galeries.

Voici les zones principales de cette « ville souterraine », la plus grande au monde :

› Autour de la station Berri-UQAM, accès aux pavillons de l'Université du Québec à Montréal (UQAM), à la Place Dupuis, à la Grande Bibliothèque et à la Gare d'autocars de Montréal.

› Entre les stations Place-des-Arts et Place-d'Armes, accès à la Place des Arts, au Musée d'art contemporain, aux complexes Desjardins et Guy-Favreau, ainsi qu'au Palais des congrès.

› La station Square-Victoria–OACI, avec accès au centre des affaires et au Quartier international de Montréal.

› Zone la plus fréquentée et la plus importante, autour des stations McGill, Peel et Bonaventure, avec accès à la Gare centrale, au Centre Bell ainsi qu'aux centres commerciaux comme La Baie et le Centre Eaton.

▲ La Place Ville Marie. © iStockphoto.com/MartinR35

Fondé en 1979 par Phyllis Lambert, le **Centre Canadien d'Architecture** ★★★ est un centre international de recherche et un musée. Fort de ses vastes collections, le CCA est un chef de file dans l'avancement du savoir, de la connaissance et de l'enrichissement des idées et des débats sur l'architecture, son histoire, sa théorie, sa pratique ainsi que son rôle dans la société.

La hauteur totale du **1000 De La Gauchetière**, un gratte-ciel de 51 étages, atteint le maximum permis par la Ville, soit la hauteur du mont Royal, symbole ultime de Montréal, qui ne peut en aucun cas être dépassé. S'y trouve l'**Atrium**, une patinoire intérieure ouverte toute l'année.

La **Place Bonaventure** ★, immense cube de béton strié sans façade, était, au moment de son achèvement en 1966, l'une des réalisations de l'architecture moderne les plus révolutionnaires de son époque. Ce complexe multifonctionnel s'élève au-dessus des voies ferrées qui mènent à la Gare centrale, où se superposent un centre commercial relié à la ville souterraine, un vaste centre d'exposition, des bureaux et, aux étages supérieurs, l'Hôtel Bonaventure Montréal, avec sur le toit un charmant jardin urbain qui mérite une petite visite.

Le célèbre architecte sinoaméricain Ieoh Ming Pei (créateur de la pyramide du Louvre à Paris) a conçu la **Place Ville Marie** ★★★, un complexe multifonctionnel. Sa forme particulière, tout en permettant d'obtenir un meilleur éclairage naturel jusqu'au centre de la construction, est devenue l'emblème incontesté du centre-ville de Montréal. Depuis le printemps 2016, son sommet (46e étage) accueille un observatoire alors qu'un restaurant se trouve au 44e étage.

Les **tours jumelles BNP** et **Banque Laurentienne** ★, les plus réussis des immeubles de l'avenue McGill College, ont été construites en 1981. Leurs parois de verre bleuté mettent en valeur la sculpture intitulée *La foule illuminée* de l'artiste franco-britannique Raymond Mason.

L'**Université McGill** ★★ a été fondée en 1821 grâce à un don du marchand de fourrures James McGill, ce qui en fait la plus vieille des quatre universités de la ville. Le campus principal de l'université est caché dans la verdure au pied du mont Royal.

Le **Musée McCord** ★ se consacre à l'histoire canadienne et plus spécifiquement montréalaise. Il conserve une importante collection ethnographique et photographique, notamment la fameuse collection «Notman», véritable portrait du Canada de la fin du XIXe siècle.

La **rue Sainte-Catherine** est la principale artère commerciale de Montréal. Longue de 15 km, elle change de visage à plusieurs reprises sur son parcours. Dans

▲ Le magasin La Baie, face au square Phillips. © Philippe Renault/hemis.fr

le centre-ville, même, elle s'étend sur quelque 3 km.

Au dernier étage du **Centre Eaton**, le musée **Grévin Montréal** présente les copies conformes, en cire, des célébrités du spectacle et de l'histoire, tant québécoises qu'internationales.

La flamboyante cathédrale **Christ Church** ★★ est dotée d'un seul clocher aux transepts. La sobriété de l'intérieur contraste avec la riche ornementation des églises catholiques que l'on retrouve dans le centre-ville. Seuls quelques beaux vitraux ajoutent un peu de couleur.

C'est autour du **square Phillips** ★ qu'apparurent les premiers magasins de la rue Sainte-Catherine. Henry Morgan y fit construire sa Morgan's Colonial House, aujourd'hui La Baie, à la suite des inondations de 1886 dans la vieille ville. Birks le suivit bientôt, en installant sa célèbre bijouterie dans un bel édifice de grès beige, sur la face ouest du square.

La mission première de la **Maison olympique canadienne** est de faire découvrir le sport d'élite. Devant l'édifice se trouve un monument représentant une flamme olympique sur lequel ont été gravés les noms des 1 300 médaillés olympiques canadiens, alors que sur le toit trônent les fameux anneaux olympiques, illuminés en permanence.

Les Jésuites fondent en 1848 le collège Sainte-Marie, où plusieurs générations de garçons recevront une éducation exemplaire. L'**église du Gesù** ★★ fut conçue, à l'origine, comme chapelle du collège en 1865. Elle accueille aujourd'hui un centre de créativité qui porte son nom.

Fuyant la misère et la maladie de la pomme de terre, les Irlandais arrivent nombreux à Montréal entre 1820 et 1860. La construction de la **basilique St. Patrick** ★★, qui servira de lieu de culte à la communauté catholique irlandaise, répond donc à une demande nouvelle et pressante.

Le **Quartier des spectacles** ★ couvre 1 km^2 et l'on y trouve une quarantaine de salles de spectacle offrant 28 000 sièges, ainsi

Le Festival international de jazz de Montréal

Du premier Festival de jazz lancé modestement en 1980 par Alain Simard, André Ménard et Denyse McCann, sur l'île Sainte-Hélène, à la très dynamique Équipe Spectra (du Groupe CH), qui fait vibrer le centre-ville de Montréal au rythme de nombreux événements et concerts chaque année, la conception montréalaise fait recette et a su élever le **Festival international de jazz de Montréal** au rang du plus important rendez-vous du jazz au monde: une programmation éclectique, des artistes du monde entier, allant des grandes pointures du jazz aux découvertes locales, et un volet important de concerts gratuits en plein air qui attirent plus d'un million de festivaliers.

que des galeries d'art et des lieux de diffusion alternatifs.

La **place des Festivals** est dotée des plus importants jeux d'eau et de lumière au Canada. Pièce centrale du Quartier des spectacles, elle accueille les spectacles extérieurs gratuits des grands festivals montréalais, notamment ceux du **Festival international de jazz**, des **FrancoFolies** et du **Festival Juste pour rire**.

La **Place des Arts** ⋆ est un complexe culturel consacré aux arts de la scène. Elle regroupe la Salle Wilfrid-Pelletier, qui accueille entre autres l'Opéra de Montréal et les événements majeurs, des théâtres et la **Maison symphonique de Montréal**, domicile de l'Orchestre symphonique de Montréal.

Le **Musée d'art contemporain de Montréal** ⋆⋆ abrite une collection de plus de 7 600 œuvres, québécoises et internationales, réalisées après 1940. L'intérieur, nettement plus réussi que l'extérieur, s'organise autour d'un hall circulaire. L'exposition permanente présente la plus importante collection des œuvres de Paul-Émile Borduas.

Plus grand immeuble de la métropole, le **complexe Desjardins** ⋆ renferme notamment un hôtel, des boutiques et une aire de restauration à comptoirs multiples. Sa place publique intérieure, très courue durant les mois d'hiver, accueille divers événements culturels au cours de l'année.

Édifié en 1893 pour la Société Saint-Jean-Baptiste, vouée à la défense des droits des francophones, le **Monument-National** ⋆ constituait un centre culturel dédié à la cause du Canada français. On y présente aujourd'hui aussi bien des pièces de théâtre que divers spectacles.

Le **Quartier chinois** ⋆ de Montréal, malgré son exiguïté, n'en demeure pas moins un lieu de promenade agréable. La rue De La Gauchetière, ici transformée en artère piétonne, est encadrée par de beaux portails offerts par la Chine dans les années 1990.

Fruit du réaménagement d'un secteur situé entre le centre-ville et le Vieux-Montréal, le **Quartier international de Montréal (QIM)** ⋆ constitue, avec ses édifices ultramodernes, la vitrine économique internationale de la métropole.

Des œuvres d'art contribuent à enjoliver le **Palais des congrès de Montréal** ⋆⋆. Retenons entre autres *Translucide*, un diptyque des artistes multimédias Michel Lemieux et Victor Pilon, et *Nature Légère/Lipstick Forest*, un jardin surréel de 52

▸ Le Palais des congrès de Montréal.
© Michel Julien

▲ Demeures victoriennes du Square Saint-Louis. © iStockphoto.com/Pgiam

troncs d'arbres en béton rose créé par l'architecte de paysage Claude Cormier.

La façade ouest du Palais des congrès, avec son immense surface de verre coloré, donne sur la **place Jean-Paul-Riopelle** ★★, où est installée une immense sculpture-fontaine en bronze signée par l'artiste Jean Paul Riopelle, intitulée *La Joute*.

Au XIXe siècle, le **square Victoria** ★★ adoptait la forme d'un jardin victorien entouré de magasins et de bureaux Second Empire ou néo-Renaissance. Seul l'étroit édifice du 751 de la rue McGill subsiste de cette époque. En 2003, la bouche de métro de la station Square-Victoria–OACI s'est vue ornée de la grille d'entrée restaurée du «métropolitain» parisien datant du début des années 1900.

Le quartier Milton-Parc et la *Main* ★

Le beau **quartier Milton-Parc** ★, également appelé le «ghetto McGill» en raison de la proximité de l'université du même nom, possède une richesse architecturale qu'il fait bon parcourir pour en apprécier toute la beauté.

La découverte de la ***Main***, soit le **boulevard Saint-Laurent** ★★, surnommé ainsi

piétonne, elle est de nos jours bordée de nombreux restaurants touristiques qui étendent leur terrasse jusqu'au milieu de la rue.

car il constituait à la fin du XVIIIe siècle la principale artère du faubourg Saint-Laurent donnant accès à l'intérieur des terres, demeure une activité urbaine fort intéressante en raison de ses nombreux attraits tant commerciaux que multiethniques. Désignée officiellement en 1792 comme «ligne de partage géographique» entre l'est et l'ouest de Montréal, l'artère fut dénommée pendant quelque temps «Saint-Laurent du *Main*», puis «la *Main*», surnom encore utilisé aujourd'hui. En 1905, la Ville de Montréal lui donne le nom de «boulevard Saint-Laurent».

La **rue Prince-Arthur** était le centre de la contre-culture et du mouvement hippie à Montréal dans les années 1960. En partie piétonne, elle est de nos jours bordée de nombreux restaurants touristiques qui étendent leur terrasse jusqu'au milieu de la rue.

Le Quartier latin ★★

Le Quartier latin, ce quartier universitaire qui gravite autour de la rue Saint-Denis, est apprécié pour ses théâtres, ses cinémas et ses innombrables cafés-terrasses d'où l'on peut observer la foule bigarrée d'étudiants et de fêtards.

Le beau **square Saint-Louis** ★★ vit le jour en 1879 sur le site d'un ancien réservoir d'eau. Des entrepreneurs érigent alors autour du square de belles demeures victoriennes d'inspiration Second Empire, qui constituent ainsi le noyau du quartier résidentiel de la bourgeoisie canadienne-française.

La **Grande Bibliothèque** ★★ a ouvert ses portes en 2005. Ce bâtiment lumineux de six étages, construit tout en contraste de bois et de verre, concentre plus de quatre millions de documents, soit la plus importante collection québécoise de livres et de supports multimédias. Empruntez l'un des ascenseurs panoramiques jusqu'au dernier étage de la bibliothèque: vous y aurez une vue imprenable sur Montréal.

Contrairement à la plupart des campus universitaires nord-américains, composés de pavillons disséminés dans un parc, le campus de l'**Université du Québec à Montréal (UQAM)** ★ est intégré à la ville à la manière des universités de la Renaissance en France ou en Allemagne. Ce lieu de haut savoir accueille chaque année plus de 40 000 étudiants.

À l'est du Quartier latin, la section de la rue Sainte-Catherine située entre les rues Saint-Hubert et Papineau est appelée le **Village gay** ★. Accueillant et animé, le Village vit au rythme de ses cafés, restos et bars, de jour comme de nuit.

Le Plateau Mont-Royal ★★

▲ Le mont Royal. © Dreamstime.com/Misscanon

S'il existe un quartier typique à Montréal, c'est bien le Plateau Mont-Royal. Rendu célèbre par les écrits de Michel Tremblay, l'un de ses illustres fils, «le Plateau», comme l'appellent ses résidents, est un quartier où résidaient autrefois de vieilles familles ouvrières francophones. Il fut ensuite très prisé par les artistes et les intellectuels fauchés, avant d'attirer de jeunes professionnels et de se gentrifier.

Le **sanctuaire du Saint-Sacrement** ★ et son église Notre-Dame-du-Très-Saint-Sacrement ont été érigés à la fin du XIXe siècle. Derrière une façade quelque peu austère se cache un véritable petit palais vénitien. On y présente à l'occasion des concerts de musique baroque.

On côtoie sur l'**avenue du Mont-Royal**, principale artère commerciale du quartier, une population bigarrée qui magasine dans des commerces hétéroclites, allant des boulangeries artisanales aux magasins de babioles à un dollar, en passant par les boutiques où l'on vend des disques, livres et vêtements d'occasion.

Le **parc La Fontaine** ★★ est envahi les fins de semaine d'été par les gens du quartier qui viennent profiter des belles journées ensoleillées. Le parc est agrémenté d'un étang artificiel et de sentiers ombragés que l'on peut emprunter à pied ou à vélo.

La section de la **rue Saint-Denis** ★★ entre le boulevard De Maisonneuve, au sud, et le boulevard Saint-Joseph, au nord, est bordée de nombreux cafés-terrasses et de belles boutiques installées à l'intérieur d'anciennes demeures Second Empire de la deuxième moitié du XIXe siècle.

Construite en 1875, l'**église Saint-Jean-Baptiste** ★★ fut la proie des flammes en 1898 et en 1911 avant d'être reconstruite en 1912. L'intérieur est un chef-d'œuvre du style néobaroque. Les grandes orgues Casavant comptent parmi les plus puissantes de la ville. L'église, qui peut accueillir 3 000 personnes assises, est le lieu de fréquents concerts.

Le mont Royal ★★★

Le mont Royal est un point de repère important dans le paysage montréalais, autour duquel gravitent les quartiers centraux de la ville. Appelée simplement «la montagne» par les citadins, cette masse trapue de 233 m de haut à son point culminant est en fait le «poumon vert» de Montréal.

Le **parc du Mont-Royal** ★★★ a été créé par la Ville de Montréal en 1876. Frederick Law Olmsted (1822-1903), le célèbre créateur du Central Park à New York, fut mandaté pour aménager les lieux.

Du **belvédère Camillien-Houde** ★★, un beau point d'observation, on embrasse du regard tout l'est de Montréal. On voit, à l'avant-plan, le quartier du Plateau Mont-Royal, et à l'arrière-plan, les quartiers Rosemont et Hochelaga-Maisonneuve, dominés par le Stade olympique.

La **croix du Mont-Royal**, visible jusqu'à 80 km quand elle est illuminée la nuit, fut installée en 1927 pour commémorer le geste posé par le fondateur de Montréal, Paul Chomedey, sieur de Maisonneuve, lorsqu'il gravit la montagne en janvier 1643 pour y planter une croix en bois en guise de remerciement à la Vierge pour avoir épargné le fort Ville-Marie d'une inondation dévastatrice.

Le **chalet du Mont-Royal** ★★★ fut conçu par Aristide Beaugrand-Champagne en 1932. L'intérieur est décoré de 17 toiles marouflées représentant des scènes de l'histoire du Canada et commandées à de grands peintres québécois, comme Marc-Aurèle Fortin et Paul-Émile Borduas. Aujourd'hui, il sert principalement de halte aux promeneurs.

Si l'on se rend au chalet du Mont-Royal, c'est d'abord pour la traditionnelle vue sur le centre-ville depuis le **belvédère Kondiaronk** ★★★ (du nom du grand chef huron-wendat qui a négocié le traité de la Grande Paix de Montréal en 1701), admirable en fin d'après-midi et en soirée, alors que les gratte-ciel s'illuminent.

Le **cimetière Mont-Royal** ★★ a ouvert ses portes en 1852 et accueille à ce jour les citoyens de toutes confessions religieuses. Conçu comme un éden pour ceux qui rendent visite à leurs défunts, il est aménagé tel un jardin anglais dans une vallée isolée; on a l'impression d'être à mille lieues de la ville alors qu'on est en fait en son centre. On y croise environ 145 espèces d'oiseaux et certains de ses monuments sont de véritables œuvres d'art.

Le petit **lac aux Castors** a été aménagé en 1938 sur le site des marécages se trouvant autrefois à cet endroit. En hiver, il se transforme en une agréable patinoire.

Le **cimetière Notre-Dame-des-Neiges** ★★ est une véritable cité des morts, puisque près d'un million de personnes y ont été inhumées depuis 1855, date de son inauguration. Contrairement au cimetière Mont-Royal, qui reçoit différentes confessions religieuses, il présente des attributs qui identifient clairement son appartenance au catholicisme. Plusieurs monuments réalisés par des sculpteurs de renom parsèment les 55 km de routes et de sentiers qui sillonnent les lieux.

L'**Oratoire Saint-Joseph du Mont-Royal** ★★, dont le dôme en cuivre est le deuxième en importance au monde derrière celui de Saint-Pierre de Rome, est érigé à flanc de colline, ce qui accentue davantage son caractère mystique. Son sommet est le point culminant de l'île à 263 m de hauteur. De la grille d'entrée, il faut gravir 283 marches pour atteindre la basilique, ou prendre l'ascenseur. L'oratoire est un des principaux lieux de dévotion et de pèlerinage en Amérique. Il accueille chaque année quelque 2 millions de visiteurs.

Outremont et le Mile-End ★

Ce n'est pas d'hier qu'**Outremont** ★, autrefois une ville autonome et aujourd'hui un arrondissement de la Ville de Montréal, constitue un site de choix pour l'établissement humain. De récentes recherches avancent en effet que ce serait dans ce secteur qu'aurait probablement été situé le village amérindien d'Hochelaga, disparu entre les visites de Jacques Cartier et de Champlain.

L'**avenue Laurier** ★ est l'une des artères commerciales d'Outremont les plus fréquentées par la population aisée outremontaise et montréalaise.

L'**avenue Bernard** ★ est à la fois une rue de commerces, de bureaux et de logements. Sa prestance (avenue large, grands terre-pleins de verdure, aménagement paysager sur rue, bâtiments de caractère) reflète la volonté d'une époque de confirmer formellement le prestige de la municipalité grandissante d'Outremont.

Le quartier en plein effervescence du **Mile-End** ★ représente très bien la diversité culturelle montréalaise. On y voit

▼ Le Piknic Électronik au parc Jean-Drapeau, veillé par *L'Homme* d'Alexander Calder. © Photo : Miguel Legault

▲ L'Oratoire Saint-Joseph du Mont-Royal. © iStockphoto.com/Hakat

fleurir un grand nombre d'agréables cafés, restaurants et boutiques en tous genres fréquentés par une clientèle bigarrée et polyglotte.

Les îles Sainte-Hélène et Notre-Dame ★★

Les îles Sainte-Hélène et Notre-Dame, situées au milieu du fleuve Saint-Laurent, demeurent des lieux de loisir très animés, été comme hiver. Si l'île Sainte-Hélène a été baptisée ainsi par Samuel de Champlain lors de son arrivée sur l'île de Montréal en 1611, l'île Notre-Dame est beaucoup plus récente. Elle fut en effet créée de toutes pièces dans les années 1960, à l'aide de la terre excavée des tunnels du métro, afin d'accueillir l'Exposition universelle de 1967.

Le **parc Jean-Drapeau** ★★ est composé des îles Sainte-Hélène et Notre-Dame. À l'origine, le parc Hélène-de-Champlain, qui couvrait toute l'île Sainte-Hélène, avait une superficie de 50 ha. Les travaux de l'Expo 67 ont permis d'étendre la surface de l'île à plus de 120 ha. La portion originale correspond au territoire surélevé et ponctué de rochers, composés d'une pierre d'un type particulier à l'île Sainte-Hélène appelée «brèche». Sur une belle place en bordure de la rive faisant face à Montréal, on aperçoit *L'Homme*, important stabile d'Alexander Calder réalisé pour l'Expo 67. C'est autour de cette sculpture qu'ont lieu, tous les dimanches d'été, les **Piknic Électronik**.

▲ La Biosphère. © iStockphoto.com/Vladone

À la suite de la guerre de 1812 entre les États-Unis et la Grande-Bretagne, le **fort de l'île Sainte-Hélène** ★★ est construit par les Britanniques afin d'approvisionner les centres de défense du district militaire de Montréal et du Haut-Canada. L'arsenal (en pierre de brèche), qui abrite le Musée Stewart (voir ci-dessous), en est le bâtiment majeur.

Le **Musée Stewart** ★★, installé dans l'arsenal du complexe militaire, est voué à l'histoire de la découverte et de l'exploration du Nouveau Monde. En plus des expositions temporaires, on y présente *Histoires et Mémoires*, un parcours historique couvrant cinq siècles à travers une importante collection d'objets et de documents d'époque, ainsi qu'une impressionnante maquette interactive du Montréal de 1750, entouré de ses fortifications.

La Ronde ★, ce parc d'attractions aménagé à l'occasion de l'Exposition universelle de 1967 dans l'ancienne île Ronde, ouvre chaque été ses portes aux jeunes.

Depuis 1995, l'ancien pavillon américain de l'Expo 67 abrite la **Biosphère** ★★, qui sert de musée de l'environnement.

L'île Notre-Dame est traversée par d'agréables **canaux** et **jardins** ★★, aménagés à l'occasion des Floralies internationales de 1980.

Également sur l'île Notre-Dame, le **Casino de Montréal** est installé dans ce qui fut les pavillons de la France et du Québec lors de l'Exposition universelle de 1967.

À proximité se trouve l'accès à la **plage Jean-Doré**, qui donne l'occasion aux Montréalais de se prélasser sur une bande de sable au milieu du fleuve Saint-Laurent.

Hochelaga-Maisonneuve ★★

En 1883, la ville de Maisonneuve voit le jour dans l'est de Montréal à l'initiative de fermiers et de marchands canadiens-français. Dès 1889, les installations du Port de Montréal la rejoignent, facilitant ainsi son développement. Puis, en 1918, cette ville autonome est annexée à Montréal, devenant de la sorte l'un de ses principaux quartiers ouvriers, francophone à 90%. Pour sa part, l'ancien village d'Hochelaga a intégré la ville de Montréal dès 1883. Aujourd'hui, ce quartier populaire commence doucement à se gentrifier, d'où son appellation plus moderne de «HoMa» (pour Hochelaga-Maisonneuve).

Le vaste **Jardin botanique de Montréal** ★★★ a été entrepris pendant la crise des années 1930 grâce à une initiative du frère Marie-Victorin, célèbre botaniste québécois. Les 10 serres d'exposition du jardin s'étirent derrière l'édifice Marie-Victorin, de style Art déco.

Trente jardins thématiques extérieurs, ouverts du printemps à l'automne, conçus pour instruire et émerveiller le visiteur, s'étendent au nord et à l'ouest des serres. Parmi ceux-ci, il faut souligner une belle roseraie, le Jardin japonais, ainsi que le très beau Jardin de Chine. Il faut aussi voir le Jardin des Premières-Nations et l'Arboretum et sa Maison de l'arbre.

Depuis 2013, le Jardin botanique fait partie d'un grand complexe muséal nommé **Espace pour la vie**, dont font également partie l'Insectarium, le Biodôme et le Planétarium (voir ci-dessous).

L'**Insectarium de Montréal** ★★★, le plus important musée entièrement consacré aux insectes en Amérique du Nord, est situé à l'est des serres du Jardin botanique. Ce musée vivant invite les visiteurs à découvrir le monde fascinant de plus de 160 000 spécimens d'insectes. À noter que le musée subira d'importants travaux de rénovation qui doubleront sa superficie et entraîneront sa fermeture de la fin 2017 au début 2019.

Le **Musée Dufresne-Nincheri** ★★ est logé dans le **Château Dufresne**, un ancien hôtel particulier constitué de deux résidences bourgeoises jumelées de 22 pièces chacune, avec façade unique. Ce monument historique classé a été décoré par Guido Nincheri et son architecte est inspirée du Petit Trianon de Versailles. Construit entre 1916 et 1918, il est un des meilleurs exemples d'architecture Beaux-Arts à Montréal. Les pièces avec leur collection de meubles font revivre l'histoire des occupants.

Structure ovale qui étonne par la courbure de ses formes organiques en béton, le **Stade olympique** ★★★ dispose de 56 000 places et sa tour penchée fait 165 m de hauteur. Au loin, on aperçoit les deux immeubles de forme pyramidale du Village olympique qui ont hébergé les athlètes en 1976.

La tour du stade, la plus haute tour penchée du monde, a été rebaptisée la **Tour de Montréal**. Un funiculaire grimpe à l'assaut de la structure, permettant de rejoindre l'Observatoire de la Tour, d'où les visiteurs peuvent contempler l'ensemble de l'Est montréalais.

Le **Biodôme de Montréal** ★★★ présente sur 10 000 m^2 cinq écosystèmes des Amériques fort différents les uns des autres: la forêt tropicale humide, l'érablière des Laurentides, le golfe du Saint-Laurent, les côtes du Labrador et les îles subantarctiques. À l'instar de l'Insectarium (voir plus haut), le Biodôme également d'importants travaux de réaménagement qui forceront sa fermeture de septembre 2016 à décembre 2017.

Dans son bâtiment au design audacieux, le **Planétarium de Montréal** ★★★ propose une expérience immersive grâce à son exposition interactive sur l'apparition de la vie dans l'univers et à ses deux «théâtres-dômes» qui plongent les spectateurs au cœur des étoiles.

▼ Le Jardin botanique de Montréal. © Dreamstime.com/Andre Nantel

Laval

Ville importante du Québec avec près de 420 000 habitants, Laval occupe une grande île au nord de Montréal, l'île Jésus, située entre le lac des Deux Montagnes, la rivière des Prairies et la rivière des Mille Îles.

D'abord concédée aux Jésuites en 1636, d'où son nom, l'île Jésus passe ensuite aux mains de Mgr de Laval, évêque de Nouvelle-France, qui confiera la seigneurie au Séminaire de Québec. Le Séminaire mûrit de grands projets pour l'île, mais peu d'entre eux voient le jour. Il fonde malgré tout quelques villages sur son pourtour.

Les riches terres arables de l'île Jésus attirèrent très tôt les colons français qui, après la signature du traité de la Grande Paix de Montréal par la France et les Amérindiens, fondèrent en 1702 Saint-François-de-Sales, le premier village de l'île. La ville de Laval telle qu'on la connaît aujourd'hui est née en 1965 de la fusion des 14 villages agricoles que comptait alors l'île.

Désormais grande banlieue résidentielle, commerciale et industrielle, Laval a su préserver certaines richesses de son patrimoine architectural ainsi que de grands espaces servant à l'agriculture ou aux activités de plein air. En suivant la côte de l'île, on peut voir les noyaux anciens de villages dominés par leur église paroissiale. Ailleurs, de belles maisons de ferme, dont quelques-unes datant du Régime français, bordent la route.

Relié au métro de Montréal et doté d'un réseau routier étendu, le territoire de Laval est aisément accessible depuis la métropole.

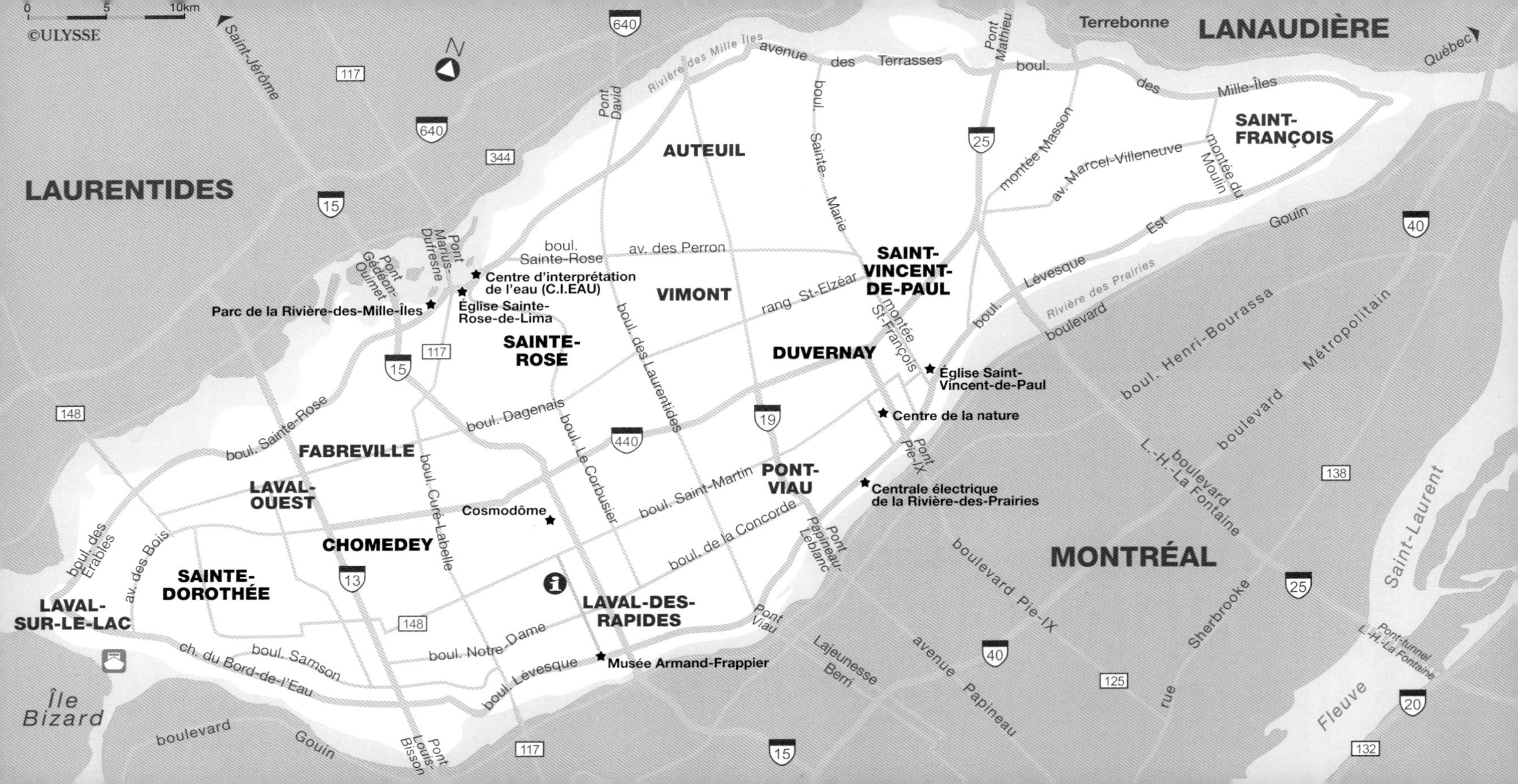

LANAUDIÈRE
LAURENTIDES
MONTRÉAL
Terrebonne
Québec
Saint-Jérôme
SAINT-FRANÇOIS
SAINT-VINCENT-DE-PAUL
AUTEUIL
VIMONT
DUVERNAY
SAINTE-ROSE
PONT-VIAU
FABREVILLE
LAVAL-OUEST
CHOMEDEY
SAINTE-DOROTHÉE
LAVAL-DES-RAPIDES
LAVAL-SUR-LE-LAC
Île Bizard
Rivière des Mille Îles
Rivière des Prairies
Fleuve Saint-Laurent
avenue des Terrasses
boul. des Mille-Îles
montée Masson
av. Marcel-Villeneuve
montée du Moulin
boul. Sainte-Marie
boul. Lévesque Est
boul. Sainte-Rose
av. des Perron
rang St-Elzéar
montée St-François
boul. des Laurentides
boul. Dagenais
boul. Le Corbusier
boul. Saint-Martin
boul. de la Concorde
boul. Curé-Labelle
boul. Sainte-Rose
boul. des Érables
av. des Bois
ch. du Bord-de-l'Eau
boul. Samson
boul. Notre-Dame
boul. Lévesque
boulevard Gouin
boulevard Gouin
boul. Henri-Bourassa
boulevard Métropolitain
boulevard L.-H.-La Fontaine
boulevard Pie-IX
rue Sherbrooke
avenue Papineau
Lajeunesse
Berri
Pont David
Pont Mathieu
Pont Marius-Dufresne
Pont Gédéon-Ouimet
Pont Pie-IX
Pont Papineau-Leblanc
Pont Viau
Pont Louis-Bisson
Pont-tunnel L.-H.-La Fontaine
Centre d'interprétation de l'eau (C.I.EAU)
Église Sainte-Rose-de-Lima
Parc de la Rivière-des-Mille-Îles
Église Saint-Vincent-de-Paul
Centre de la nature
Centrale électrique de la Rivière-des-Prairies
Cosmodôme
Musée Armand-Frappier
640
117
640
344
15
117
15
148
440
19
13
148
117
15
40
125
25
40
138
20
132
25
40
0
5
10km
©ULYSSE

Saint-Vincent-de-Paul

L'**église Saint-Vincent-de-Paul** ★ fut édifiée en 1853. Son intérieur néoclassique, doté de belles colonnes corinthiennes et d'un plafond à caissons, n'a pas trop souffert d'une simplification du décor dans les années 1960. Le parvis offre de belles vues sur la rivière des Prairies.

Le **Centre de la nature** ★★★ est l'un des parcs urbains les plus prisés de la région. En plus de ses vastes et magnifiques jardins, il offre aux visiteurs un superbe lac artificiel. Le parc comprend une petite ferme, des aires de pique-nique, un observatoire astronomique et une immense plaine gazonnée où se tiennent concerts, compétitions, festivals et expositions.

Sainte-Rose ★★

Le **Vieux-Sainte-Rose** possède une étonnante concentration de bâtiments néoclassiques dotés de façades en pierre de taille. Des galeries d'art, des commerces d'antiquaires et de sympathiques restaurants ont été aménagés dans les anciennes résidences du boulevard Sainte-Rose.

L'**église Sainte-Rose-de-Lima** ★ fut construite entre 1852 et 1856. L'intérieur néoclassique a intégré certains éléments provenant de la seconde église, entre autres le maître-autel (1799).

Tout près, une station d'eau potable abrite le **Centre d'interprétation de l'eau (C.I.EAU)**, qui présente une exposition thématique instructive sur le traitement de l'eau au Québec et dans le monde.

Le **parc de la Rivière-des-Mille-Îles** ★★ exploite habilement la multitude d'îles qui parsèment cette portion de la rivière. Dans une baie tranquille, qui sert également d'aire de jeux et de détente, on peut partir à la découverte en canot, en kayak, en rabaska, en chaloupe ou en pédalo et faire escale dans l'une des nombreuses îles pour y pique-niquer ou contempler la faune et la flore particulièrement abondantes dans les milieux humides.

Sainte-Dorothée

Avec ses terres qui comptent parmi les plus fertiles du Québec, Laval s'est en effet bâti, au fil des ans, une réputation enviable: celle de «capitale horticole du Québec». Elle regroupe ainsi plusieurs producteurs de fleurs annuelles et vivaces.

▲ Le parc de la Rivière-des-Mille-Îles. © iStockphoto.com/Robitaille

Chomedey

Le **Cosmodôme** ⋆⋆⋆ est un superbe musée interactif consacré à l'espace. Les visiteurs y ont la chance de participer à des missions virtuelles palpitantes, d'approfondir leur connaissance de l'univers et d'observer des artéfacts de la conquête spatiale dans l'exposition permanente.

Consacré à l'infiniment petit, le **Musée Armand-Frappier** retrace, par le biais du parcours de l'éminent chercheur qu'était le médecin et professeur Armand Frappier, l'histoire de la tuberculose à travers les siècles.

Duvernay

La **centrale électrique de la Rivière-des-Prairies** enjambe la rivière du même nom entre les ponts Papineau et Pie-IX. Construite en 1929, elle est un bon exemple de centrale dite «au fil de l'eau», c'est-à-dire qu'elle produit de l'électricité sans réservoir. Les visites guidées permettent de se familiariser avec le fonctionnement d'une centrale électrique; en outre, un centre d'interprétation raconte l'histoire de la centrale et explique la production de l'électricité.

La Montérégie

Riche d'histoire et recelant de nombreux bâtiments patrimoniaux, la **Montérégie** ★ est d'abord et avant tout une belle plaine très propice à l'agriculture, située entre l'Ontario, la Nouvelle-Angleterre et les contreforts des Appalaches. Sa situation géographique et ses multiples voies de communication naturelles, notamment la majestueuse rivière Richelieu, lui octroyèrent longtemps un rôle militaire et stratégique d'importance.

Les Montérégiennes de la région, soit les monts Rougemont, Saint-Bruno, Saint-Grégoire, Saint-Hilaire et Yamaska, et la montagne de Rigaud constituent les seules dénivellations d'importance de la Montérégie. Disposées ici et là sur le territoire, ces collines massives, qui ne s'élèvent qu'à environ 400 m, furent longtemps considérées comme d'anciens volcans. En réalité, ce sont plutôt des roches métamorphiques qui devinrent apparentes à la suite de la longue érosion des terres avoisinantes.

Ouvertes au public, les anciennes fortifications qui se dressent dans la région furent des avant-postes servant à protéger la colonie française contre les Anglais puis la colonie britannique contre les Américains. La nation américaine connut d'ailleurs dans la région, en 1813, la première défaite militaire de sa jeune histoire. Les Patriotes et les Britanniques s'affrontèrent aussi, à Saint-Charles-sur-Richelieu et à Saint-Denis-sur-Richelieu, lors des rébellions de 1837-1838.

Il est agréable de se promener à vélo ou en voiture dans les rangs de la Montérégie agricole, tant pour admirer le paysage que pour s'arrêter pour faire la cueillette de fruits ou faire des visites agrotouristiques.

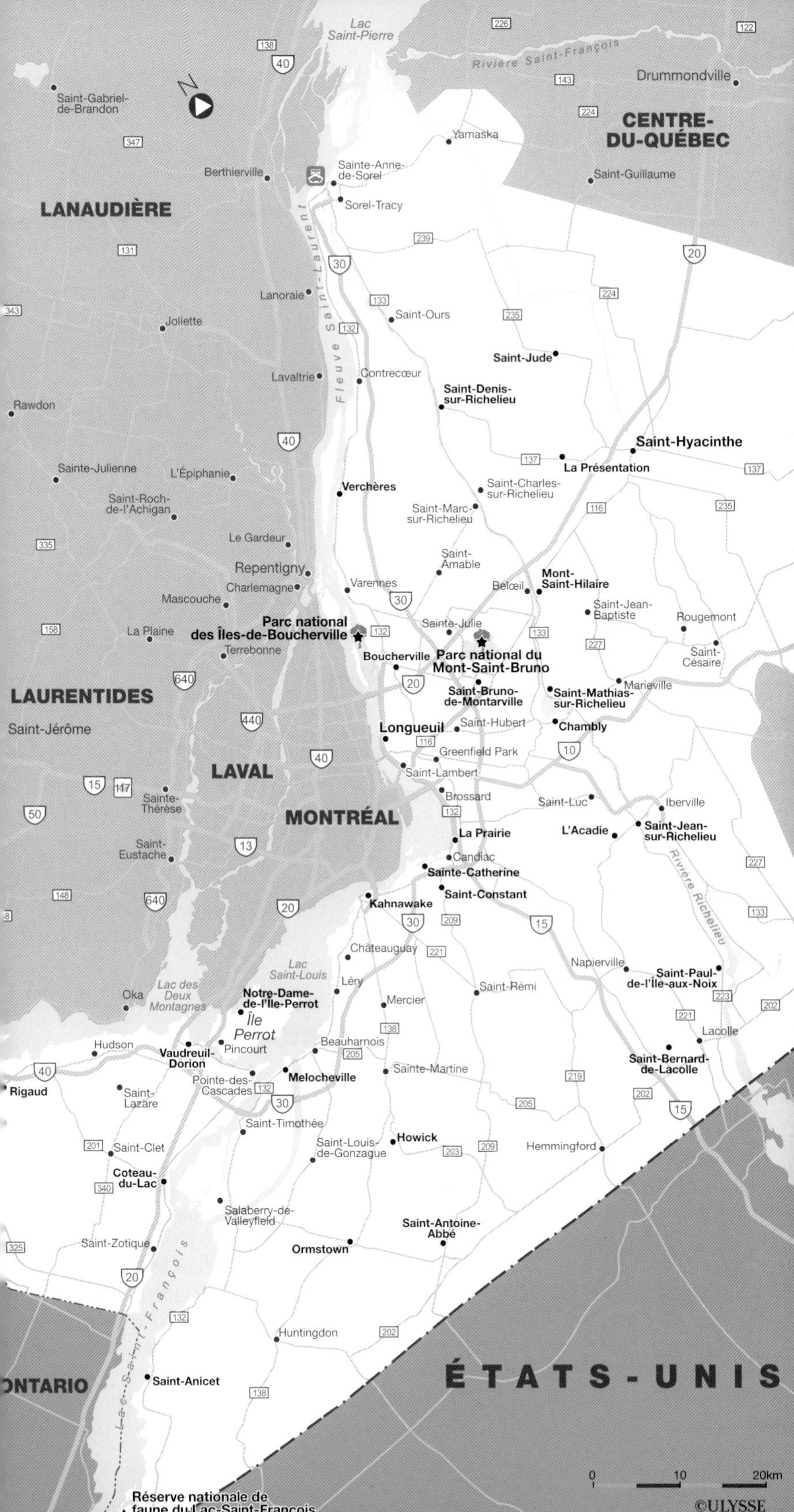

Lac Saint-Pierre
Rivière Saint-François
Drummondville
Saint-Gabriel-de-Brandon
CENTRE-DU-QUÉBEC
Yamaska
Berthierville
Sainte-Anne-de-Sorel
Sorel-Tracy
Saint-Guillaume
LANAUDIÈRE
Fleuve Saint-Laurent
Lanoraie
Joliette
Saint-Ours
Saint-Jude
Lavaltrie
Contrecœur
Saint-Denis-sur-Richelieu
Rawdon
Saint-Hyacinthe
La Présentation
Sainte-Julienne
L'Épiphanie
Verchères
Saint-Charles-sur-Richelieu
Saint-Roch-de-l'Achigan
Saint-Marc-sur-Richelieu
Le Gardeur
Saint-Amable
Repentigny
Charlemagne
Varennes
Belœil
Mont-Saint-Hilaire
Mascouche
Saint-Jean-Baptiste
Rougemont
Parc national des Îles-de-Boucherville
Sainte-Julie
La Plaine
Terrebonne
Boucherville
Parc national du Mont-Saint-Bruno
Saint-Césaire
Saint-Bruno-de-Montarville
Saint-Mathias-sur-Richelieu
Marieville
LAURENTIDES
Saint-Jérôme
Saint-Hubert
Chambly
Longueuil
Greenfield Park
LAVAL
Saint-Lambert
Sainte-Thérèse
Brossard
Saint-Luc
Iberville
MONTRÉAL
Saint-Eustache
La Prairie
L'Acadie
Saint-Jean-sur-Richelieu
Candiac
Sainte-Catherine
Rivière Richelieu
Saint-Constant
Kahnawake
Châteauguay
Lac Saint-Louis
Napierville
Saint-Paul-de-l'Île-aux-Noix
Léry
Oka
Lac des Deux Montagnes
Notre-Dame-de-l'Île-Perrot
Saint-Rémi
Mercier
Île Perrot
Lacolle
Hudson
Vaudreuil-Dorion
Pincourt
Beauharnois
Saint-Bernard-de-Lacolle
Rigaud
Saint-Lazare
Pointe-des-Cascades
Melocheville
Sainte-Martine
Saint-Timothée
Howick
Saint-Clet
Saint-Louis-de-Gonzague
Hemmingford
Coteau-du-Lac
Salaberry-de-Valleyfield
Saint-Antoine-Abbé
Saint-Zotique
Ormstown
Lac-Saint-François
Huntingdon
ÉTATS-UNIS
ONTARIO
Saint-Anicet
Réserve nationale de faune du Lac-Saint-François
0 10 20km
©ULYSSE

Chambly ★★

L'agréable ville de Chambly occupe un site privilégié en bordure du Richelieu, qui s'élargit à cet endroit pour former le bassin de Chambly.

Principal attrait du **Lieu historique national du Fort-Chambly** ★★★, le fort Chambly est le plus important ouvrage militaire du Régime français qui soit parvenu jusqu'à nous. Il a été construit entre 1709 et 1711 et devait protéger la Nouvelle-France contre une éventuelle invasion anglaise.

Le **Lieu historique national du Canal-de-Chambly** ★ protège le site de l'ancien chemin de halage, très important au XIXe siècle. À cet endroit et sur tout le parcours de cet étroit canal de 19 km de longueur, vous pourrez observer les éclusiers actionner les portes et les ponts des neuf écluses qui correspondent à une dénivellation graduelle de 22 m entre Chambly et Saint-Jean-sur-Richelieu. Le canal, inauguré en 1843, est exclusivement consacré à la navigation de plaisance depuis 1973. La piste cyclable qui longe le canal est des plus agréables.

Saint-Jean-sur-Richelieu

Saint-Jean-sur-Richelieu, qui fête son 350e anniversaire en 2016, a grandi autour du fort Saint-Jean, dont l'établissement remonte à 1666. En 1775, celui-ci fut attaqué à plusieurs reprises par l'armée des insurgés américains, qui durent finalement battre en retraite à l'arrivée des troupes britanniques.

Le **Musée du Haut-Richelieu** ★ est aménagé à l'intérieur de l'ancien marché public construit en 1859. On y présente différents objets et maquettes liés à l'histoire du Haut-Richelieu.

L'Acadie ★

En 1755, lors du Grand Dérangement, les Acadiens qui occupent les meilleures terres sont déportés par les Britanniques vers de lointaines contrées, principalement vers le sud des États-Unis, dans l'actuelle Louisiane. Entre 1764 et 1768, certains d'entre eux, de retour d'exil, viennent s'établir au bord de la «Petite rivière de Montréal», aujourd'hui la rivière de L'Acadie. Ils formeront la «Petite Acadie», à l'origine du village de L'Acadie.

L'**église Sainte-Marguerite-de-Blairfindie** ★★, le presbytère et la vieille

▲ Le Lieu historique national du Fort-Chambly. © Dreamstime.com/Mikeaubry

école de L'Acadie forment l'un des ensembles conventuels les plus pittoresques et les mieux conservés de toute la Montérégie.

Saint-Paul-de-l'Île-aux-Noix

Le **Lieu historique national du Fort-Lennox** ★★ englobe toute l'île aux Noix. Le fort, qui couvre quant à lui environ le tiers de l'île, en a transformé la configuration. Il a été construit entre 1819 et 1829. Parcs Canada y présente une intéressante reconstitution de la vie militaire au XIXe siècle ainsi que deux expositions retraçant l'histoire du fort.

Saint-Mathias-sur-Richelieu

Au cours des rébellions de 1837-1838, Saint-Mathias-sur-Richelieu connut une période d'intense activité avec l'installation du quartier général de la milice des Patriotes.

Remarquable pour son décor intérieur et pour son enclos de pierre qui enserre le cimetière, l'**église Saint-Mathias** ★★ pré-

▲ Mont-Saint-Hilaire. © Dreamstime.com/Photolekid

sente en outre une silhouette charmante, reflet de l'architecture québécoise traditionnelle.

Mont-Saint-Hilaire ★

Construit en 1854 dans le style néo-Tudor, le **Manoir Rouville-Campbell** ★, d'allure médiévale, est l'une des plus splendides résidences seigneuriales du Québec.

L'**église Saint-Hilaire** ★★ devait à l'origine arborer deux tours en façade surmontées d'autant de flèches. À la suite de disputes internes, seule la base des tours fut érigée vers 1830, et un seul clocher, disposé au centre de la façade, fut finalement installé. À l'intérieur, c'est surtout l'œuvre du peintre Ozias Leduc (1864-1955), exécutée à la fin du XIXe siècle, qui attire l'attention. Cet artiste, originaire de Saint-Hilaire-sur-Richelieu, aujourd'hui Mont-Saint-Hilaire, est l'auteur de l'ensemble des belles toiles marouflées aux tons pastel qui ornent l'église, de même que des dessins des vitraux et des lampes de la nef.

Le **Musée des beaux-arts de Mont-Saint-Hilaire** ★ a pour objectifs de promouvoir et diffuser les arts visuels contemporains, mais aussi de mettre en valeur des œuvres d'artistes célèbres qui ont vécu dans la municipalité, entre autres Ozias Leduc et Paul-Émile Borduas.

La mission de la **Maison amérindienne** ★ est de mieux faire connaître les premiers habitants du Québec. La Maison organise de nombreuses expositons et activités pour se familiariser avec les racines et les traditions amérindiennes.

Il faut prévoir au moins 3h pour visiter le **Centre de la Nature du mont Saint-Hilaire** ★★. On y fait de la recherche scientifique et on y permet les activités récréatives à longueur d'année sur la moitié du domaine. Du sommet baptisé «Pain de sucre», les randonneurs bénéficient d'un panorama exceptionnel sur la vallée du Richelieu.

Saint-Hyacinthe ★

Saint-Hyacinthe est surnommée la «capitale agroalimentaire du Québec». Chaque

Le sirop d'érable

Lors de l'arrivée des premiers colons en Amérique, la tradition du sirop d'érable était bien établie à travers les différentes cultures autochtones. Il est en fait impossible de retracer exactement la découverte du sirop d'érable par les Amérindiens. Les Iroquois ont cependant une légende expliquant la venue du doux sirop. Ils racontent que Woksis, le Grand Chef, partait chasser un matin de printemps. Il prit donc son tomahawk à même l'arbre où il l'avait planté la veille. La nuit avait été froide, mais la journée s'annonçait douce. Ainsi, de la fente faite dans l'arbre, un érable, se mit à couler de la sève. Celle-ci coula dans un seau qui, par hasard, se trouvait sous le trou.

À l'heure de préparer le repas du soir, la squaw de Woksis eut besoin d'eau. Elle vit le seau rempli de sève et pensa que cela lui éviterait un voyage à la rivière. Elle était une femme intelligente et consciencieuse qui méprisait le gaspillage. Elle goûta l'eau et la trouva un peu sucrée, mais tout de même bonne. Elle l'utilisa pour préparer son repas.

À son retour, Woksis sentit l'arôme sucré de l'érable et sut de très loin que quelque chose de spécialement bon était en train de cuire. La sève était devenue un sirop et rendit leur repas exquis. C'est ainsi, comme le dit la légende, que naquit cette douce tradition.

Aujourd'hui, la production acéricole, grâce à la technologie, se fait de façon plus ou moins artisanale, selon les besoins des cultivateurs. La saison des sucres a lieu au printemps, lorsque les températures nocturnes sont encore au-dessous de zéro et que les journées sont douces, ce qui permet à la sève de monter, et en plus grande quantité. C'est pourquoi la température joue un rôle clé dans la cueillette de l'« eau d'érable ».

▼ Seaux pour la récolte de la sève dans une érablière. © iStockphoto.com/huronphoto

année, on y tient en juillet une importante foire agricole régionale. Les rues du vieux Saint-Hyacinthe sont par ailleurs sympathiques et agréables à parcourir à pied, son marché, ses cafés et ses bistros baignant dans un cadre sans prétention.

Le **Jardin Daniel A. Séguin** ★★, un magnifique parc floral, comprend de nombreux jardins thématiques et se targue de posséder l'une des plus grandes collections d'annuelles au Québec (plus de 350 variétés).

Saint-Jude

Chouette à voir! ★ est un endroit très agréable pour passer la journée en famille. Non seulement on peut y voir des oiseaux de proie, mais aussi on y apprend beaucoup sur leur manière de chasser et de se nourrir.

La Présentation

L'**église de La Présentation-de-la-Sainte-Vierge** ★★ se démarque des autres lieux de culte élevés en Montérégie à la même époque par sa façade en pierre de taille finement sculptée, achevée en 1819.

Saint-Denis-sur-Richelieu ★

Saint-Denis-sur-Richelieu fut le théâtre de l'unique victoire des Patriotes sur les Britanniques lors des rébellions de 1837-1838. En effet, le 23 novembre 1837, les troupes du général Gore durent se replier sur Sorel après une lutte acharnée contre les Patriotes, mal équipés mais bien décidés à l'emporter sur l'ennemi. Toutefois, les troupes britanniques se vengèrent quelques semaines plus tard. Surprenant ses citoyens endormis, ils pillèrent et brûlèrent maisons, commerces et industries du village.

La **Maison nationale des Patriotes** ★ abrite un intéressant centre d'interprétation portant sur les rébellions de 1837-1838 et l'histoire des Patriotes.

Sainte-Catherine

L'**écluse de Sainte-Catherine** ★ de la Voie maritime du Saint-Laurent permet de contourner les infranchissables rapides de Lachine, visibles sur la gauche. Les navires se retrouvent 9 m plus haut d'un bassin à l'autre. On s'y rend pour observer leur passage, mais également pour contempler la vue exceptionnelle sur les gratte-ciel de Montréal et le majestueux fleuve Saint-Laurent.

Saint-Constant ★

Exporail, le Musée ferroviaire canadien ★★ présente une importante collection de matériel ferroviaire, des locomo-

▲ Le parc national du Mont-Saint-Bruno. © Dreamstime.com/Mircea Costina

tives, des wagons et des véhicules d'entretien. On peut entre autres y admirer la plus ancienne locomotive à vapeur construite au Canada.

La Prairie ★

Les rues du **Vieux La Prairie** ★★ revêtent un caractère urbain rarement atteint dans les villages du Québec au XIXe siècle. Une promenade le long des rues Saint-Ignace, Sainte-Marie, Saint-Jacques et Saint-Georges permet d'en apprécier les particularités.

Saint-Bruno-de-Montarville

Le **parc national du Mont-Saint-Bruno** ★★ est un agréable lieu de balade et de détente. Au sommet du mont se trouvent deux lacs, le lac Seigneurial et le lac du Moulin, à proximité duquel s'élève un moulin à eau du XIXe siècle.

Longueuil ★

Longueuil faisait autrefois partie de la seigneurie de Longueuil, concédée à Charles Le Moyne (1624-1685) en 1657. Celui-ci est à l'origine d'une dynastie ayant joué un rôle de premier plan dans le développement de la Nouvelle-France. Le fils aîné, Charles Le Moyne de Longueuil, hérita de la seigneurie. Entre 1685 et 1690, il fait construire un véritable château fort comprenant quatre tours d'angle, une église et plusieurs corps de logis.

Le château de Longueuil occupait l'emplacement de l'actuelle **cocathédrale Saint-Antoine-de-Padoue** ★★. Après avoir été assiégé par les insurgés américains lors de l'invasion de 1775, il a été réquisitionné par l'armée britannique. En 1792, alors qu'une garnison y était stationnée, un incendie éclata, détruisant une bonne partie de l'ensemble érigé au XVIIe siècle. Les ruines sont mises à profit en 1810 lors de la construction de la seconde église catholique. Quelques années plus tard, la rue Saint-Charles est percée en plein centre du site du château. Ainsi ont disparu les derniers vestiges d'un édifice unique en Amérique du Nord. Des fouilles archéologiques, effectuées au cours des années 1970, ont permis de retracer l'emplacement exact du château et de mettre au jour une partie de ses fondations, visibles à l'est de la cathédrale.

Le **couvent des sœurs des Saints-Noms-de-Jésus-et-de-Marie** ★, admirablement restauré, héberge toujours les sœurs des Saints Noms de Jésus et de Marie, une communauté religieuse fondée à Longueuil en 1843 par la mère Marie-Rose.

Boucherville ★

Le **parc national des Îles-de-Boucherville** ★ est voué aux activités de plein air. Aussi, durant la belle saison, le cyclisme et la randonnée sont-ils à l'honneur. Les sportifs ont alors tout le loisir de sillonner le parc, des bacs à câble les menant d'une île à l'autre. Le parc a beaucoup à offrir en matière de flore et de faune, avec notamment une importante population de cerfs de Virginie. Riche en oiseaux de toutes sortes (quelque 240 espèces), il s'avère aussi très prisé par les ornithologues amateurs.

Verchères

C'est ici qu'en 1692 la célèbre héroïne Madeleine de Verchères prit la tête du fortin de pieux, qui tenait lieu de village, pour le défendre contre les Iroquois qui attaquaient de toutes parts. Sa brillante victoire résonna à travers la colonie, élevant le moral des colons en cette période de guerre et de disette.

L'**Électrium** ★, le centre d'interprétation de l'électricité d'Hydro-Québec, intéressera particulièrement les jeunes visiteurs. Il propose des jeux interactifs ainsi que différents exemples d'application de l'électricité.

Vaudreuil-Dorion

La **Maison Trestler** ★ est magnifiquement située en bordure du lac des Deux Montagnes. Cette maison en pierre, d'une longueur inhabituelle (44 m), comprend 11 portes et 41 fenêtres et elle fut construite par étapes entre 1798 et 1806.

Édifiée entre 1783 et 1789, l'**église Saint-Michel** ★★ a été dotée d'une nouvelle façade néogothique en 1856 afin de la mettre au goût du jour. L'intérieur retient davantage l'attention pour ses caractéristiques uniques, à savoir la présence de l'ensemble le plus complet de mobilier liturgique sculpté par Philippe Liébert au XVIIIe siècle et la préservation du banc seigneurial, éliminé de la plupart des autres églises du Québec.

Le **Musée régional de Vaudreuil-Soulanges** ★, fondé en 1953, est l'un des plus anciens musées régionaux du Québec. Le beau bâtiment abrite notamment des collections d'objets usuels et d'outils artisanaux des XVIIIe et XIXe siècles.

Inaugurée en 2014, la **Maison Félix-Leclerc** ★ honore la mémoire du célèbre artiste québécois. Leclerc et sa famille ont habité cette résidence construite sur les rives du lac des Deux Montagnes de 1956 à 1966.

Rigaud

Le **sanctuaire Notre-Dame-de-Lourdes** ★ est un lieu de pèlerinage qui accueille chaque année des dizaines de milliers de visiteurs. Miné par la maladie, le frère

Ludger Pauzé creusa à l'été 1874 une petite niche dans un rocher, où il plaça une statuette de la Vierge afin de témoigner sa confiance envers Marie. Dès lors débuta le culte marial à Rigaud. Une première chapelle octogonale, d'où l'on jouit d'une belle vue d'ensemble sur la région, fut élevée en 1887. À cela s'ajoutèrent par la suite diverses installations, notamment la nouvelle chapelle, où est célébrée la messe depuis 1954.

Coteau-du-Lac ★

Un étranglement du fleuve à Coteau-du-Lac, compliqué par la présence d'une série de rapides, empêche toute navigation. On y enregistre en outre la plus importante dénivellation sur tout le parcours du Saint-Laurent, soit 25 m sur une distance de 12,8 km. Coteau-du-Lac devint par conséquent un point de ralliement et de portage avant même l'arrivée des Européens. On y a en effet retrouvé plusieurs artéfacts amérindiens, vieux de 6 000 ans. À la fin du Régime français (1759), les autorités ont creusé un «rigolet» à l'extrémité d'une avancée de terre, simple endiguement formé de piles de roches parallèles au rivage. Sur cette même pointe, les Britanniques aménagèrent, en 1779, le premier canal à écluses en Amérique du Nord. Cette œuvre de l'ingénieur militaire William Twiss sera doublée d'un fort en 1812.

On peut voir au **Lieu historique national de Coteau-du-Lac** ★ les vestiges des canaux français et britanniques de même que ceux du fort érigé pour défendre cet important passage.

Notre-Dame-de-l'Île-Perrot

L'**église Sainte-Jeanne-de-Chantal** ★★ est souvent décrite comme la représentation idéale d'une église canadienne-française dans la région de Montréal. Elle domine un cimetière en gradins, unique au Québec.

Kahnawake

Les Jésuites implantent en 1667 une mission pour les Iroquois convertis à La Prairie. Après quatre déménagements, la mission se fixe définitivement sur le site du Sault-Saint-Louis en 1716. La mission Saint-François-Xavier est aujourd'hui devenue Kahnawake, nom qui signifie «là où il y a des rapides». Au fil des ans, des Iroquois mohawks, venus de l'État de New York, se sont joints aux premiers habitants de la mission, modifiant le pay-

▼ Le parc national des Îles-de-Boucherville. © Thierry Ducharme

sage linguistique de l'endroit, tant et si bien que l'anglais constitue de nos jours la langue d'usage sur la réserve, cela même si ses 9 500 habitants ont pour la plupart conservé les patronymes d'ascendance française donnés par les Jésuites.

Sous le Régime français, on obligeait les bourgs et les missions à s'entourer de fortifications. Très peu de ces murailles ont survécu, même partiellement, au temps et aux pressions du développement. L'enceinte de la **Mission Saint-François-Xavier** ★★, en partie debout, représente donc un cas quasi unique au nord du Mexique. Elle a été entreprise en 1720 afin de protéger l'église et le couvent des Jésuites, érigés en 1717. On peut encore voir le corps de garde, la poudrière et le logement des officiers (1754).

Melocheville

La **centrale de Beauharnois** ★★, construite par étapes entre 1929 et 1956, atteint une longueur exceptionnelle de 864 m. Propriété d'Hydro-Québec, elle est ouverte aux visiteurs. Lors des visites guidées, on peut voir la très longue salle des turbines de même que les ordinateurs de la salle de contrôle.

La Pointe-du-Buisson a été habitée sporadiquement pendant des millénaires par les Amérindiens, ce qui en fait un site riche en artéfacts autochtones. **Pointe-du-Buisson, Musée québécois d'archéologie** ★ comprend plusieurs sites archéologiques et un centre d'interprétation qui accueille les visiteurs.

Saint-Anicet

Au XVe siècle, les Iroquoiens avaient établi un campement sur les berges de la rivière de la Guerre à l'endroit où se trouve aujourd'hui Saint-Anicet. Il s'agit du plus grand village iroquoien à avoir été découvert au Québec à ce jour. Visiter le **Centre d'interprétation du site archéologique Droulers-Tsiionhiakwatha** ★ permet de voir le village reconstitué.

La **réserve nationale de faune du Lac-Saint-François** ★★ offre aux visiteurs la possibilité d'observer près de 240 espèces d'oiseaux, plus de 500 espèces végétales et près de 300 espèces animales.

Howick

Lors de la guerre de l'Indépendance des États-Unis (1775-1783), les Américains avaient tenté pour la première fois d'occuper le Canada, colonie britannique depuis 1759. La peur des Canadiens français d'être un peuple noyé dans une mer anglaise, à une époque où l'ensemble de la colonie canadienne était encore très majoritairement française, explique l'échec de cette première tentative. Pendant la guerre anglo-américaine de 1812, les Américains essaient de nouveau de prendre possession du Canada. Cette fois, c'est la fidélité de l'élite canadienne à la couronne d'Angleterre, mais aussi la bataille décisive de la Châteauguay, qui ont fait échouer le projet. En octobre 1813, les troupes du général Hampton, fortes de 2 000 hommes, se massent à la frontière. Elles pénètrent dans le territoire canadien, à la faveur de la nuit, en longeant la rivière Châteauguay. Mais Charles Michel d'Irumberry de Salaberry, seigneur de Chambly, les y attend à la tête de 300 miliciens et de quelques dizaines d'Amérindiens. Le 26 octobre, la bataille s'engage. La ruse qu'utilise de Salaberry aura raison des Américains, qui battent bientôt en retraite, mettant ainsi fin à une série de conflits et inaugurant une période d'amitié durable entre les deux pays.

Le **Lieu historique national de la Bataille-de-la-Châteauguay** ★ comprend un centre d'interprétation qui a été construit à proximité du champ de bataille du 26 octobre 1813 pendant la guerre anglo-américaine. On peut y voir les uniformes des belligérants, des objets trouvés lors des fouilles, de même qu'une maquette du site indiquant le positionnement des troupes.

Ormstown ⋆

Cette localité fondée par des colons britanniques est sans contredit l'un des plus beaux villages de toute la Montérégie. On y trouve plusieurs églises de dénominations diverses, telle l'**église anglicane St. James**, construite en pierre (1837). Les maisons de la rive ouest de la rivière Châteauguay arborent une palette de couleurs spécifique, composée du rouge de la brique, du blanc des abondantes décorations de bois et du vert (ou du noir) des persiennes.

Saint-Antoine-Abbé

En délaissant la vallée de la rivière Châteauguay, on gagne une région reconnue pour sa grande concentration de vergers de pommiers. En automne, les Montréalais viennent joyeusement y cueillir eux-mêmes leurs pommes dans l'une des nombreuses exploitations où on les encourage à le faire. De plus, des kiosques au bord de la route vendent divers produits de la pomme (beurre, tartes, sirop, gelée, cidre et pommes, bien sûr).

Saint-Bernard-de-Lacolle

Situé près de la frontière canado-américaine, le **Zoo Parc Safari** ⋆⋆ est une institution visitée annuellement par quelque 300 000 personnes qui viennent observer 80 espèces d'animaux en voiture sur le circuit Safari Aventure. En plus de l'observation des animaux, plusieurs autres activités sont proposées sur place (manèges, plage, glissades d'eau, balades à dos de poney et de dromadaire…).

▾ Autocueillette de pommes dans un verger de la Montérégie. © iStockphoto.com/ericmichaud

Les Cantons-de-l'Est

Entre de gracieux vallons et des montagnes aux sommets arrondis, les **Cantons-de-l'Est** ★★ cachent de petits villages fort pittoresques qui rappellent à bien des égards la Nouvelle-Angleterre. Situés à l'extrême sud du territoire québécois, ils constituent l'une des plus belles et verdoyantes régions du Québec.

Comme en témoignent toujours de nombreux toponymes tels que Massawippi et Coaticook, cette vaste région fut d'abord parcourue et habitée par les Abénaquis. Par la suite, lorsque la Nouvelle-France passa sous domination anglaise et que prit fin la guerre de l'Indépendance américaine, de nombreux colons restés fidèles à la Couronne britannique (les loyalistes) quittèrent les États-Unis et vinrent s'installer dans la région que l'on nommait alors « Eastern Townships ».

Même si aujourd'hui la population est à plus de 90% francophone, l'apport britannique reste très présent, notamment dans le patrimoine architectural. Dans plusieurs villes et villages s'élèvent de jolies églises anglicanes bordées de belles résidences du XIXe siècle, de style victorien ou vernaculaire américain. Restés très attachés aux Cantons-de-l'Est, les Anglo-Québécois y ont conservé de prestigieuses institutions, comme l'Université Bishop de Lennoxville.

Située à environ une heure de route de Montréal, la région est devenue un lieu de villégiature très populaire. Ses montagnes offrent en hiver de belles pistes aux skieurs, alors que ses lacs et rivières invitent aux activités nautiques en été. Mais on la visite également pour sa gastronomie, sa Route des vins ou simplement ses divers festivals ou les activités familiales qu'elle offre.

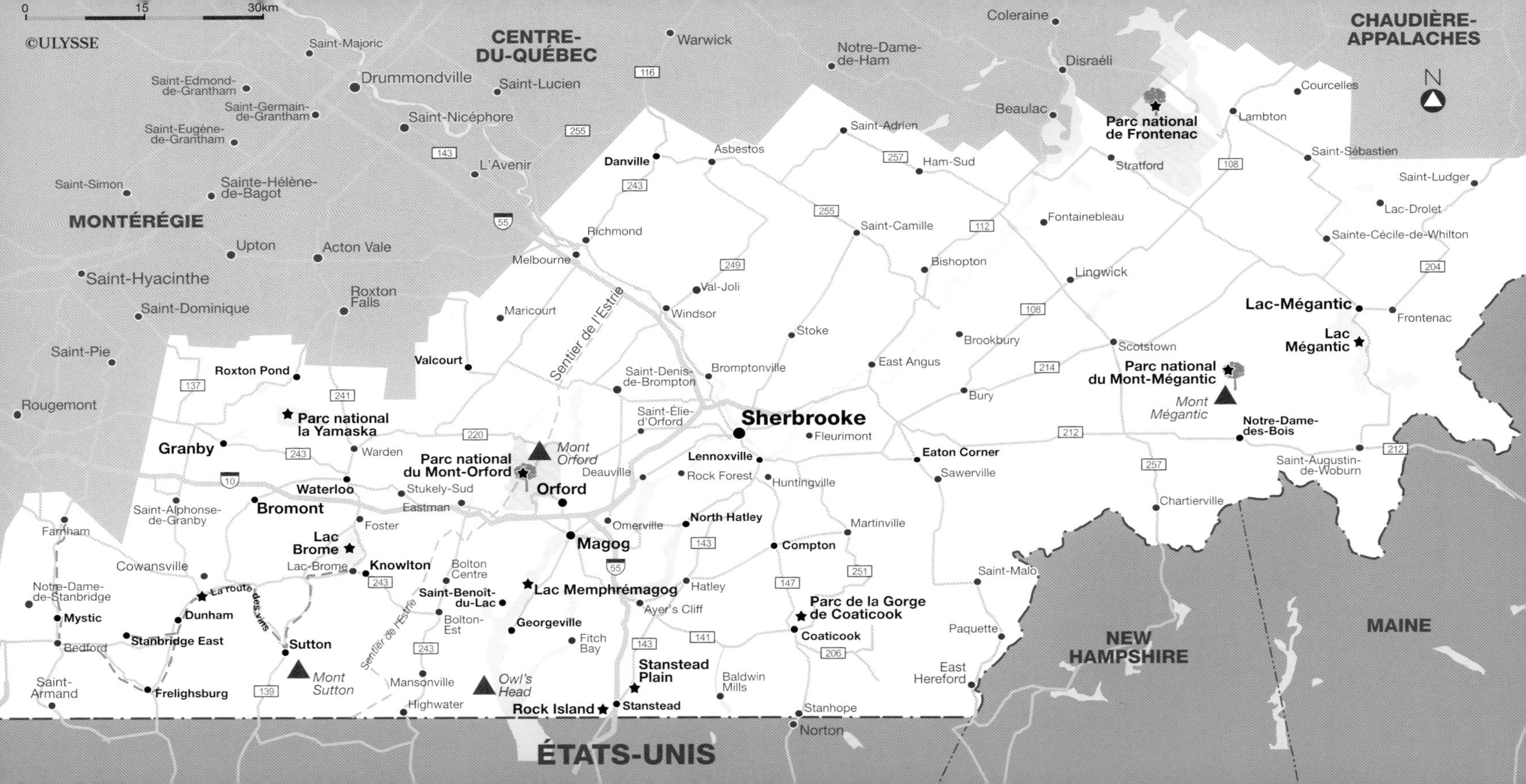
0 15 30km
©ULYSSE
CENTRE-DU-QUÉBEC
CHAUDIÈRE-APPALACHES
N
MONTÉRÉGIE
ÉTATS-UNIS
NEW HAMPSHIRE
MAINE
Saint-Majoric
Drummondville
Saint-Edmond-de-Grantham
Saint-Germain-de-Grantham
Saint-Eugène-de-Grantham
Saint-Lucien
Saint-Nicéphore
Warwick
Notre-Dame-de-Ham
Coleraine
Disraéli
Beaulac
Parc national de Frontenac
Courcelles
Lambton
Saint-Sébastien
Saint-Ludger
Lac-Drolet
Sainte-Cécile-de-Whilton
Frontenac
Lac-Mégantic
Lac Mégantic
Saint-Simon
Sainte-Hélène-de-Bagot
L'Avenir
Upton
Acton Vale
Saint-Hyacinthe
Roxton Falls
Saint-Dominique
Saint-Pie
Rougemont
Danville
Asbestos
Saint-Adrien
Ham-Sud
Stratford
Fontainebleau
Richmond
Melbourne
Saint-Camille
Bishopton
Lingwick
Val-Joli
Windsor
Maricourt
Sentier de l'Estrie
Stoke
Brookbury
Scotstown
Valcourt
Roxton Pond
Saint-Denis-de-Brompton
Bromptonville
East Angus
Bury
Parc national du Mont-Mégantic
Mont Mégantic
Parc national la Yamaska
Granby
Warden
Saint-Élie-d'Orford
Sherbrooke
Fleurimont
Notre-Dame-des-Bois
Mont Orford
Parc national du Mont-Orford
Orford
Deauville
Lennoxville
Rock Forest
Huntingville
Eaton Corner
Sawerville
Saint-Augustin-de-Woburn
Waterloo
Stukely-Sud
Bromont
Eastman
Saint-Alphonse-de-Granby
Chartierville
Farnham
Foster
Lac Brome
Omerville
North Hatley
Martinville
Magog
Compton
Cowansville
Lac-Brome
Knowlton
Bolton Centre
Saint-Malo
Notre-Dame-de-Stanbridge
La route des vins
Saint-Benoît-du-Lac
Lac Memphrémagog
Hatley
Ayer's Cliff
Parc de la Gorge de Coaticook
Mystic
Dunham
Bolton-Est
Georgeville
Coaticook
Paquette
Bedford
Stanbridge East
Sutton
Fitch Bay
Stanstead Plain
Baldwin Mills
East Hereford
Saint-Armand
Frelighsburg
Mont Sutton
Mansonville
Owl's Head
Highwater
Rock Island
Stanstead
Stanhope
Norton
116
255
143
55
257
243
255
112
249
108
204
214
137
241
220
243
10
212
212
257
143
55
251
147
243
143
141
206
243
139
108

▲ Dunham. © Dreamstime.com/Meunierd

Frelighsburg ★★

Frelighsburg est considéré comme un des plus beaux villages du Québec. Son architecture traditionnelle est représentative de celle des Cantons-de-l'Est, qui se distingue de celle du reste du Québec par ses racines anglo-américaines et qui se traduit par l'emploi fréquent de la brique rouge et des revêtements en clin de bois peint en blanc.

Le **Domaine Pinnacle**, situé au sud du village et lauréat de nombreux prix à travers le monde, se spécialise dans les cidres de glace. La visite du centre d'interprétation du verger permet de découvrir tout le travail derrière leurs délicieux produits.

Dunham ★★

Dans les villages des Cantons-de-l'Est où la population est souvent répartie entre anglicans, presbytériens, méthodistes, baptistes et parfois même luthériens et unitariens, les petits temples de dénominations diverses foisonnent. D'ailleurs, cette région est celle où l'on retrouve le plus grand nombre d'églises au Québec. Aussi la rue Principale du joli village de Dunham est-elle bordée de plusieurs clochers, entre lesquels sont érigées des demeures bourgeoises bien entretenues.

La Route des vins ★

Le visiteur européen pourra trouver bien prétentieux d'entendre parler de «Route des vins», un parcours de 160 km qui s'étend de Farnham à Lac-Brome, mais l'expérience québécoise en matière de viticulture est tellement surprenante et la concentration de vignobles dans cette région si unique au Québec que l'enthousiasme l'a emporté sur la mesure. Pas de châteaux ni de vieux comtes distingués ici, mais plutôt des exploitants viticulteurs débrouillards qui ont dû composer avec le rude climat québécois. La région bénéficie tout de même d'un microclimat et d'un sol propices à la culture de la vigne (ardoise). La majorité des vins ne sont vendus que sur place, mais de gros efforts sont déployés en vue d'une reconnaissance locale et internationale grandissante.

On peut visiter le **Vignoble de l'Orpailleur** toute l'année, y parcourir l'**Économusée de la vigne et du vin** et y découvrir les vins élaborés par ce pionnier de la viniculture québécoise. Parmi ces vins, mentionnons la Marquise, un délicieux vin blanc fortifié; la Part des anges, un assemblage de jus de raisin et d'alcool vieilli; l'Orpailleur Brut, un vin mousseux; ainsi que l'Orpailleur Vin de Glace, lauréat de nombreux prix.

Le **Domaine des Côtes d'Ardoise** est le plus ancien vignoble québécois toujours en activité. On y produit plusieurs vins dont un vin de glace primé et son terroir permet une excellente vendange tardive.

Vous avez envie d'essayer quelque chose d'original? Arrêtez-vous chez **Union Libre Cidre & Vin** pour goûter à leur «cidre de feu». Élaboré grâce à la chaleur, contrairement au gel comme les cidres de glace, le cidre de feu a un goût plus complexe et subtil.

Stanbridge East

Ce charmant village est surtout connu pour son musée régional. Le **Musée Missisquoi** ★ se consacre à la conservation et à la diffusion du patrimoine régional, principalement loyaliste. Les quelque 30 000 objets de la collection sont répartis dans trois bâtiments d'époque : le moulin Cornell de 1832, la grange Walbridge (à Mystic, voir ci-dessous) et le magasin Hodge, qui a conservé ses comptoirs du début du XXe siècle.

Mystic ★★

Le charmant hameau de Mystic est un véritable morceau de Nouvelle-Angleterre transplanté au Québec. Sa population est encore largement anglophone.

Le village, déjà très attrayant grâce à la nature qui l'entoure, se démarque aussi par un bâtiment historique des plus originaux. La **grange Walbridge**, qui date de 1882, est en effet dodécagonale (12 côtés), formée de pans se rejoignant en un toit en pignon. La grange accueille une annexe du Musée Missisquoi de Stanbridge East (voir ci-dessus) où sont exposés des artéfacts reliés à l'agriculture.

Mais que diable est donc un «canton»?

Les cantons sont des entités territoriales différentes des seigneuries, à la fois par leur forme plus ou moins carrée plutôt qu'allongée et par leur mode d'administration inspiré d'un modèle de développement britannique. Le canton était créé sur demande de la communauté qui désirait s'y installer plutôt qu'à partir d'une concession à un seul individu. Pour la plupart constitués au début du XIXe siècle, les cantons ont comblé les espaces laissés vacants par le régime seigneurial français, généralement des sites montagneux éloignés des berges déjà peuplées du Saint-Laurent et de ses affluents, lesquels constituaient à l'époque les principales voies de communication de la colonie. Les Cantons-de-l'Est forment la région où ce mode de peuplement du territoire s'est le plus répandu au Québec.

▲ Zoo de Granby. © Shutterstock.com/CVancoillie

Bromont

En plus d'être le plus grand domaine skiable éclairé en Amérique du Nord, la station touristique **Ski Bromont** comprend aussi un grand parc aquatique où vous pouvez vous amuser en famille.

Pour les gourmands au fin palais, le **Musée du chocolat de la confiserie Bromont** est une occasion en or de se familiariser avec leur péché mignon. On y découvre l'histoire du chocolat depuis l'arrivée des Espagnols au Mexique.

Waterloo ⋆

Autoproclamée capitale canadienne du vélo, Waterloo est une petite ville charmante située au carrefour de quelques pistes cyclables de la région, notamment l'Estriade, qui s'étend sur 97 km.

Valcourt

Le **Musée J.-Armand-Bombardier** ⋆ retrace l'histoire du développement de l'autoneige puis de la motoneige par Bombardier et sa commercialisation à travers le monde.

Granby ⋆

Outre ses résidences témoignant de l'architecture victorienne, «la princesse des Cantons-de-l'Est» recèle de grandes avenues et de nombreux parcs ornés de fontaines et de sculptures qui font le bonheur de ses 63 500 habitants.

Au **Zoo de Granby** ⋆⋆, vous pouvez observer plus de 225 espèces d'animaux provenant des Amériques, de l'Afrique, de l'Asie et de l'Océanie. La visite du zoo est intéressante non seulement pour l'observation des animaux, mais aussi parce qu'on trouve sur le site des manèges et un parc aquatique, l'**Amazoo iögo**.

Roxton Pond

Le **parc national de la Yamaska** a été aménagé autour du réservoir Choinière. Ce dernier, créé artificiellement, est aujourd'hui un lac agréable pour la baignade. On peut aussi pratiquer le canot, le kayak, la pêche, la randonnée pédestre et le vélo dans le parc.

Knowlton ⋆⋆

Dans ce village, l'un des plus beaux du Québec, vous comprendrez ce que l'on entend par «une impression de Nouvelle-Angleterre». Quelques boutiques et restaurants charmants y agrémentent également la balade des visiteurs.

▲ L'abbaye de Saint-Benoît-du-Lac. © iStockphoto.com/Syl20Dionnemagog

Le **lac Brome** ★ est populaire auprès des amateurs de planche à voile, qui bénéficient d'une petite plage en bordure de la route à l'approche de Knowlton.

Le **Musée du comté de Brome** ★ raconte l'histoire et la vie des gens de la région. On y trouve un magasin général reconstitué, une cour de justice du XIXe siècle et, chose plus rare, une intéressante collection militaire. Depuis 2014, il abrite également un musée pour enfants.

Sutton ★

À Sutton, le méconnu mais étonnant **vignoble de la Chapelle Ste Agnès** mérite une visite, ne serait-ce que pour son environnement hors du commun. Ce vignoble est composé de nombreuses terrasses soutenues par d'imposants murs de pierres. Une chapelle ajoute à la magnificence des lieux. Sans oublier les délicieux vins de glace régulièrement primés.

Le lac Memphrémagog ★★

Long de 44,5 km, mais d'une largeur variant entre seulement 1 km et 2 km, le lac Memphrémagog n'est pas sans rappeler les lochs écossais. Il possède même son propre monstre marin, baptisé *Memphré*. La portion sud du lac, non visible depuis Magog, à son extrémité nord, est située aux États-Unis. Les amateurs de voile seront au paradis, puisqu'il s'agit de l'un des meilleurs endroits pour pratiquer ce sport au Québec. Des bateaux de croisière en font la traversée chaque été depuis une trentaine d'années.

Saint-Benoît-du-Lac ★★

L'**abbaye de Saint-Benoît-du-Lac** ★★, fondée en 1912 par des moines bénédictins, comprend le monastère, l'hôtellerie, la chapelle abbatiale et les bâtiments de ferme. Seuls quelques corridors de même

▲ Le parc national du Mont-Orford. © Dreamstime.com/Martine Oger

que la chapelle sont accessibles au public. À l'extérieur de la chapelle, on peut admirer la vue sur le lac Memphrémagog.

Magog ★

Magog est une ville d'environ 26 000 habitants qui a beaucoup à offrir aux amateurs de sport. Elle occupe un site admirable à l'extrémité nord du lac Memphrémagog. Sa rue Principale, bordée de boutiques et de restaurants, est agréable à parcourir à pied.

Le vignoble **Le Cep d'Argent** ★★ a gagné ses titres de reconnaissance au Québec, et même à l'étranger. Quelque 60 000 vignes de plusieurs types de cépages produisent une bonne gamme de produits fins, dont le merveilleux Mistral, un vin blanc apéritif très goûteux.

Le **Marais de la Rivière aux Cerises** ★ est un agréable endroit pour se balader. Le long des différents sentiers, on peut contempler à loisir le riche écosystème dont bénéficie l'endroit.

Orford ★

Le **parc national du Mont-Orford** ★★ couvre près de 60 km² et comprend, en plus du mont Orford, les abords des lacs Stukely et Fraser. En été, il dispose de quelque 80 km de sentiers de randonnée pédestre (la plus belle piste est celle menant au mont Chauve).

Georgeville ★

C'est au milieu des paysages ondulés de Georgeville que fut tourné en grande partie *Le Déclin de l'Empire américain* du cinéaste Denys Arcand. Ce petit village est depuis longtemps un lieu de villégiature. On ne manquera pas de se rendre jusqu'au quai, d'où l'on jouit d'une belle vue sur l'abbaye de Saint-Benoît-du-Lac.

Stanstead ★

Faisant partie de l'Association des plus beaux villages du Québec, Stanstead regroupe en fait trois anciens villages: Beebe Plain, Rock Island et Stanstead Plain.

Chevauchant la frontière canado-américaine, **Rock Island** ★ est l'un des plus étranges villages qu'il soit donné de voir au Québec. En se promenant sur tel ou tel bout de rue, on est tantôt aux États-Unis, tantôt au Canada. Des affiches en français, on passe soudainement aux écriteaux en anglais. Plusieurs beaux bâtiments en pierre, brique ou de bois font de Rock Island un endroit agréable à visiter à pied.

Le bâtiment de la **Bibliothèque et salle d'opéra Haskell** ★ fut construit à cheval sur la frontière canado-américaine en 1904 afin de symboliser l'amitié entre les deux pays. Une ligne noire traversant en diagonale l'intérieur du bâtiment indique l'emplacement exact de la frontière, qui correspond au 45e parallèle.

La prospère communauté de **Stanstead Plain** ★ regroupe quelques-unes des plus belles maisons des Cantons-de-l'Est. Le **Musée Colby-Curtis** ★ est en fait une maison ayant conservé la totalité de son mobilier d'origine et qui a été entièrement restaurée en 2009. Il constitue un témoignage éloquent de la vie bourgeoise de la région dans la seconde moitié du XIXe siècle.

Coaticook

Au centre du quartier résidentiel de Coaticook, le **Musée Beaulne** ★ fait figure de château. Il s'agit en fait de l'ancienne demeure de la famille Norton construite en 1912.

Le **Parc de la Gorge de Coaticook** ★ protège une portion de la rivière Coaticook où elle a creusé dans le roc une gorge impressionnante qui atteint par endroits jusqu'à 50 m de profondeur. La passerelle suspendue, la plus longue au monde (169 m), traverse la gorge tout en la surplombant. En été, ***Foresta Lumina*** ★★, un parcours nocturne enchanteur de 2 km, plonge petits et grands dans un univers inspiré des légendes de la forêt québécoise.

Compton

Le **Lieu historique national Louis-S.-St-Laurent** célèbre la mémoire de l'ancien premier ministre canadien. La visite de la maison familiale permet de découvrir un mode de vie aujourd'hui disparu.

North Hatley ★★

De belles auberges et des restaurants gastronomiques contribuent au charme de North Hatley, lui assurant la réputation d'un lieu de villégiature des plus raffinés.

Le **Manoir Hovey** ★, grande villa construite en 1900, était autrefois la demeure estivale de l'Américain Henry Atkinson, qui recevait chez lui chaque été artistes et politiciens de son pays. La maison sert de nos jours d'auberge de grand luxe.

L'ancienne mine de cuivre du site récréotouristique **L'Épopée de Capelton** s'enfonce jusqu'à 135 m sous la montagne Capel. En plus de son intérêt géologique tout à fait fascinant, la visite se veut un contact exceptionnel avec la vie des mineurs et la première révolution industrielle.

Lennoxville ★

Une des trois universités de langue anglaise au Québec, l'**Université Bishop's** ★ est une petite institution fondée en 1843 qui offre un enseignement personnalisé, dans un cadre enchanteur, à quelque 2 400 étudiants provenant de tous les coins du globe.

▲ L'hôtel de ville Sherbrooke. © Shutterstock.com/Richard Cavalleri

Le Circuit des murales de Sherbrooke

Attraction unique au Canada, le **Circuit des murales** ★★ métamorphose le centre-ville de Sherbrooke en un véritable musée à ciel ouvert. Créée par l'organisme à but non lucratif M.U.R.I.R.S. (Murales Urbaines à Revitalisation d'Immeubles et de Réconciliation Sociale), cette boucle de 6 km est parsemée de 14 murales en trompe-l'œil qui évoquent différentes périodes historiques, artistiques et culturelles de la ville. Profitez-en pour y amener votre progéniture et demandez-lui de repérer les petits lutins dissimulés sur chacune des murales ou bien encore d'identifier les animaux ou et autres coccinelles.

Sherbrooke ★★

Principale agglomération de la région avec plus de 160 000 habitants, Sherbrooke est surnommée «la reine des Cantons-de-l'Est».

L'**hôtel de ville** ★ loge dans l'ancien palais de justice (le troisième) construit en 1904. L'édifice de granit témoigne de la persistance du style Second Empire au Québec.

En plus de présenter des expositions temporaires, le **Musée de la nature et des sciences de Sherbrooke** ★★ propose d'intéressantes expositions permanentes qui font le bonheur des enfants curieux, notamment sur la géologie et le cycle des saisons.

Le **Musée des beaux-arts de Sherbrooke** ★★ renferme une énorme collection d'art naïf, en plus de présenter des œuvres contemporaines des artistes de la région.

Sherbrooke
Rivière Saint-François
rue des Grandes-Fourches
rue Wellington S.
rue Wellington N.
rue Brooks
rue Gillespie
rue Alexandre
rue Peel
rue Marquette
rue King O.
rue Frontenac
rue Aberdeen
Lennoxville (Sherbrooke)
Musée des beaux-arts de Sherbrooke
Hôtel de ville
Musée de la nature et des sciences de Sherbrooke
Ancien palais de justice
rue Court
rue Bank
rue Williams
rue de Montréal
rue Cliff
rue Belvédère N.
boul. Queen-Victoria
rue de London
rue du Québec
rue Victoria
rue de l'Ontario
rue de Vimy
rue du Sénateur-Howard
rue Argyle
rue Heneker
rue Bryant
rue Chartier
boul. Portland
boul. Jacques-Cartier Nord
boul. Jacques-Cartier Sud
rue Wood
rue Rioux
rue Farwell
rue Lomas
rue Cate
rue Clark
rue Morris
rue de Carillon
rue Wilson
boul. Lionel-Groulx
Rivière Magog
Parc Jacques-Cartier
Parc Blanchard
rue Fabre
rue Adélard-Collette
rue Larocque
rue Saint-Louis
rue de Dorval
rue Bienville
rue Craig
rue de l'Union
rue Belvédère S.
rue Short
rue McManamy
rue de Courcelette
rue de Kingston
rue Kitchener
Galt O.
rue du Pacifique
rue Denault
rue Saint-André
rue du Rosaire
Parc du Mont-Bellevue
Campus de l'Université de Sherbrooke
boul. de l'Université
rue Roy
rue Galt O.
rue Cabana
rue Léonard
rue du Saint-Esprit
rue Forest
rue Bachand
rue Boivin
rue Maurice-Duplessis
rue Desnoyers
rue Godbout
rue Blais
rue Panneton
rue Descoteaux
rue de Lisieux
112
143
0
500
1000m
N
©ULYSSE

Rayonnant autour du parc Mitchell, agrémenté d'une fontaine du sculpteur George Hill (1921), le **quartier du parc Mitchell** ★★ comporte certaines des plus belles maisons de Sherbrooke.

Situé dans l'axe de la rue Court, l'**ancien palais de justice** ★, le deuxième de Sherbrooke, arbore une belle façade néoclassique qui n'est pas sans rappeler celle du **Marché Bonsecours** (voir p. 59) de Montréal, du même architecte.

Eaton Corner ★

Le **Musée Eaton Corner** ★ est installé dans l'ancienne église congréganiste élevée en 1841. Le bel édifice néoclassique en bois renferme des meubles loyalistes de même que des documents et des photographies racontant la vie des premiers colons établis à l'est de Sherbrooke.

Notre-Dame-des-Bois

Surtout connu du public pour son célébrissime observatoire, le **parc national du Mont-Mégantic** ★, d'une superficie de 55 km², témoigne des différents types de végétation montagneuse des Cantons-de-l'Est et compte en fait plusieurs monts. Les marcheurs et les skieurs pourront profiter de ses sentiers d'interprétation et observer plus de 125 espèces d'oiseaux qui y trouvent refuge.

L'**ASTROLab du parc national du Mont-Mégantic** ★★ est un centre d'interprétation de l'astronomie situé au cœur de la première «Réserve internationale de ciel étoilé», ce qui lui garantit une protection accrue quant à la pollution lumineuse. Vous pourrez découvrir, à travers les différentes salles de ce musée interactif et son spectacle multimédia, l'histoire de l'astronomie.

Tragédie ferroviaire

Dans la nuit du 5 au 6 juillet 2013, un train de 72 wagons-citernes de pétrole brut, exploité par la compagnie ferroviaire Montreal, Maine & Atlantic Railway (MMA), a déraillé dans le centre-ville de Lac-Mégantic: des explosions et un incendie y ont détruit une quarantaine d'édifices et tué 47 personnes. Au moment de mettre ce guide sous presse, Lac-Mégantic était encore en période de décontamination et son plan de reconstruction était toujours en cours.

Le **lac Mégantic** ★★, vaste nappe d'eau cristalline qui s'étend sur 20 km de longueur et 7 km en son point le plus large, est riche en poissons de toutes sortes, notamment en truites, et attire bon nombre de vacanciers voulant profiter des plaisirs de la pêche ou tout simplement des plages.

Lac-Mégantic ★

La ville de Lac-Mégantic fut fondée en 1885 par des Écossais originaires des îles Hébrides. Les sols relativement pauvres ne fournissant pas de revenus suffisants, les habitants se tournèrent bientôt vers l'exploitation des ressources forestières.

Danville ★

Ce joli village arboré a conservé plusieurs demeures victoriennes et édouardiennes dignes d'intérêt, témoins d'une époque où Danville accueillait de riches familles montréalaises pendant l'été.

▸ Le parc national du Mont-Mégantic.
© iStockphoto.com/ReverseProject

Lanaudière

Région de lacs et de rivières, de terres cultivées, de forêts sauvages et de grands espaces, **Lanaudière** ★ s'étend de la plaine du Saint-Laurent jusqu'au plateau laurentien, en passant par le piedmont des Laurentides. Une des premières zones de colonisation de la Nouvelle-France, Lanaudière possède un héritage architectural exceptionnel et maintient vivantes plusieurs traditions populaires héritées des temps anciens.

Marie-Charlotte Tarieu Taillant de Lanaudière, fille du seigneur de Lavaltrie, épouse en 1813 Barthélemy Joliette. Ces deux personnages, beaucoup plus qu'un simple couple de jeunes mariés, légueront un héritage précieux aux habitants de la région. Leur nom d'abord, mais également un esprit d'entreprise peu commun à l'époque chez les Canadiens français, qui stimulera la création de manufactures et de banques contrôlées localement, à laquelle il faut aussi ajouter le développement d'une agriculture spécialisée.

La région est l'hôte, chaque été, d'un événement d'envergure : le Festival de Lanaudière, où les mélomanes du Québec se donnent rendez-vous pour assister à des concerts de musique classique. Les villes de Joliette et de L'Assomption, quant à elles, recèlent les meilleures tables de la région.

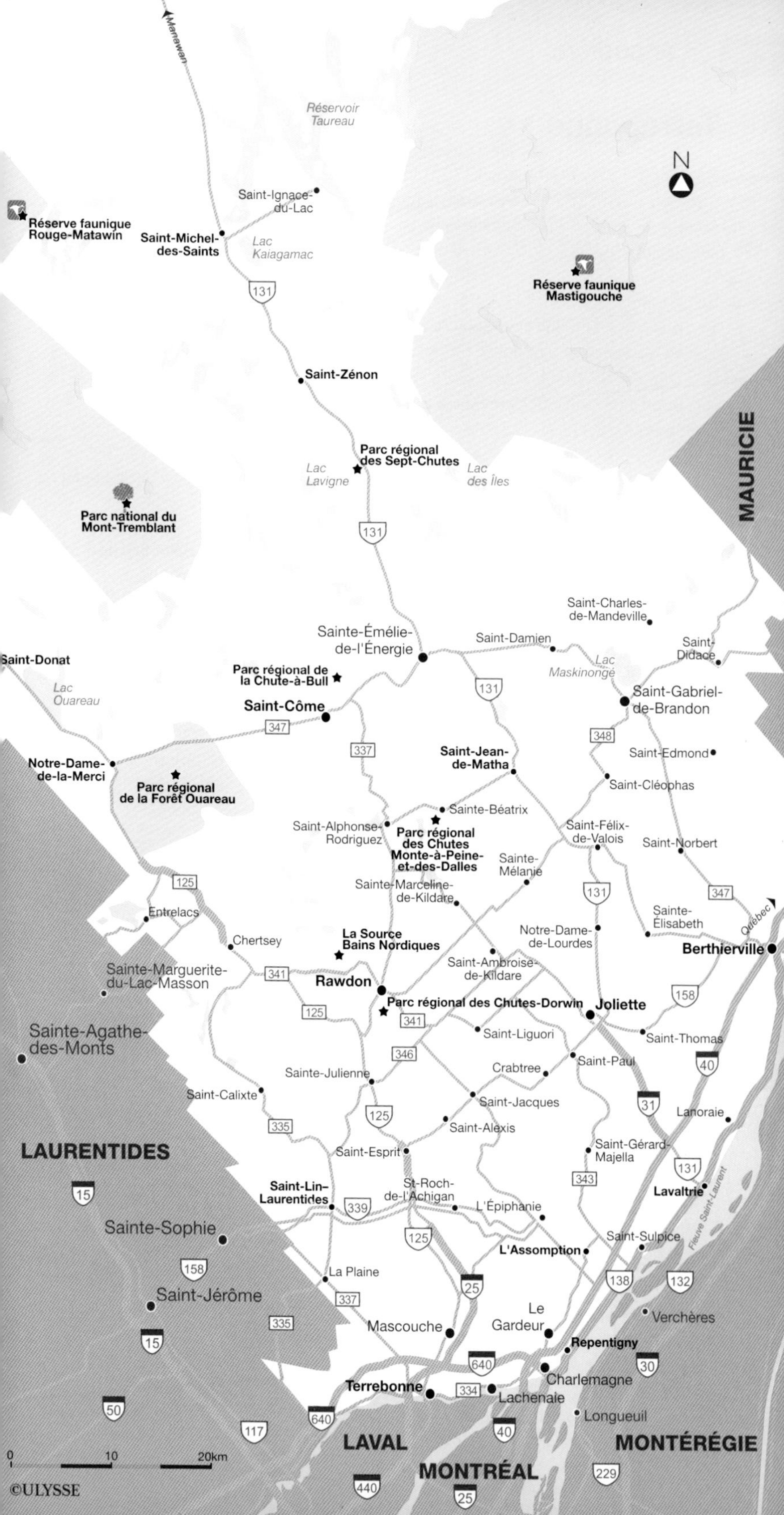
Manawan
Réservoir Taureau
N
Saint-Ignace-du-Lac
Réserve faunique Rouge-Matawin
Saint-Michel-des-Saints
Lac Kaiagamac
131
Réserve faunique Mastigouche
Saint-Zénon
Parc régional des Sept-Chutes
Lac Lavigne
Lac des Îles
MAURICIE
Parc national du Mont-Tremblant
Saint-Charles-de-Mandeville
Sainte-Émélie-de-l'Énergie
Saint-Damien
Saint-Didace
Saint-Donat
Parc régional de la Chute-à-Bull
Lac Maskinongé
Lac Ouareau
Saint-Côme
Saint-Gabriel-de-Brandon
347
337
348
Saint-Jean-de-Matha
Saint-Edmond
Notre-Dame-de-la-Merci
Parc régional de la Forêt Ouareau
Saint-Cléophas
Sainte-Béatrix
Saint-Alphonse-Rodriguez
Parc régional des Chutes Monte-à-Peine-et-des-Dalles
Saint-Félix-de-Valois
Saint-Norbert
Sainte-Mélanie
Sainte-Marceline-de-Kildare
125
Entrelacs
Chertsey
La Source Bains Nordiques
Sainte-Élisabeth
Notre-Dame-de-Lourdes
Québec
Berthierville
Saint-Ambroise-de-Kildare
Sainte-Marguerite-du-Lac-Masson
341
Rawdon
158
Parc régional des Chutes-Dorwin
Joliette
Sainte-Agathe-des-Monts
Saint-Liguori
Saint-Thomas
346
40
Crabtree
Saint-Paul
Sainte-Julienne
Saint-Calixte
Saint-Jacques
31
Lanoraie
Saint-Alexis
335
LAURENTIDES
Saint-Esprit
Saint-Gérard-Majella
343
St-Roch-de-l'Achigan
Lavaltrie
Fleuve Saint-Laurent
Saint-Lin–Laurentides
339
L'Épiphanie
15
Sainte-Sophie
Saint-Sulpice
L'Assomption
La Plaine
138
132
25
Saint-Jérôme
Le Gardeur
Verchères
Mascouche
Repentigny
640
30
Terrebonne
334
Charlemagne
Lachenaie
Longueuil
50
117
LAVAL
MONTÉRÉGIE
0
10
20km
MONTRÉAL
229
440
©ULYSSE

Terrebonne ★★

Terrebonne est certainement l'un des meilleurs endroits au Québec pour comprendre ce qu'était une seigneurie prospère au XIXe siècle.

La ville a été fondée en 1707 et a très tôt vu élever les premières minoteries et scieries qui feront sa renommée. En 1802, la seigneurie de Terrebonne est acquise par Simon McTavish, directeur de la Compagnie du Nord-Ouest, spécialisée dans le commerce des fourrures, qui s'en sert comme point de départ pour ses lucratives expéditions commerciales dans le Nord québécois. Des moulins à carder et à fouler la laine s'ajoutent alors à ceux du Régime français pour former un véritable complexe pré-industriel. La famille Masson poursuit le développement de la seigneurie à partir de 1832 en reconstruisant la plupart des moulins.

Dès le milieu du XIXe siècle, il existe à Terrebonne un collège qui offre un enseignement commercial en français, chose rarissime dans le Québec d'alors, où la prêtrise et les professions dites libérales (médecin, avocat, notaire) sont à l'honneur. Le XXe siècle s'annonce prometteur, mais, le 1er décembre 1922, une grande partie de la basse ville est détruite par un incendie, ne laissant debout que les bâtiments des rues Saint-François-Xavier et Sainte-Marie.

Le puissant banquier montréalais Joseph Masson acquiert la seigneurie de Terrebonne lors d'une vente aux enchères en 1832, mais les rébellions de 1837-1838 ne lui permettront pas de la développer comme il l'aurait souhaité. Sa veuve, Sophie Raymond, procédera à des travaux majeurs à partir de 1848. Elle fait alors construire, rue Saint-Louis, l'imposant **manoir Masson** ★. Ce bel édifice néoclassique revêtu de calcaire gris est l'une des plus vastes résidences seigneuriales du Québec qui ait subsisté. En 1912, la chapelle Saint-Tharcisius vient s'ajouter au manoir, devenu entre-temps propriété d'une communauté religieuse. Le manoir abrite aujourd'hui le Collège Saint-Sacrement.

Sur le **Site historique de l'Île-des-Moulins** ★★ est concentré l'ensemble exceptionnel de moulins et autres installations pré-industrielles de la seigneurie de Terrebonne. Animées par des guides en costumes d'époque qui relatent l'histoire du patrimoine industriel de l'île, les visites guidées du site sont intéressantes. Les expositions se révèlent très instructives, surtout celle qui traite des moulins à eau, avec leur évolution technologique, leur fonctionnement et leur histoire.

Construite en 1760, la **Maison Bélisle** ★ se targue d'être la plus vieille maison préservée de Terrebonne.

L'Assomption ★

L'agréable petite ville de L'Assomption a grandi de part et d'autre d'un portage établi en 1717 par le sulpicien Pierre Le Sueur dans un méandre de la rivière L'Assomption.

La proximité des moulins à carder de Terrebonne et les fréquentes visites des coureurs des bois amenèrent les femmes de L'Assomption à confectionner une ceinture en laine portée par les Canadiens français pour les distinguer des Écossais, nombreux au sein de la Compagnie du Nord-Ouest. Ainsi serait née la célèbre **ceinture fléchée**, célèbre emblème du Québec.

Derrière la monumentale façade de l'**église de L'Assomption-de-la-Sainte-Vierge** ★, édifiée en 1819-1820, se trouvent les retables des autels et une belle chaire baroque, qui datent, quant à eux, de 1834.

Le **Collège de l'Assomption** ★ pour garçons a été fondé en 1832 par les notables de L'Assomption. Le bâtiment au toit mansardé et couronné d'un superbe dôme argenté datant de 1882 est un bon exemple de l'architecture institutionnelle du XIXe siècle au Québec. Parmi les nombreuses personnalités qui y ont étudié, il faut mentionner Sir Wilfrid Laurier, premier ministre du Canada de 1896 à 1911.

Joliette ★

Joliette doit son dynamisme culturel aux clercs de Saint-Viateur, qui se sont installés dans la **Maison provinciale des Clercs de Saint-Viateur** ★ (leur première maison provinciale fut ravagée dans un incendie au milieu du XIXe siècle). En 1939, ils entreprennent la construction de leur nouvelle maison d'après des croquis du père Wilfrid Corbeil. L'édifice n'est pas sans rappeler les monastères allemands du Moyen Âge, avec ses massives arches néoromanes et sa lourde tour en pierre.

Fondé à partir de la collection des Clercs de Saint-Viateur, le **Musée d'art de Joliette** ★★ possède près de 9 000 œuvres anciennes et contemporaines d'artistes du Québec, du Canada et d'un peu partout à travers le monde. Plus important musée régional de la province, l'institution a récemment procédé à plusieurs travaux visant à moderniser ses espaces d'exposition.

Le **Festival de Lanaudière** présente chaque année, en juillet et en août, les vedettes de l'art lyrique et des concerts.

▼ Le Site historique de l'Île-des-Moulins. © iStockphoto.com/Onfokus

Berthierville ★

L'**église Sainte-Geneviève** ★★ constitue l'un des trésors de Lanaudière. La date de sa construction, en 1787, en fait l'une des plus vieilles de la région. Mais c'est le décor intérieur de style Louis XVI qui en fait vraiment un édifice exceptionnel.

Gilles Villeneuve, champion de course automobile mort tragiquement en 1982 lors des essais de qualification du Grand Prix de Belgique, était originaire de Berthierville. Le **Musée Gilles-Villeneuve** est consacré à la carrière de l'illustre pilote de Formule 1 chez Ferrari. Le musée consacre aussi un volet à la carrière de son fils Jacques, champion du monde de Formule 1 en 1997.

Lavaltrie ★

En 1672, l'intendant Talon accorde une seigneurie à Séraphin Margane de Lavaltrie, lieutenant du régiment de Carignan-Salières, auquel cette municipalité située en bordure du fleuve Saint-Laurent doit aujourd'hui son nom. Louis Riel, chef de la résistance métisse au Manitoba, y a fait quant à lui ses études dans la seconde moitié du XIXe siècle.

Chaque pièce qu'abrite la surprenante **Maison des contes et légendes** ★★ interpelle l'imaginaire des visiteurs qui pourront entre autres revivre la légende de la Chasse-Galerie en sculptures.

La **Maison Rosalie-Cadron** ★★ propose des visites en compagnie de guides en costumes d'époque qui racontent les événements de la vie mouvementée de cette femme qui a marqué l'histoire de Lavaltrie.

Repentigny

La ville de Repentigny porte le nom de son premier seigneur, Pierre Le Gardeur de Repentigny. Elle bénéficie d'un site agréable entre l'embouchure de la rivière L'Assomption et le majestueux fleuve Saint-Laurent.

L'**église La Purification-de-la-Bienheureuse-Vierge-Marie** ★ est la plus vieille église du diocèse de Montréal puisqu'elle a été érigée dès 1723. L'intérieur, gravement endommagé lors d'un incendie en 1984, a retrouvé sa simplicité du Régime français lors de la restauration qui a suivi. À remarquer: le beau maître-autel de style Louis XV, réalisé en 1761.

Saint-Lin–Laurentides

Le **Lieu historique national de Sir-Wilfrid-Laurier** préserve la maison natale du premier Canadien français à être devenu premier ministre du Canada (de 1896 à 1911). Le centre d'interprétation qui y est aménagé raconte la vie du célèbre homme politique et rend compte de la vie rurale québécoise du milieu du XIXe siècle.

Rawdon ★

On apprendra avec étonnement que la petite ville de Rawdon, avec à peine 11 000 habitants, présente une des plus grandes diversités ethniques de tout le Québec. En effet, aux premiers habitants anglais, écossais et irlandais, se joignent bientôt de nombreux Canadiens français de souche acadienne et, après 1929, des Russes, des Ukrainiens, des Allemands, des Polonais, des Hongrois, des Tchèques et des Slovaques.

La Terre des Bisons propose des visites guidées en charrette de son élevage insolite (bisons et wapitis).

Le **Parc régional des Chutes-Dorwin** ★ compte deux belvédères d'où il est possible d'admirer les impressionnantes chutes de la rivière Ouareau, hautes de 30 m.

◂ Le Parc régional des Chutes-Dorwin.
© Dreamstime.com/Mircea Costina

Juché sur une colline, le spa **La Source Bains Nordiques** ★★ comprend une grotte de détente, une chute thermale, des bains à remous, un foyer extérieur et de splendides aires communes et des plateformes de soins disséminées dans la nature.

Saint-Jean-de-Matha ★

C'est ici que Louis Cyr (1863-1912) se retira après avoir parcouru l'Amérique et l'Europe et s'être vu attribuer le titre d'homme le plus fort du monde. La **Maison Louis-Cyr**, un musée aux expositions interactives, rend hommage à ce personnage légendaire dans son ancienne demeure complètement restaurée.

Le **Parc régional des Chutes Monte-à-Peine-et-des-Dalles** ★★ compte plusieurs sentiers de randonnée (17 km) sur son site. Ils permettent entre autres de contempler trois belles chutes qui se sont formées dans la rivière L'Assomption.

Notre-Dame-de-la-Merci

Notre-Dame-de-la-Merci est l'une des portes d'entrée du **Parc régional de la Forêt Ouareau**. Ce parc d'une superficie de 150 km^2 est sillonné de sentiers pédestres (raquette en hiver) et traversé par la rivière Ouareau.

Saint-Donat ★

Bordée par des montagnes pouvant atteindre 900 m d'altitude, et située à quelques minutes du mont Tremblant et au bord du lac Archambault, Saint-Donat s'étend à l'est jusqu'au lac Ouareau. C'est aussi une porte d'entrée du **parc national du Mont-Tremblant** (voir p. 119), généralement associé à la région des Laurentides, mais dont les deux tiers du territoire se trouvent dans Lanaudière.

Saint-Côme ★

Le **Parc régional de la Chute-à-Bull** ★★ offre 6 km de sentiers avec panneaux d'interprétation qui permettent de connaître l'histoire de la drave et de la coupe de bois dans la région. Un belvé-

▲ Le Parc régional des Sept-Chutes. © Dreamstime.com/Louise Rivard

dère dévoile de jolies vues sur la chute de 18 m de hauteur.

Saint-Zénon

Le **Parc régional des Sept-Chutes** ★★ propose des sentiers de randonnée pédestre ponctués de points de vue spectaculaires et sillonnant les abords de jolies cascades.

Saint-Michel-des-Saints

La **réserve faunique Rouge-Matawin** ★ s'étend sur 1 394 km² de verdure et dissimule plus de 450 lacs et cours d'eau tout en abritant une faune luxuriante. On peut s'y adonner à maintes activités telles que la pêche, le canot-camping, la cueillette de fruits sauvages, ainsi que la motoneige en hiver.

Les Laurentides

Contrée de villégiature des plus réputées au Québec, la belle région des **Laurentides** ★★ attire de nombreux visiteurs en toutes saisons. Depuis longtemps, on « monte dans le Nord » pour s'y détendre et apprécier la beauté de ses paysages. Ses lacs, montagnes et forêts sont particulièrement propices à la pratique d'activités sportives diverses et aux balades.

Comme les Laurentides possèdent la plus grande concentration de stations de ski au Québec, lorsque l'hiver se pointe, ce sport devient roi. Quant aux villages de la région, qui s'étendent au pied des montagnes, ils sont très souvent coquets, et agréables tout au long de l'année.

Le sud de la région, nommé les « Basses-Laurentides », fut très tôt occupé par des colons français venus en cultiver les riches terres arables. Plusieurs localités des Basses-Laurentides rappellent toujours l'histoire du pays par leur patrimoine architectural ou simplement par l'évocation d'événements s'y étant déroulés. Inspirée d'un personnage désormais légendaire, le curé Labelle, l'occupation des terres du plateau laurentien commença beaucoup plus tard, vers le milieu du XIXe siècle. La mise en valeur des « pays d'en haut » faisait alors partie d'un vaste plan de colonisation des régions périphériques du Québec visant à contrer l'exode des Canadiens français vers les villes industrielles du Nord-Est américain. Malgré le peu de rentabilité des fermes en raison de la pauvreté du sol, le curé Labelle parvint à y fonder une vingtaine de villages et à y attirer un bon nombre de colons canadiens-français.

Depuis le début du XXe siècle, l'arrivée toujours plus grande de visiteurs a fait du tourisme la principale activité de cette région.

Parc linéaire
Le P'tit Train du Nord
Maniwaki
Ferme-Neuve
Mont-Laurier
Lac-Saint-Paul
Lac des Îles
Lac des Trente et un Milles
Saint-Aimé-du-Lac-des-Iles
Lac-des-Écorces
Parc linéaire Le P'tit Train du Nord
Réservoir Kiamika
Réservoir aux Sables
Lac du Cerf
Notre-Dame-du-Laus
Lac-Saguay
Réserve faunique de Papineau-Labelle
Lac Montjoie
Lac Nominingue
Nominingue
L'Ascension
Rivière-Rouge
Réserve faunique Rouge-Matawin
L'Annonciation
Aéroport international de Mont Tremblant
La Minerve
La Macaza
Lac Gagnon
Labelle
Parc national du Mont-Tremblant
Lac-Simon
Lac Simon
La Conception
OUTAOUAIS
Mont-Tremblant
Station Mont Tremblant
Namur
Saint-Jovite
Lac-Supérieur
Saint-André-Avelin
Saint-Faustin–Lac-Carré
Lac Archambault
Saint-Donat
Montebello
Lac Papineau
Lac Ouareau
Rivière des Outaouais
Saint-Adolphe-d'Howard
Sainte-Agathe-des-Monts
Harrington
Val-David
Val-Morin
Grenville
Morin-Heights
Estérel
Sainte-Adèle
Sainte-Marguerite-du-Lac-Masson
Brownsburg-Chatham
Saint-Sauveur
Mont Saint-Sauveur
Piedmont
Sainte-Anne-des-Lacs
Lachute
Prévost
ONTARIO
Carillon
Parc régional de la Rivière-du-Nord
Rawdon
Saint-André-d'Argenteuil
Saint-Jérôme
LANAUDIÈRE
Aéroport international Montréal-Mirabel (cargo)
Saint-Placide
Mirabel
Parc du Domaine Vert
Blainville
Saint-Joseph-du-Lac
La Plaine
Oka
Saint-Eustache
Sainte-Thérèse
Parc national d'Oka
Deux-Montagnes
Terrebonne
Lac Saint-François
LAVAL
Fleuve Saint-Laurent
MONTRÉAL
0 15 30km
©ULYSSE
MONTÉRÉGIE
Longueuil

▲ Le moulin Légaré à Saint-Eustache. © Dreamstime.com/Michel Bussieres

Saint-Eustache

Saint-Eustache était au début du XIXe siècle une communauté agricole prospère ayant donné naissance à une certaine élite intellectuelle et politique canadienne-française. Cette élite a joué un grand rôle lors des rébellions de 1837-1838, faisant de Saint-Eustache l'un des principaux théâtres de ces événements tragiques.

L'**église de Saint-Eustache** ★★ a été édifiée en 1783. Elle est surtout remarquable par sa nouvelle façade palladienne en pierre de taille, construite entre 1831 et 1836. La présence de deux clochers témoigne de la prospérité de l'endroit dans les années précédant les rébellions de 1837-1838. Le 19 décembre 1837, alors que Jean-Olivier Chénier et 150 Patriotes s'enfermèrent dans le lieu de culte afin de résister aux troupes britanniques, le général Colborne fit bombarder l'église, dont il ne restera que les murs à la fin de la bataille, et fit ensuite incendier la plupart des maisons du village. Saint-Eustache mettra plus de 30 ans à se relever de ce saccage. L'église, dont la reconstruction à partir des murs en pierre et de sa façade sera terminée en 1841, porte encore les traces des durs combats qui eurent lieu en ses murs.

Un **monument aux Patriotes**, le presbytère et le couvent (1898) avoisinent l'église.

Le **manoir Globensky – Maison de la culture et du patrimoine** ★ était autrefois la propriété de Charles-Auguste-Maximilien Globensky, époux de l'héritière de la seigneurie de Saint-Eustache,

Virginie Lambert-Dumont. La maison Globensky abrite la Maison de la culture et du patrimoine de Saint-Eustache, qui présente des expositions concernant entre autres l'histoire de l'insurrection des Patriotes de Saint-Eustache en 1837.

Le carré de pierres du **moulin Légaré** ★★ date de 1762. Des modifications apportées au début du XXe siècle ont cependant enlevé un peu de caractère au bâtiment. Ce moulin à farine n'a jamais cessé de fonctionner, ce qui en ferait le plus vieux moulin uniquement mû par la force de l'eau encore en activité en Amérique du Nord.

L'**Exotarium** ★ présente une petite collection de plus de 200 reptiles, amphibiens et invertébrés dont plusieurs peuvent êtres manipulés par les visiteurs lors des animations.

Juste à côté de l'Exotarium se trouve la ferme **Nid'Otruche** ★★★, qui permet d'en apprendre davantage sur les autruches et leur ancêtre, le dinosaure *Gallimimus*. Un safari, à pied ou en tracteur, permet de visiter la pouponnière et parfois même d'assister à la naissance d'un autruchon.

Oka ★

Les Sulpiciens, tout comme les Jésuites, ont établi des missions d'évangélisation des Amérindiens autour de Montréal. Les disciples d'Ignace de Loyola s'étant fixés définitivement à Kahnawake en 1716 , ceux de Jean-Jacques Olier firent de même en 1721 sur un très beau site en bordure du lac des Deux Montagnes appelé Oka, nom autochtone qui signifie «poisson doré». Les Sulpiciens y accueillirent des Algonquins, des Hurons et des Agniers. À la différence de la mission de Kahnawake, que l'on voulait isoler des habitants d'origine européenne, un village de colons français se développa simultanément autour de l'église des Messieurs de Saint-Sulpice.

À la fin du XVIIIe siècle, des Iroquois venus de l'État de New York se sont substitués aux premiers habitants amérindiens de la mission, donnant un visage anglais et, plus récemment, un nouveau nom (Kanesatake) à toute une portion du territoire situé en amont du village. Oka est de nos jours un centre récréotouristique et une banlieue éloignée de Montréal.

En 1881, quelques moines cisterciens quittent l'abbaye de Bellefontaine en France pour fonder une nouvelle abbaye en terre canadienne. Les Sulpiciens, qui avaient déjà donné plusieurs morceaux de leurs vastes propriétés de Montréal à différentes communautés religieuses, concèdent un flanc de colline de leur seigneurie des Deux-Montagnes aux nouveaux arrivants. En quelques années, les moines font ériger l'**abbaye cistercienne d'Oka** ★, aussi connue sous le nom de «la Trappe». Les moines n'habitent plus l'abbaye depuis 2002, mais le **magasin de l'Abbaye d'Oka** vend toujours leurs produits.

Le **parc national d'Oka** ★★ propose des sentiers de randonnée pédestre en été, des sentiers de ski de fond et de raquettes en hiver. Du sommet de la colline d'Oka (168 m), on embrasse du regard l'ensemble de la région. Le sentier du Sommet, long de 6,9 km, aboutit à un belvédère panoramique, alors que le sentier du Calvaire d'Oka (4,6 km) longe les stations du plus vieux calvaire des Amériques. Celui-ci fut aménagé par les Sulpiciens en 1740 afin de stimuler la foi des Amérindiens nouvellement convertis au catholicisme. Humble et digne tout à la fois, le **calvaire d'Oka** ★ se compose de quatre oratoires trapézoïdaux et de trois chapelles rectangulaires en pierre blanchie à la chaux. Ces petits bâtiments, aujourd'hui vidés de leur contenu mais restaurés, servaient à l'origine d'écrins à sept bas-reliefs en bois illustrant des scènes de la Passion du Christ.

Depuis l'**église d'Oka** ★, vous bénéficierez d'une splendide vue sur le lac des Deux Montagnes. Construite en 1878 dans le style néoroman, elle a succédé à l'église de la mission des Sulpiciens (1733), autrefois située sur le même emplacement.

▼ Oka. © Dreamstime.com/Mircea Costina

Saint-Placide

Le surprenant site de **Perroquets en folie** ★★ vous plongera dans la chaude ambiance d'un pays tropical. Les volières sont identifiées selon l'origine des oiseaux (175 spécimens) et certains sont très bavards.

Saint-André-d'Argenteuil ★

Le charmant village loyaliste de Saint-André-d'Argenteuil s'inscrit dans un cadre bucolique en bordure de la rivière du Nord.

Sur le canal de Carillon, une écluse permet à des milliers d'embarcations de plaisance de franchir une dénivellation de plus de 20 m en 30 min seulement. À elle seule, cette gigantesque écluse remplace un ancien système de navigation qui comptait trois canaux et 11 écluses. Le **Lieu historique national du Canal-de-Carillon** protège le site. Dans la maison du Percepteur, une exposition traite de l'histoire de la canalisation en Outaouais et du commerce du bois.

Installé dans un beau bâtiment en pierre construit vers 1830, le **Musée régional d'Argenteuil** présente des artéfacts de la région, de même qu'une collection de costumes du XIXe siècle.

Mirabel

À Mirabel même, le **parc du Domaine Vert** ★★ offre la possibilité aux amants de la nature de pratiquer de nombreuses activités telles que le vélo, la randonnée, le ski de fond, la glissade et la raquette.

Saint-Jérôme

Saint-Jérôme est surnommée «la Porte du Nord» puisque, à sa hauteur, on quitte le plateau laurentien pour pénétrer dans la région montagneuse qui s'étend au nord de Montréal et de Québec, les Laurentides. Celles-ci forment la plus vieille chaîne de montagnes de la planète.

Dans les années qui suivent les rébellions de 1837-1838, les Canadiens français étouffent sur leurs vieilles seigneuries surpeuplées. L'absence quasi totale d'industries oblige les familles à subdiviser les terres agricoles afin de procurer du travail aux nouvelles générations. Mais cet effort demeurera nettement insuffisant. Dès lors s'amorce une saignée qui verra plusieurs centaines de milliers de Québécois émigrer vers les filatures de la Nouvelle-Angleterre dans l'espoir d'un avenir meilleur. Au total, près d'un million de Québécois ont pris la route de notre voisin du sud entre 1840 et 1930.

Afin de stopper cette hémorragie vers les États-Unis, le clergé tout-puissant du Québec tentera diverses manœuvres, dont la plus importante demeure la colonisation des Hautes-Laurentides entre 1880 et 1895, pilotée par le curé Antoine Labelle, de Saint-Jérôme. Seul le tourisme sportif apportera une certaine prospérité à la région des Hautes-Laurentides après 1945.

Le **Musée d'art contemporain des Laurentides**, consacré à l'art visuel contemporain et actuel, est installé dans l'ancien palais de justice de Saint-Jérôme.

La **cathédrale de Saint-Jérôme** ★, simple église paroissiale au moment de sa construction en 1897, est un vaste édifice de style néoclassique. Elle reflète le statut prestigieux de «siège» de la colonisation des Laurentides de Saint-Jérôme.

Près de la cathédrale, à l'ouest du parc Labelle, s'étend la **promenade de la Rivière-du-Nord** ★★, un sentier d'interprétation de l'histoire de Saint-Jérôme qui longe agréablement la rivière du Nord.

▲ Saint-Sauveur. © Shutterstock.com/Richard Cavalleri

Saint-Jérôme est par ailleurs désignée comme le kilomètre 0 du **parc linéaire Le P'tit Train du Nord** ★★, qui suit le tracé de l'ancien chemin de fer des Laurentides et qui s'étend sur 232 km, entre Bois-des-Filion et Mont-Laurier. Au cours de l'été, des milliers de cyclistes l'envahissent.

C'est entre 1891 et 1909, sous l'impulsion du légendaire curé de Saint-Jérôme, Antoine Labelle, que fut construite cette ligne de chemin de fer qui devait jouer un rôle prépondérant dans la coloni-

▼ Sainte-Marguerite-du-Lac-Masson. © Shutterstock.com/Richard Cavalleri

sation des Laurentides. Plus tard, et ce, jusque dans les années 1940, *Le train du nord*, comme le chantera Félix Leclerc, contribua au développement de l'industrie touristique des Laurentides en favorisant l'ouverture de nombreuses stations de villégiature et de sports d'hiver.

Dans le **Parc régional de la Rivière-du-Nord** ★, vous pourrez vous promener sur les nombreux sentiers de randonnée qui y sont aménagés et faire une foule d'activités. Des aires de pique-nique y sont proposées et des panneaux d'interprétation sont placés devant les vestiges d'une ancienne pulperie et d'un ancien barrage hydroélectrique.

Saint-Sauveur ★

Bien que Saint-Sauveur ait souffert d'un développement excessif au cours des dernières décennies, sa rue principale, très fréquentée, reste un bon endroit pour prendre un bain de foule dans les Laurentides, et la station touristique **Mont Saint-Sauveur** demeure une destination phare dans la région, été comme hiver.

Sainte-Adèle ★

Les Laurentides ont été surnommées «les pays d'en haut» par les colons qui, au XIXe siècle, se dirigeaient vers ces terres septentrionales éloignées de la vallée du Saint-Laurent. L'écrivain et journaliste Claude-Henri Grignon, né à Sainte-Adèle en 1894, en a fait le théâtre de son œuvre. Son célèbre roman, *Un homme et son péché*, raconte la vie de misère dans les Laurentides à cette époque.

Au Pays des Merveilles, un petit parc d'attractions sans prétention, plaira surtout aux jeunes enfants. Dans un décor rappelant les aventures rocambolesques d'*Alice au pays des merveilles*, on a aménagé glissades, pataugeuse, minigolf, labyrinthe...

Sainte-Marguerite-du-Lac-Masson ★

La belle région vallonnée du **lac Masson** attire en toutes saisons des vacanciers cherchant à se reposer loin de l'animation des grandes villes.

Val-David ★★

Val-David s'est fait connaître grâce à sa situation près des stations de ski des Laurentides, mais aussi en raison de ses parois d'escalade et de ses boutiques d'artisanat. Le village, composé de jolies maisons, a su conserver un charme bien à lui.

Le **Village du Père Noël** ★★ attire chaque année des enfants désireux de rencontrer ce célèbre personnage dans sa retraite d'été.

Sainte-Agathe-des-Monts ★

Située au point de rencontre de deux mouvements de colonisation, celui des Britanniques du comté d'Argenteuil et celui des Canadiens français de Saint-Jérôme, Sainte-Agathe-des-Monts a su attirer les vacanciers fortunés, séduits par son **lac des Sables** ★. Ceux-ci se sont fait construire quelques belles villas sur le pourtour du lac et dans les parages de l'église anglicane.

La légende du mont Tremblant

Les Algonquins prétendent que cette montagne, qui surplombe un beau pays de lacs et de forêts, est habitée par des esprits qui la font trembler de colère lorsqu'un individu ou un intrus ne respecte pas les règles édictées par le Conseil des Manitous (autorités surnaturelles pouvant s'incarner dans des personnes ou des objets). Ces lois sacrées sont les suivantes : *Ne tue point, sauf pour te défendre ou par nécessité. Aime la plus humble des plantes et respecte les arbres.* Vous aurez donc été averti…

Mont-Tremblant ★★

On ne doit pas confondre la charmante ville de Mont-Tremblant avec le village piétonnier de la Station Mont Tremblant. Dans un cadre plus authentique, on trouve dans la ville même de Mont-Tremblant de sympathiques boutiques et restaurants ainsi que des lieux d'hébergement.

La **Station Mont Tremblant** ★★ appartient au groupe Intrawest, qui l'a élevé eau niveau de ses concurrents de l'Ouest américain et canadien, en ouvrant de nombreuses pistes de ski supplémentaires et en faisant construire au pied du mont

un véritable village offrant tous les services aux visiteurs ainsi que deux magnifiques terrains de golf.

Au plus fort de la saison froide, près d'une centaine de pistes de ski alpin sont ouvertes sur les flancs du mont Tremblant. On trouve à cet endroit les plus longs et les plus difficiles dénivelés de la région.

Lac-Supérieur

Le **parc national du Mont-Tremblant** ★★ fut inauguré en 1894 sous le nom de «Parc de la Montagne-Tremblante» en hommage à une légende algonquine (voir l'encadré p. 118). Il couvre un territoire de 1 510 km² qui englobe le mont, six rivières et quelque 400 lacs. Le parc répond aux besoins des sportifs en toute saison.

Labelle

Dans la **réserve faunique Rouge-Matawin**, on dénombre plusieurs espèces animales, notamment une population importante d'orignaux. Dans cette réserve surtout prisée pour la chasse et la pêche, des sentiers de quad et de motoneige sont aménagés et les rivières sont canotables.

▼ La Station Mont Tremblant. © iStockphoto.com/Hadimor

L'Outaouais

Coureurs des bois et explorateurs sillonnèrent très tôt la belle et diversifiée région de l'**Outaouais** ★, mais elle ne fut colonisée qu'au début du XIXe siècle sur l'initiative de loyalistes arrivant des États-Unis. Les Algonquins en furent les premiers habitants.

La nation amérindienne des Outaouais, décimée par les Iroquois au XVIIe siècle, a laissé son nom en héritage à une belle rivière à la frontière entre le Québec et l'Ontario, à une vaste région de lacs et de forêts ainsi qu'à la capitale du Canada (Ottawa). La rivière des Outaouais constituait autrefois la principale route vers les fourrures du Bouclier canadien. Les « voyageurs » des grandes compagnies de traite l'empruntaient chaque printemps, puis revenaient à l'automne avec les précieuses cargaisons de peaux (castor, loutre, vison) qui transitaient par Montréal avant de prendre le chemin de Londres et de Paris.

L'exploitation des forêts fut longtemps la principale vocation économique de la région. Une fois les arbres coupés en billes, on les laissait descendre la rivière des Outaouais, puis le fleuve Saint-Laurent jusqu'à Québec, où elles étaient chargées sur des navires en partance pour la Grande-Bretagne. Le secteur forestier conserve toujours une importance appréciable, mais des industries tertiaires et une importante administration publique générée par la proximité de la capitale canadienne s'y sont ajoutées.

La grande ville de Gatineau, qui regroupe entre autres les secteurs de Hull, d'Aylmer et de Gatineau, loge un des plus intéressants musées du Canada, le Musée canadien de l'histoire. Tout juste au nord s'ouvre une région vallonnée, parsemée de lacs et cours d'eaux. Le magnifique parc de la Gatineau s'avère tout désigné pour de charmantes balades à bicyclette, en kayak ou en raquettes.

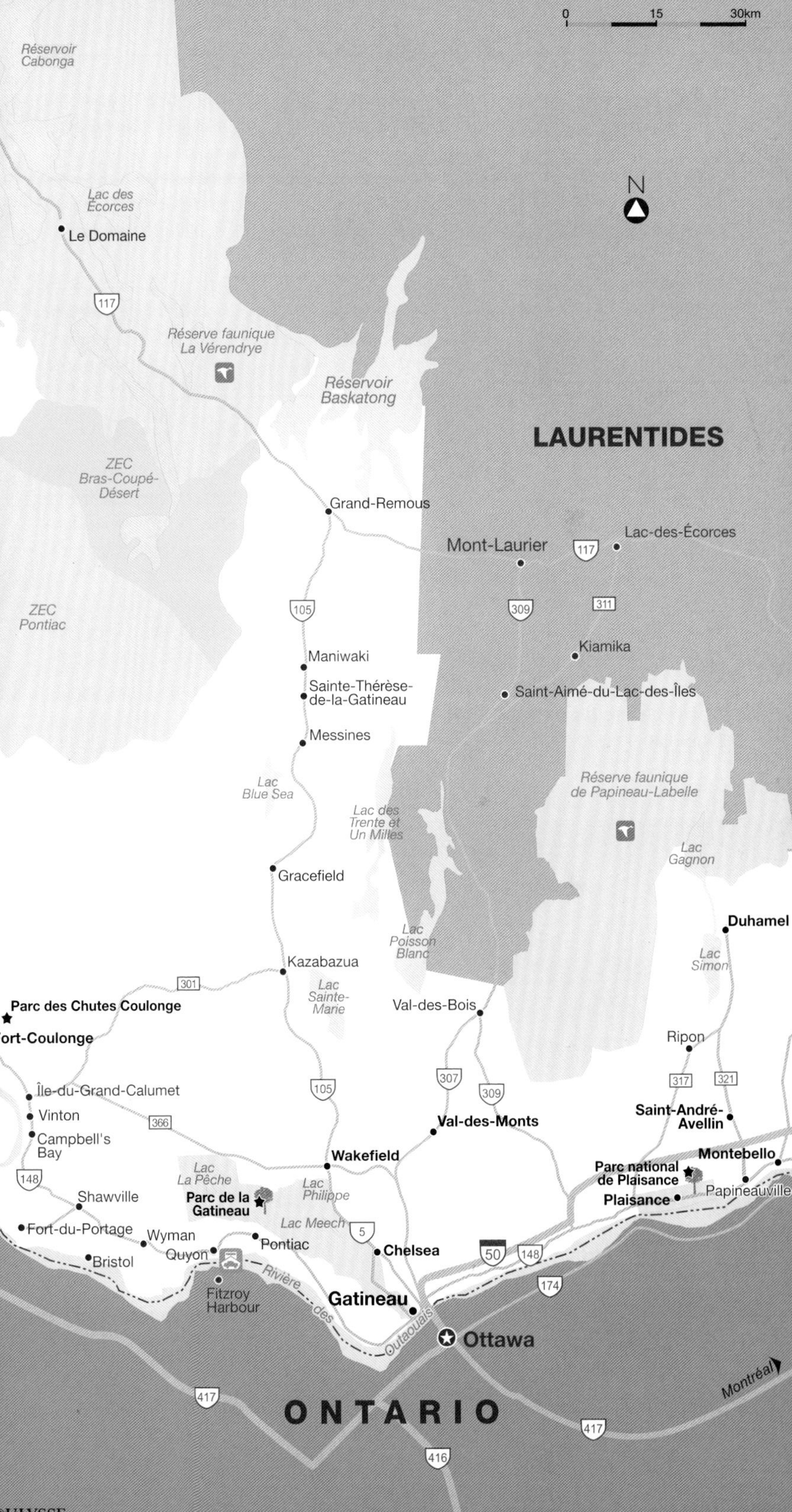

0
15
30km
Réservoir Cabonga
Lac des Écorces
Le Domaine
117
Réserve faunique La Vérendrye
Réservoir Baskatong
LAURENTIDES
ZEC Bras-Coupé-Désert
Grand-Remous
Mont-Laurier
Lac-des-Écorces
309
311
105
ZEC Pontiac
Maniwaki
Kiamika
Sainte-Thérèse-de-la-Gatineau
Saint-Aimé-du-Lac-des-Îles
Messines
Lac Blue Sea
Lac des Trente et Un Milles
Réserve faunique de Papineau-Labelle
Lac Gagnon
Gracefield
Duhamel
Lac Poisson Blanc
Lac Simon
Kazabazua
301
Lac Sainte-Marie
Val-des-Bois
Parc des Chutes Coulonge
Fort-Coulonge
Ripon
307
317
321
Île-du-Grand-Calumet
309
Vinton
366
Val-des-Monts
Saint-André-Avellin
Campbell's Bay
Wakefield
Montebello
148
Lac La Pêche
Parc national de Plaisance
Shawville
Parc de la Gatineau
Lac Philippe
Plaisance
Papineauville
Lac Meech
Fort-du-Portage
5
Wyman
Pontiac
Chelsea
50
148
Bristol
Quyon
Rivière des Outaouais
174
Fitzroy Harbour
Gatineau
Ottawa
Montréal
417
ONTARIO
417
416

Montebello ★

Sous le Régime français, l'Outaouais ne connaît de véritable développement que lorsqu'on amorce l'exploitation de ses ressources forestières au début du XIXe siècle. Ce n'est qu'en 1801, date à laquelle la seigneurie passe aux mains du notaire Joseph Papineau, que s'installent les premiers colons appelés à donner naissance au bourg de Montebello. Son fils, Louis-Joseph Papineau (1786-1871), chef des mouvements nationalistes canadiens-français à Montréal, hérite de la Petite-Nation en 1817. De retour d'un exil de huit ans aux États-Unis et en France à la suite des rébellions de 1837-1838, Papineau, désillusionné et franchement déçu du comportement du clergé catholique lors de ces événements tragiques, se retire sur ses terres de Montebello, où il se fait construire un prestigieux manoir.

Le **Lieu historique national du Manoir-Papineau** ★★ est situé dans un beau domaine arboré. Le manoir Papineau, qui compte une vingtaine de pièces ouvertes au public, fut construit entre 1848 et 1850 dans l'esprit des villas monumentales néoclassiques. L'adjonction de tours lui a cependant donné une allure médiévale.

À deux pas se trouve le **Château Montebello** ★★, un vaste hôtel de villégiature. Édifié en 1930 en un temps record de 90 jours, il constitue le plus grand bâtiment de bois rond au monde. Son impressionnant hall central est doté d'une cheminée à six âtres, autour de laquelle rayonnent les ailes abritant les chambres et le restaurant. On peut visiter le hall, y manger un bon repas, se promener dans les jardins et y faire une foule d'activités.

Boutique et économusée du chocolat, **ChocoMotive** ★ vous invite à découvrir son atelier de fabrication artisanale du chocolat.

▼ Le Parc Oméga. © Dreamstime.com/Max Wanted Media

Le vaste **Parc Oméga** ★★★ abrite plusieurs espèces d'animaux (wapitis, cerfs, sangliers, bouquetins) que l'on peut observer (et souvent nourrir) en restant à bord de son véhicule. Un sentier pédestre et une passerelle mènent entre autres à une ferme et à l'habitat des ours et des loups.

Le **Camp Explora** ★★ propose des rallyes en quad électrique (et donc silencieux et écologiques!) en forêt. Du plaisir et du défi pour toute la famille!

Petite-Nation ★

La Petite-Nation est une région fortement agricole et naturelle. L'explorer par ses routes panoramiques, ses activités agrotouristiques et ses haltes aux abords de lacs aux eaux claires est un pur plaisir. Ce petit territoire s'étend de la rivière des Outaouais au sud jusqu'à Duhamel au nord, et de Lac-des-Plages à l'est jusqu'à Montpellier à l'ouest.

Saint-André-Avellin

Saint-André-Avellin, un joli village typique de la région de la Petite-Nation, renferme notamment le **Musée des Pionniers**, qui relate, à travers de nombreux artéfacts, l'histoire de la région et de la vie rurale de 1880 à 1950. À l'extérieur, on peut admirer d'anciennes machines agricoles, et accéder à un sentier pédestre patrimonial.

Duhamel

Chevauchant les régions des Laurentides et de l'Outaouais, la **réserve faunique de Papineau-Labelle** ★ s'étend sur plus de 1 600 km². On peut y apercevoir une multitude d'animaux à fourrure, ainsi que des cervidés dont l'orignal. La chasse et la pêche y sont d'ailleurs autorisées avec un permis. On y pratique également la randonnée, le canot-camping et le ski de fond (plus de 100 km de sentiers).

Plaisance

Lors de son exil en France (1837-1845), Papineau s'était lié d'amitié avec quelques-uns des ex-généraux de Napoléon. Au moment de nommer les nouveaux villages de sa seigneurie, il a voulu honorer la mémoire de certains d'entre eux. Ainsi, il baptise Plaisance en l'honneur du général Lebrun, duc de Plaisance.

Le **parc national de Plaisance** ★ longe la rivière des Outaouais et constitue l'un des plus petits parcs nationaux du Québec. Il est possible d'observer les oiseaux et plantes aquatiques depuis les passerelles de bois construites au-dessus des marais bordant la rivière et d'explorer les lieux en canot, en kayak ou à bord d'une chaloupe.

Le **Centre d'interprétation du patrimoine de Plaisance** ★ présente une belle exposition portant sur l'héritage riverain de la région, montée à partir de témoignages,

▲ Le Musée canadien de l'histoire. © Philippe Renault/hemis.fr

légendes et capsules vidéo. En plus des magnifiques **chutes de Plaisance** ⋆, le site dispose d'espaces de verdure qui conviennent à merveille aux pique-niques et à la randonnée.

Gatineau

L'**église Saint-François-de-Sales** ⋆ est un lieu de culte néogothique construit en 1886. Il présente un bel intérieur en bois doré. Du parvis de l'église, on bénéficie d'un beau point de vue sur la rivière des Outaouais et sur la colline parlementaire d'Ottawa, en Ontario.

Secteur de Hull

Autrefois ville autonome, Hull fait aujourd'hui partie de Gatineau. Elle a été fondée en 1800 par le loyaliste américain Philemon Wright, qui se consacrera à l'exploitation des riches forêts vierges de la vallée de l'Outaouais.

Le **Musée canadien de l'histoire** ⋆⋆⋆ est le musée le plus visité au pays. Consacré à l'histoire du Canada, il rassemble l'une des plus importantes collections de mâts totémiques amérindiens au monde. Quant au très ludique **Musée canadien des enfants** qui y loge, il invite les jeunes visiteurs à la découverte de nombreux pays à travers de superbes reconstitutions miniatures et des jeux.

Producteurs maraîchers et artisans locaux proposent au **Marché Vieux Hull** ⋆ leurs produits et créations dans un cadre festif.

Le **Casino du Lac-Leamy** ⋆ occupe un site impressionnant au bord du lac Leamy. En plus d'innombrables machines à sous et tables de jeux, on y trouve plusieurs restaurants et bars.

Le **parc écologique du Lac-Leamy** ⋆ comprend entre autres une plage propice à la baignade, des sentiers pédestres et cyclables et un kiosque de location d'embarcations. L'hiver, il est possible d'y pratiquer le ski de fond et le patin.

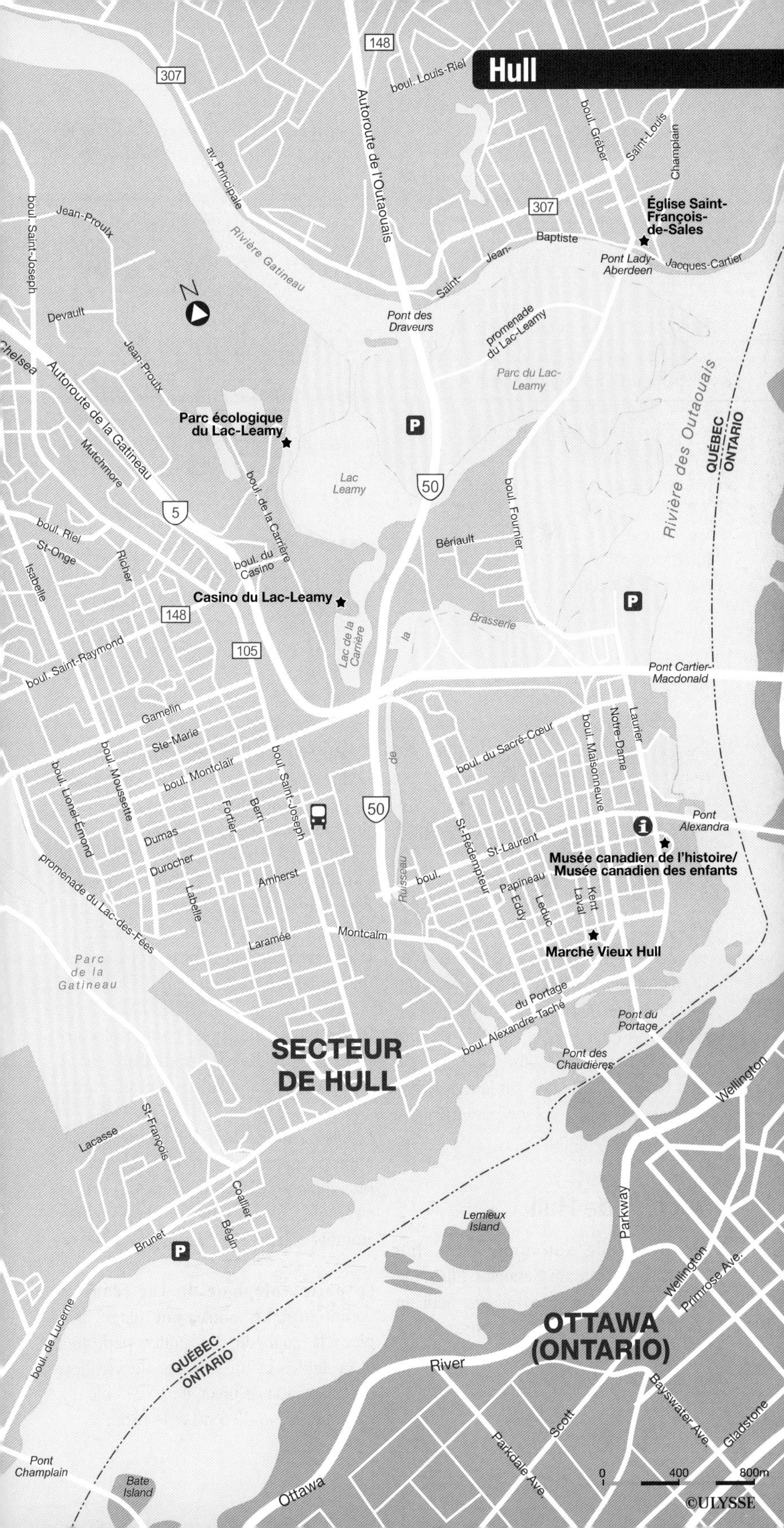
Hull
Église Saint-François-de-Sales
Parc écologique du Lac-Leamy
Casino du Lac-Leamy
Musée canadien de l'histoire/ Musée canadien des enfants
Marché Vieux Hull
SECTEUR DE HULL
OTTAWA (ONTARIO)
Rivière des Outaouais
Rivière Gatineau
QUÉBEC
ONTARIO
Pont des Draveurs
Pont Lady-Aberdeen
Pont Cartier-Macdonald
Pont Alexandra
Pont du Portage
Pont des Chaudières
Pont Champlain
Parc du Lac-Leamy
Lac Leamy
Lac de la Carrière
Parc de la Gatineau
Lemieux Island
Bate Island
Autoroute de l'Outaouais
Autoroute de la Gatineau
0
400
800m
©ULYSSE

Secteur d'Aylmer ★

Cette ancienne ville autonome fut pendant longtemps le centre administratif de l'Outaouais. Elle a été fondée par Charles Symmes, un Américain de Boston arrivé au Canada en 1814.

En 1831, Charles Symmes fait construire l'auberge Symmes. Elle abrite aujourd'hui le **Musée de l'Auberge Symmes** ★, qui présente l'histoire et le développement de la région d'Aylmer et de l'Outaouais et illustre la diffusion des modèles d'architecture urbaine du Régime français.

À proximité du musée, le **parc des Cèdres** offre une jolie plage surveillée, idéale pour la baignade.

Au cœur du **Vieux-Aylmer** se trouvent, en plus des restaurants et boutiques, de beaux édifices patrimoniaux. Les principaux bâtiments se trouvent entre les rues Dalhousie et Broad et entre les rues Brook et du Patrimoine.

Fort-Coulonge

Le **pont couvert Félix-Gabriel-Marchand** enjambe la rivière Coulonge depuis 1898. Fait de bois et d'une longueur totale de 150 m, il figure parmi les plus importantes structures du genre au Québec.

Le **parc des Chutes Coulonge** ★★★ comporte un impressionnant canyon de 900 m de long et de beaux de sentiers pourvus de belvédères.

▼ Le parc de la Gatineau. © Philippe Renault/hemis.fr

Parc de la Gatineau ★★★

Le superbe parc de la Gatineau, composé de collines et de rivières, est traversé par une longue route ponctuée de belvédères dont le **belvédère Champlain**, qui offre une magnifique vue sur la vallée de l'Outaouais. Des activités de plein air peuvent y être pratiquées tout au long de l'année. On y trouve également la **caverne Lusk**, qu'il est possible d'explorer.

Le **domaine Mackenzie-King** ★★, ancienne résidence d'été de William Lyon Mackenzie King (premier ministre du Canada de 1921 à 1930, puis de 1935 à 1948), est ouvert au public et comprend deux maisons (l'une d'elles a été transformée en un charmant salon de thé), un jardin à l'anglaise et surtout des *follies*, ces fausses ruines que les esprits romantiques affectionnent tant.

Chelsea ★★

Porte d'entrée du parc de la Gatineau, on croise dans l'agréable petite ville de Chelsea de nombreux randonneurs et plusieurs artistes qui ont choisi de profiter de la douceur des lieux pour y établir leur atelier.

Nordik Spa-Nature ★ propose des forfaits de détente et de relaxation (bains, saunas), ainsi que divers soins corporels. Il s'agit du plus grand spa de type scandinave en Amérique du Nord.

Wakefield ★★

Wakefield est une jolie petite ville anglo-saxonne située à l'embouchure de la rivière La Pêche. Elle a été fondée vers 1830 par des colons écossais, anglais et irlandais. Il fait bon se promener dans sa rue principale, le chemin Riverside, bordée d'un côté par des boutiques et des cafés, et de l'autre par la belle rivière Gatineau.

Aménagé sur un magnifique site tout près de Wakefield, **Éco-Odyssée** ★★★, un véritable labyrinthe aquatique de plus de 6 km de long, vous fait vivre une expérience à la fois inusitée et éducative. On y côtoie la richesse du marais, confortablement installé dans un pédalo, tout en apprenant à mieux connaître les différentes espèces animales et végétales qui le peuplent.

Val-des-Monts

À l'est de Wakefield se cache ce qui demeure la plus grande caverne connue du Bouclier canadien, la caverne Laflèche. **Arbraska/Parc Laflèche** ★ propose la visite de la caverne et un impressionnant parcours d'aventure en forêt.

L'Abitibi-Témiscamingue

Avec ses 22 000 lacs et ses quelque 148 000 habitants, la région de l'**Abitibi-Témiscamingue** ★ peut sans doute être considérée comme la dernière frontière du Québec, en excluant le Grand Nord québécois et la Baie-James. Quoique les riches terres bordant le lac Témiscamingue et la rivière des Outaouais aient été occupées dès le XIXe siècle, la colonisation de la majeure partie de la région ne commença qu'au début du siècle dernier, avec l'arrivée de femmes et d'hommes déterminés à y vivre de l'agriculture.

Après de dures années de défrichage et de maigres récoltes, la découverte de gisements d'or au cours des années 1920 provoqua une seconde vague migratoire ayant l'allure d'une véritable ruée vers l'or. Des villes y poussèrent comme des champignons en quelques années, avec l'exploitation naissante des gisements d'or, mais aussi de cuivre et d'argent, dans ce que l'on nomme la « faille de Cadillac ». La région conserve encore aujourd'hui une atmosphère de *boom town* et le secteur minier emploie toujours un cinquième de la main-d'œuvre locale, les autres piliers de l'économie régionale étant l'agriculture et, surtout, le secteur forestier.

L'explorateur moderne qui s'aventure en Abitibi-Témiscamingue découvrira une richesse inouïe, des espaces vierges à profusion et des cours d'eau aux possibilités quasi infinies! Fréquentée depuis plusieurs années par les chasseurs et les pêcheurs qui reconnaissent la générosité de la nature, la région offre beaucoup plus que du gibier et du poisson. Ses forêts, ses lacs et ses rivières se prêtent à une multitude d'aventures, douces ou extrêmes.

La Reine
La Sarre
Lac Macamic
Macamic
Authier
Île-Nepawa
Lac Abitibi
Palmarolle
Roquemaure
Rapide-Danseur
Lac Duparquet
Duparquet
Taschereau
Trécesson
La Ferme
Pikogan
Amos
Parc national d'Aiguebelle
Saint-Mathieu
Saint-Marc-de-Figuery
Rochebaucourt
Barraute
Senneterre
Matagami
N
D'Alembert
Mont-Brun
La Motte
La Corne
Rouyn-Noranda
Évain
Arntfield
McWatters
Cadillac
Rivière-Héva
Malartic
Val-d'Or
Dubuisson
Louvicourt
Montbeillard
Rémigny
Guérin
Lac des Quinze
Lac Simard
Réservoir Decelles
Mont-Laurier
Notre-Dame-du-Nord
Angliers
Moffet
St-Eugène-de-Guigues
Duhamel-Ouest
Belleterre
Ville-Marie
Réserve faunique La Vérendrye
ZEC Kipawa
Laniel
Rivière-des-Outaouais
Lac Kipawa
Kipawa
Témiscaming
ZEC Restigo
ZEC Dumoine
ONTARIO
ZEC Maganasipi
North Bay
Mattawa
Gatineau, Ottawa
0
20
40km
©ULYSSE

▲ Le lac Lemoine près de Val-d'Or. © Mathieu Dupuis

L'Abitibi ★

Nous sommes ici en pays neuf, puisque la colonisation de l'Abitibi ne débute véritablement qu'avec l'arrivée du chemin de fer en 1912. Des centaines de lacs et de rivières, la forêt à perte de vue et un relief de hauts plateaux relativement peu prononcé font de l'Abitibi un lieu idéal pour la chasse, la pêche et le camping sauvage. L'Abitibi-Témiscamingue est traversée par la ligne démarquant les eaux de la vallée du Saint-Laurent de celles de la Baie-James, et c'est d'ailleurs ce que le mot d'origine algonquine *Abitibi* signifie: «ligne de partage des eaux».

Si vous arrivez des Laurentides par la route 117, vous aurez traversé pendant quelques heures la **réserve faunique La Vérendrye** ★★. Couvrant 12 589 km² et comptant plus de 4 000 lacs, cette

réserve représente le deuxième territoire naturel en importance au Québec. Elle est devenue, au fil des années, le paradis des amateurs de plein air de tout acabit.

Val-d'Or

Au cours des années 1930, Val-d'Or fut le plus important site d'extraction d'or au monde. Ville de quelque 33 000 habitants, elle demeure encore de nos jours un important centre minier.

La **Cité de l'Or/Village minier de Bourlamaque** ★★ permet aux visiteurs de descendre sous terre, d'explorer des bâtiments de l'ancienne mine Lamaque en plus de voir l'exposition permanente, de faire le Circuit d'interprétation du Village minier de Bourlamaque avec arrêt à la maison historique et de profiter des expositions temporaires.

À proximité de Val-d'Or se trouvent **Les jardins à fleur de peau** ★ qui consistent en une série de jolis jardins horticoles, avec une légère tendance asiatique, créés par des amoureux de l'agencement floral et de l'esthétique.

Malartic

Le **Musée minéralogique de l'Abitibi-Témiscamingue** ★ a été fondé par un groupe de mineurs désireux de partager leur expérience avec le public. Aujourd'hui, il vit résolument au XXIe siècle avec ses expositions fort instructives, entre autres une exposition interactive qui explique les étapes de la formation géologique de la région ou encore un simulateur de tremblements de terre. La visite peut se poursuivre à la **mine Canadian Malartic** afin d'admirer les énormes engins qui participent à l'exploitation de la plus grosse mine d'or à ciel ouvert du Canada.

Amos

À l'été de 1912, les premiers colons de l'Abitibi s'installent sur les berges de la rivière Harricana après un voyage épuisant. Aujourd'hui une ville de près de 14 000 habitants, Amos a été le point de départ de la colonisation de l'Abitibi.

La **cathédrale Sainte-Thérèse-d'Avila** ★, élevée à ce rang en 1939, a été construite en 1922. Sa structure circulaire inusitée, coiffée d'un large dôme, et son vocabu-

Richard Desjardins, artiste engagé

Né en 1948 à Rouyn-Noranda, Richard Desjardins est surtout connu comme musicien, mais ses prises de position à titre de citoyen engagé méritent tout autant l'admiration. En 1999, il a coréalisé avec Robert Monderie un documentaire-choc sur l'état des forêts du Québec, *L'Erreur boréale*, qui met en lumière la piètre gestion de cette ressource longtemps considérée comme «inépuisable». Depuis, une commission d'enquête a eu lieu et elle a conclu que la forêt était effectivement surexploitée et que le gouvernement devrait prendre des mesures afin de limiter sa dilapidation. En 2007, Richard Desjardins présentait un documentaire tout aussi dérangeant, intitulé *Le peuple invisible*, qui fait part de la détresse des Autochtones, en particulier des Algonquins. En 2011, il réalisait un documentaire en collaboration avec Robert Monderie, cette fois-ci sur l'industrie minière, qui porte le titre de *Trou Story*...

laire romano-byzantin ne sont pas sans rappeler l'église Saint-Michel-Archange de Montréal, œuvre précédente du même architecte, Aristide Beaugrand-Champagne. L'intérieur est orné de marbres d'Italie, de belles mosaïques et de verrières françaises.

Le **Refuge Pageau** ⋆⋆ recueille les animaux blessés (ours, loups, renards, orignaux, aigles...) pour les soigner et ensuite les remettre en liberté. Malheureusement, ces bêtes ne peuvent pas toutes retourner dans la nature sans risques; alors certaines restent au refuge. Un sentier de 1 km qui longe leurs enclos permet de mieux les connaître. Cette initiative louable mérite certainement une visite.

La Corne

Aujourd'hui un lieu historique national, le **Dispensaire de la Garde à La Corne** ⋆⋆ a appartenu à une infirmière de colonie, l'une de ces femmes qui travaillaient aussi comme sages-femmes et même comme vétérinaires dans les coins les plus reculés du territoire en pleine colonisation. Le site nous rappelle leur vie et leur travail.

◂ Le parc national d'Aiguebelle. © *Mathieu Dupuis*

Trécesson

Fait peu connu, un camp de détention, le **Camp Spirit Lake**, fut aménagé en Abitibi lors de la Première Guerre mondiale. Entre 1915 et 1917, quelque 1 200 détenus, surtout d'origine ukrainienne, étaient prisonniers ici. Aujourd'hui, on peut y visiter un centre d'interprétation racontant l'histoire du camp et un cimetière où plusieurs détenus furent enterrés.

Authier

L'École du Rang II ⋆, construite en 1937, a été transformée en un centre d'interprétation des écoles de rang au Québec. L'intérieur, demeuré intact, abrite encore les pupitres, les manuels scolaires et le logement de l'institutrice.

La Sarre

Le **parc national d'Aiguebelle** ⋆⋆ couvre un territoire de 268 km². En plus des multiples lacs et rivières s'y trouvent les plus hautes collines de la région. Les visiteurs peuvent y pratiquer plusieurs activités de plein air tout au long de l'année, dont les plus populaires sont le canot, la pêche, la randonnée à bicyclette et à pied pendant la saison estivale, et le ski de fond ainsi que la raquette en hiver. On peut aussi y séjourner en refuge ou en camping.

Rouyn-Noranda

Cette ville minière a vu le jour à la suite de la découverte d'importants gisements d'or et de cuivre dans la région. Même si les mines de Rouyn-Noranda sont aujourd'hui épuisées, cette ville de quelque 42 000 habitants demeure un important centre de transformation du minerai.

Plusieurs festivals d'envergure internationale y sont organisés, notamment le **Festival du cinéma international en Abitibi-Témiscamingue** et le **Festival de musique émergente (FME)**.

Le site historique de la **Maison Dumulon** comprend une résidence et un magasin général construits en bois rond par le marchand Joseph Dumulon en 1924. Le bâtiment en rondins d'épinette abrite de nos jours un petit centre d'interprétation de l'histoire de Rouyn-Noranda et une boutique de produits régionaux.

L'**église orthodoxe russe St-Georges** nous rappelle que les villes minières de l'Abitibi ont attiré un fort contingent d'immigrants d'Europe de l'Est au cours des années 1930 et 1940. À l'intérieur, on y dresse le portrait de chacune de ces communautés qui ont joué un rôle important dans le développement de la ville.

Pour en savoir plus sur les techniques d'extraction et de traitement du minerai, il faut visiter la **Fonderie Horne** ⋆. Aujourd'hui exploitée par l'entreprise Glencore, cette fonderie ouverte en 1927 est considérée comme l'un des plus importants producteurs mondiaux de cuivre et de métaux précieux et s'avère l'une des plus importantes entreprises de recyclage de produits électroniques en fin de vie en Amérique du Nord.

Le Témiscamingue ⋆

La rivière des Outaouais prend sa source dans le beau lac Témiscamingue, qui a laissé son nom à toute une région du Québec située à la frontière avec l'Ontario. Le Témiscamingue, dont le nom d'origine amérindienne signifie «l'endroit des eaux profondes», constituait autrefois le cœur des territoires algonquins.

Après avoir été le royaume des coureurs des bois pendant deux siècles, le Témiscamingue s'est tourné vers l'exploitation forestière à partir de 1850. L'hiver venu, les bûcherons de l'Outaouais «montaient

▼ Vélo de montagne dans les environs de Rouyn-Noranda. © Mathieu Dupuis

dans le bois» pour couper la matière ligneuse que l'on croyait à tort inépuisable. En 1863, les Pères Oblats s'installent dans la région. Ils fondent Ville-Marie en 1888, ce qui fait de cette ville la doyenne de toute la région de l'Abitibi-Témiscamingue.

Guérin

Le **Musée de Guérin** ⋆ présente une intéressante collection d'objets religieux et agricoles retraçant l'histoire locale. Dans ce musée de site, on retrouve entre autres un camp de bûcherons, la maison d'un cultivateur et l'église du village.

Angliers

Le remorqueur ***T.E. Draper*** a été mis en service en 1929. On s'en servait pour tirer les «radeaux de bois». Lors de l'abandon des opérations de flottage, il a été remisé avant d'être acquis par des citoyens d'Angliers, qui l'ont amarré à proximité de l'ancien entrepôt de la Canadian International Paper Company (C.I.P). Le **Chantier Gédéon**, quant à lui, se présente comme une reconstitution d'un camp de bûcherons des années 1930-1940. L'ensemble fait partie d'un centre d'interprétation sur le flottage du bois. Durant la visite de l'ancien entrepôt de la C.I.P., remarquez la façon dont les travailleurs ont francisé plusieurs mots anglais, formant ainsi une partie du «joual» québécois.

Ville-Marie ⋆

La ville occupe un bel emplacement au bord du lac Témiscamingue, mis en valeur par l'aménagement d'un parc riverain.

Le **Lieu historique national du Fort-Témiscamingue** ⋆⋆ est situé à 8 km au sud de Ville-Marie. Ce site rappelle l'importance de la traite des fourrures dans l'économie québécoise. De la Compagnie du Nord-Ouest au Régime français, en passant par la Compagnie de la Baie d'Hudson, le fort Témiscamingue, habité de 1720 à 1902, fut un lieu de rencontre entre Occidentaux et Amérindiens.

Une exposition interactive présente la collection archéologique et la trame historique du lieu. Tout près, vous verrez la «Forêt enchantée», plantée de thuyas de l'Est déformés par la rigueur hivernale et bordée par le majestueux lac Témiscamingue.

▼ Paysage champêtre du Témiscamingue. © Mathieu Dupuis

La Mauricie

Située à mi-chemin entre Québec et Montréal, la ville de Trois-Rivières joue le rôle de pivot urbain de la région de la **Mauricie** ★★, sur la rive nord du fleuve. Seconde ville à avoir été fondée en Nouvelle-France (1634), Trois-Rivières fut d'abord un poste de traite des fourrures avant de devenir, avec l'inauguration en 1730 des Forges du Saint-Maurice, une ville à vocation industrielle.

Mais la région de la Mauricie ne se résume pas à la ville de Trois-Rivières. Plus au nord se trouve la ville de Shawinigan, dotée de centrales hydroélectriques et d'usines de transformation le long de la splendide vallée de la rivière Saint-Maurice, qui s'ouvre sur une vaste région sauvage de lacs, de rivières et de forêts, royaume de la chasse et de la pêche. Tout près s'étend le magnifique parc national de la Mauricie, qui offre de nombreuses activités de plein air, comme le canot-camping.

Ses villes recèlent d'ailleurs plusieurs exemples d'une architecture ouvrière de qualité, conçue par des architectes à l'emploi des entreprises. Mais ne vous y trompez pas, la Mauricie est tout de même surtout constituée de zones sauvages aux montagnes couvertes d'une épaisse forêt, où il est possible entre autres activités de pratiquer la chasse ou la pêche, de faire du camping, du canot et de la randonnée.

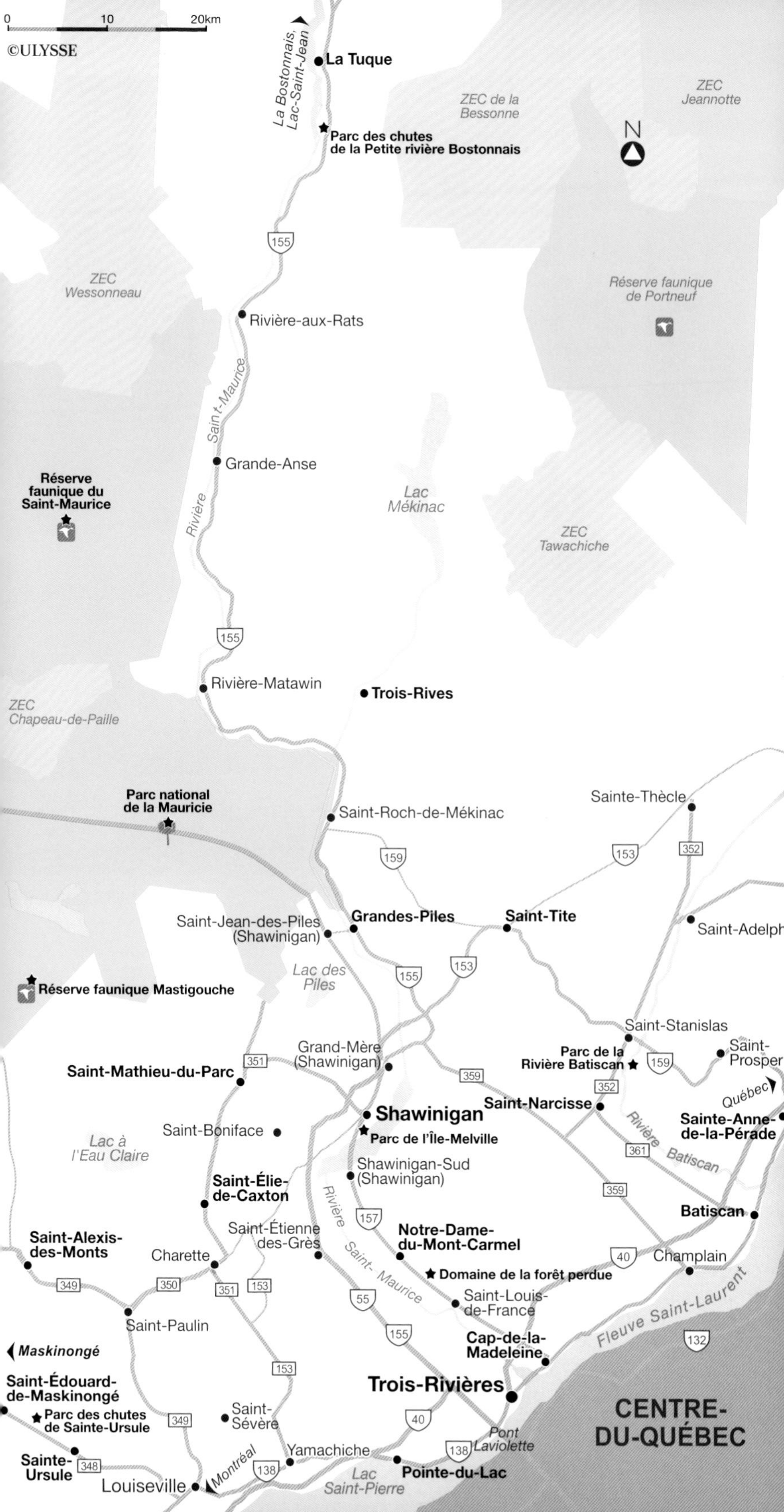

0
10
20km
©ULYSSE
La Bostonnais, Lac-Saint-Jean
La Tuque
ZEC de la Bessonne
ZEC Jeannotte
N
Parc des chutes de la Petite rivière Bostonnais
155
ZEC Wessonneau
Réserve faunique de Portneuf
Rivière-aux-Rats
Rivière Saint-Maurice
Grande-Anse
Réserve faunique du Saint-Maurice
Lac Mékinac
ZEC Tawachiche
Rivière-Matawin
Trois-Rives
ZEC Chapeau-de-Paille
Parc national de la Mauricie
Saint-Roch-de-Mékinac
Sainte-Thècle
159
153
352
Saint-Jean-des-Piles (Shawinigan)
Grandes-Piles
Saint-Tite
Saint-Adelph
Lac des Piles
Réserve faunique Mastigouche
Saint-Stanislas
Grand-Mère (Shawinigan)
Parc de la Rivière Batiscan
Saint-Prosper
351
359
Saint-Mathieu-du-Parc
Saint-Narcisse
Québec
Shawinigan
Sainte-Anne-de-la-Pérade
Saint-Boniface
Parc de l'Île-Melville
Lac à l'Eau Claire
Rivière Batiscan
361
Shawinigan-Sud (Shawinigan)
Saint-Élie-de-Caxton
Batiscan
157
Saint-Alexis-des-Monts
Saint-Étienne-des-Grès
Notre-Dame-du-Mont-Carmel
40
Champlain
Charette
Domaine de la forêt perdue
349
350
Saint-Louis-de-France
55
Saint-Paulin
Cap-de-la-Madeleine
Fleuve Saint-Laurent
132
Maskinongé
Saint-Édouard-de-Maskinongé
Trois-Rivières
CENTRE-DU-QUÉBEC
Parc des chutes de Sainte-Ursule
Saint-Sévère
Pont Laviolette
138
Sainte-Ursule
348
Yamachiche
Pointe-du-Lac
Lac Saint-Pierre
Louiseville
Montréal

▲ Trois-Rivières. © Michel Julien

Trois-Rivières ★★

L'incendie qui a détruit en bonne partie la ville de Trois-Rivières en juin 1908 a considérablement modifié son apparence, qui faisait autrefois penser au Vieux-Québec, mais qui s'apparente maintenant davantage aux agglomérations du Midwest américain.

Cependant, trop souvent perçue comme un simple arrêt entre Montréal et Québec, la ville de Trois-Rivières n'est malheureusement pas considérée à sa juste valeur. Cette ville de quelque 134 000 habitants dégage un certain charme avec une âme européenne grâce à ses multiples cafés, restaurants et bars de la rue des Forges, ainsi qu'à sa terrasse dominant le fleuve Saint-Laurent.

Tous les automnes, Trois-Rivières accueille le **Festival international de la poésie**. Désignée «Capitale mondiale de la poésie» par Félix Leclerc lors de la première édition du festival en 1985, Trois-Rivières est devenue en 2015 la première ville à l'extérieur de l'Europe à être nommée «Ville en poésie». La Ville a d'ailleurs eu l'excellente idée d'aménager deux circuits pédestres: la **Promenade de la poésie**, au centre-ville, avec quelque 400 plaques affichant des extraits de poèmes québécois, ainsi que la **Promenade internationale de la poésie**, au Parc portuaire, où l'on peut lire 100 poèmes en 21 langues.

TROIS-RIVIÈRES centre-ville

▲ Le Musée québécois de culture populaire.
© Michel Julien

Le **Manoir Boucher de Niverville** ★★ a miraculeusement échappé à l'incendie de 1908. Heureusement car il s'agit d'un exemple unique de l'architecture du XVIIe siècle. Édifié avant 1668 et classé monument historique, le manoir abrite aujourd'hui un musée. L'exposition permanente, *Vie bourgeoise*, relate les dessous de la mondanité en Nouvelle-France.

La **cathédrale de l'Assomption** ★ fut construite en 1858. Les traits néogothiques de la cathédrale s'inspirent vaguement du palais de Westminster à Londres. Les vitraux, réalisés par Guido Nincheri entre 1925 et 1937, constituent sans contredit l'élément le plus intéressant de l'intérieur.

À l'extrémité du parc Champlain s'élèvent l'**hôtel de ville** moderne de Trois-Rivières, conçu en 1965 par des disciples de Le Corbusier, et la **Maison de la culture** ★, qui abrite la bibliothèque Gatien-Lapointe, le centre d'exposition Raymond-Lasnier et les salles de spectacle Anaïs-Allard-Rousseau et Louis-Philippe-Poisson.

Au sud de la rue Hart, le **Musée québécois de culture populaire** ★★ accueille des expositions thématiques portant sur la culture populaire québécoise, ainsi que des œuvres naïves de sculpture et de peinture réalisées par d'authentiques «patenteux» québécois.

Attenante au musée, la **Vieille prison de Trois-Rivières** ★ permet de vivre une expérience unique en présentant la vie en prison telle qu'elle était dans les années 1960 et 1970. Une visite d'autant plus authentique que certains guides sont des ex-détenus!

L'ancien **couvent des Récollets** ★ est le seul ensemble conventuel des Récollets encore debout au Québec. Il abrite désormais le **Centre d'art des Récollets – St. James**.

Les Ursulines s'installent dans la maison de Claude de Ramezay en 1699. Il vient alors d'être nommé gouverneur de Montréal et doit donc déménager, laissant libre la demeure qui forme encore de nos jours le noyau du **monastère des Ursulines**. Les Ursulines y ouvrent également un hôpital connu sous le nom d'«Hôtel-Dieu de Trois-Rivières». Si l'école et le couvent subsistent toujours, l'hôpital a fermé ses portes en 1886, et c'est le **musée des Ursulines** ★ qui occupe les lieux aujourd'hui.

En 1730, François Poulin de Francheville fut autorisé par Louis XV à exploiter les riches gisements de minerai de fer de sa seigneurie. La présence de pierre calcaire, d'un cours d'eau au débit rapide et d'un grand nombre d'arbres avec lesquels il était possible de faire du charbon de bois allait favoriser les opérations de la fonte.

À la Conquête, le complexe passe aux mains du gouvernement colonial britannique, puis est cédé à des industriels qui

▲ Le Sanctuaire Notre-Dame-du-Cap. © Michel Julien

l'exploitent jusqu'à sa fermeture définitive, en 1883. À la suite de l'incendie de Trois-Rivières en 1908, les Trifluviens viennent y glaner des matériaux nécessaires à la reconstruction de leur ville, ne laissant en place que les fondations de la plupart des bâtiments. En 1973, le Service canadien des parcs acquiert le site, qui devient le **Lieu historique national des Forges-du-Saint-Maurice** ★★. Il reconstruit la «grande maison» pour y créer un centre d'interprétation et en aménage un autre, très intéressant, sur l'emplacement du haut fourneau. Dans la grande maison, des expositions et un spectacle multimédia expliquent le mode de vie des forgerons et du village ouvrier. À l'extérieur, des panneaux d'interprétation nous font découvrir le site et ce qui reste des installations.

Longtemps considérée comme la principale activité économique de la Mauricie, l'industrie des pâtes et papiers occupait une place prédominante dans la vie des gens de la région. Pas étonnant alors qu'on y trouve un magnifique musée relatant l'histoire des pâtes et papiers! Logé dans l'ancienne usine de filtration de la Canadian International Paper, sur les berges de la rivière Saint-Maurice et tout près du fleuve, le musée **Boréalis** ★★★ explique toutes les facettes de l'industrie des pâtes et papiers ainsi que la façon dont elle a influencé le développement de la région.

À l'embouchure de la rivière Saint-Maurice se trouve le **parc de l'île Saint-Quentin**. En été, cet îlot de nature est le lieu idéal pour se balader, se prélasser sur la plage, louer un kayak, un rabaska ou un canot, ou jouer une partie de volleyball ou de pétanque.

Cap-de-la-Madeleine

Le Québec compte plusieurs lieux de pèlerinage importants qui attirent chaque année des milliers de pèlerins du monde chrétien. Le **Sanctuaire Notre-Dame-du-Cap** ★★, dédié à la Vierge Marie, placé sous la responsabilité des missionnaires oblats de Marie-Immaculée, est consacré à la dévotion mariale. L'église, construite entre 1714 et 1717, est considérée comme l'une des plus anciennes églises au

Canada, gardée dans son intégrité et toujours en fonction.

Notre-Dame-du-Mont-Carmel

Le labyrinthe du **Domaine de la forêt perdue** ★★★ offre plus de 12 km de sentiers glacés à parcourir en patins dans une pinède et d'autres types de forêts.

Batiscan

Le **Vieux presbytère de Batiscan** ★★ fut construit en 1816 avec les pierres du presbytère de 1696. Son isolement est imputable au fait que le noyau du village s'est déplacé plus à l'est après l'incendie de l'ancienne église en 1874. Le presbytère a été transformé en un musée où les expositions relatent des pans de l'histoire québécoise.

Saint-Narcisse

Le fort agréable **Parc de la rivière Batiscan** ★★ se consacre aux loisirs et à la préservation de la faune. On y pratique la randonnée pédestre, la baignade en rivière, la pêche, le vélo de montagne et le camping.

De mai à octobre, le parc est aussi l'hôte d'un attrait remarquable, **Via Batiscan** ★★★, qui propose une impressionnante *via ferrata* installée sur les parois de la falaise bordant la rivière, un parcours d'aventure en forêt et une série de tyroliennes qui traversent le cours d'eau.

▼ La Cité de l'énergie. © Michel Julien

Sainte-Anne-de-la-Pérade ⋆

En hiver, ce joli village agricole se double d'un second village planté au milieu de la rivière Sainte-Anne qui le traverse. Des centaines de cabanes, chauffées et éclairées à l'électricité, abritent alors des familles venues pêcher le «poulamon», communément appelé «petit poisson des chenaux», sur la glace de la rivière. Cette pêche est devenue au fil des ans, à l'instar des parties de sucre et des épluchettes de blé d'Inde, l'une des principales activités du folklore vivant du Québec. La saison de la **pêche blanche** commence à la fin décembre et se termine vers la mi-février.

Le **Domaine seigneurial Sainte-Anne** ⋆ comporte un bâtiment historique et relate la vie de trois célèbres personnages qui l'ont habité (Madeleine de Verchères, Elizabeth Hale et Honoré Mercier, ancien premier ministre du Québec). Le site est agréable et comprend des jardins ainsi qu'une aire de pique-nique.

Saint-Tite

La ville de Saint-Tite est intimement liée à son incontournable **Festival Western**, qui attire annuellement plus de 600 000 personnes.

Shawinigan

La **Cité de l'énergie** ⋆⋆ promet d'initier petits et grands à l'histoire du développement industriel de la Mauricie et du Québec. La ville de Shawinigan se trouve au cœur de ce développement, car elle

Le rocher de Grand-Mère

La légende raconte qu'un grand chef amérindien donna un défi à un chasseur intrépide qui désirait marier sa fille. Le jeune homme devait rapporter un canot rempli de peaux de caribou. Avant son départ pour la chasse, les amoureux se sont juré fidélité, mais le jeune homme n'est jamais revenu. À la mort de sa fiancée, qui l'attendit toute sa vie, un éclair frappa le rocher au-dessus duquel ils firent leur promesse et y sculpta son visage regardant toujours vers le nord. Autrefois situé sur un îlot au milieu de la rivière Saint-Maurice, le rocher a été déplacé dans un parc au centre de Grand-Mère, lors de la construction du barrage et de la centrale hydroélectrique en 1913.

▲ Le parc national de la Mauricie. © Michel Julien

a été choisie, dès le début du XXe siècle, par des alumineries et des compagnies productrices d'électricité en raison de la présence d'un fort courant sur la rivière Saint-Maurice et de la proximité de chutes hautes de 50 m.

Vaste parc thématique, la Cité de l'énergie regroupe plusieurs attraits: l'**Espace Shawinigan**, deux centrales hydroélectriques, dont une encore en activité, la centrale Shawinigan 2, le **Centre des sciences** et une tour d'observation haute de 115 m qui offre une vue imprenable sur les environs.

Le **parc de l'Île-Melville** ★ se compose d'un terrain riverain et de deux îles, ce qui lui donne une situation géographique enviable. La majestueuse rivière Saint-Maurice entoure le territoire, utilisé à des fins récréotouristiques.

Le **Lieu historique national de l'Église Notre-Dame-de-la-Présentation** ★ abrite les dernières œuvres d'Ozias Leduc, l'un des peintres d'art religieux les plus marquants du Québec.

L'**église Saint-Paul** ★ présente une façade-écran à l'italienne construite en 1908. L'intérieur, très coloré, est orné à la fois de toiles marouflées et d'une fresque

de Guido Nincheri, *L'Apothéose de saint Paul*.

Facilement accessible depuis Grand-Mère, le **parc national de la Mauricie** ★★★ constitue un site parfait pour s'adonner à diverses activités de plein air. Ses forêts dissimulent plusieurs lacs et rivières de même que diverses richesses naturelles.

Grandes-Piles

Petite municipalité juchée sur une falaise dominant la rivière Saint-Maurice, Grandes-Piles servait autrefois de port de transbordement aux bateaux chargés de bois. On y trouve le **Musée du Bûcheron** ★, une reconstitution d'un campement de bûcherons du début du XXe siècle.

Trois-Rives

On accède à la **réserve faunique du Saint-Maurice** ★ par un pont à péage qui traverse la rivière Saint-Maurice à Trois-Rives (secteur Rivière-Matawin). S'étendant sur 784 km², la réserve compte plusieurs lacs et des sentiers de randonnée pédestre le long desquels des refuges ont été aménagés.

La Tuque

Lieu de naissance de Félix Leclerc, l'ancien poste de traite des fourrures qu'est La Tuque (11 000 hab.) doit son existence, comme Shawinigan et Grand-Mère, à sa chute d'eau et à ses grands territoires boisés qui accueillirent une centrale hydroélectrique et une usine de pâtes et papiers. Une colline en forme de tuque (bonnet) est à l'origine du nom de la ville.

Le **Parc des chutes de la Petite rivière Bostonnais** ★★★ comprend une tour d'observation et des sentiers de randonnée offrant entre autres un point de vue magnifique sur une chute de 35 m.

Saint-Mathieu-du-Parc

Le **Site de partage et de diffusion de la culture amérindienne Mokotakan** ★★ comporte certaines constructions et habitations des 11 nations autochtones du Québec. Le nom *Mokotakan* veut dire «couteau croche», outil qui fut jadis indispensable dans la vie des Autochtones. Avec un des guides, vous en apprendrez beaucoup sur les modes de vie de ces peuplades, leur culture et leur spiritualité.

Saint-Élie-de-Caxton ★★

Transformé en véritable conte vivant durant la belle saison, le petit village de Saint-Élie-de-Caxton est le lieu de naissance de Fred Pellerin, l'un des conteurs les mieux connus au Québec.

Vous pourrez vous promener dans le village, beau temps, mauvais temps, dans une carriole tirée par un tracteur ou avec un audioguide personnel, qui, par la voix du conteur Fred Pellerin, vous racontera les légendes des lutins et de «l'arbre à paparmanes» (mot local dérivé de l'anglais *peppermint* pour désigner les «bonbons à la menthe»), ainsi que l'histoire de quelques-uns des illustres citoyens de Saint-Élie. De plus, il semble que tous les gens du village auraient la fibre conteuse, car même les enfants rencontrés au hasard savent rendre intéressant le simple fait que le prix de la réglisse a grimpé au dépanneur d'à côté pour cause de hausse d'achalandage...

Parmi les autres attraits de Saint-Élie-de-Caxton, notons le **Garage de la culture**, assorti d'un beau jardin. Il accueille des expositions d'arts visuels, des ateliers animées par des artisans, des artéfacts du village et un coin dédié à Fred Pellerin et aux films dont il est scénariste: *Babine* (2008) et *Ésimésac* (2012).

Derrière l'**église**, un chemin de croix datant de 1886 mène au **calvaire** (20 min de marche), qui offre une jolie vue sur le village.

Saint-Alexis-des-Monts

En poussant la porte du restaurant de la **Microbrasserie Nouvelle-France** ★, on se retrouve illico en Nouvelle-France. Que ce soit les nombreux objets décoratifs qui rappellent cette période (il y a même un canot accroché au plafond!) ou les costumes du personnel, tout est mis en place afin d'offrir aux convives un voyage dans le temps. L'**Économusée de la bière**, doté d'une vitrine donnant sur les cuves de bière, mérite une visite.

La **réserve faunique Mastigouche** ★ couvre un territoire de 1 565 km². Parsemée de multiples lacs et rivières, elle est un véritable paradis pour l'amateur de canot-camping. La chasse et la pêche y sont également permises.

Pointe-du-Lac

Du **Moulin seigneurial de Pointe-du-Lac** ★★, vous jouirez d'une belle vue sur le lac Saint-Pierre. Construit vers 1780, ce pittoresque moulin à eau, tout en pierre, abrite une galerie d'art et un centre d'interprétation sur la transformation du blé en farine et sur le sciage, dans la section située en contrebas.

Sainte-Ursule

Le **parc des Chutes de Sainte-Ursule** ★ dispose d'un camping, d'aires de pique-nique et de jeux. De beaux sentiers avec panneaux d'interprétation mènent à son attrait majeur: des chutes qui atteignent une hauteur de 70 m. Durant l'hiver, on peut pratiquer le ski de randonnée et la raquette dans le parc.

Saint-Édouard-de-Maskinongé

Le **Zoo de St-Édouard** héberge une centaine d'espèces d'animaux sur un site dont l'aménagement vise à préserver les beautés naturelles de l'endroit. Parmi les installations et animations prévues pour divertir les bambins, notons les manèges, un minitrain, une ferme et une pataugeoire.

Maskinongé

Des personnages en habits d'époque vous accueillent au **Magasin général Le Brun** ★★★, l'un des rares vestiges québécois de magasins généraux typiques du début du XXe siècle. En plus de garder ses fonctions commerciales (bonbons à l'ancienne, artisanat et produits du terroir), le magasin abrite le café Chez Eugène et est flanqué d'une superbe terrasse. L'endroit, admirablement conservé, fait aussi office de musée et ses comptoirs présentent une multitude d'objets anciens, tels les splendides phonographes dont vous entendrez la musique. Le magasin abrite aussi la salle de spectacle L'Grenier, où trône un Pianola (piano mécanique) datant de 1907 et toujours fonctionnel.

▸ Le Site de partage et de diffusion de la culture amérindienne Mokotakan.

Le Centre-du-Québec

Peuplée jadis d'un mélange de colons français, acadiens, loyalistes américains et britanniques, la région du **Centre-du-Québec** ★ a connu un développement lent avant le milieu du XIXe siècle, alors que s'est amorcée une phase d'industrialisation qui n'a jamais connu de ralentissement depuis, à la suite de l'établissement du chemin de fer du Grand Tronc, dont l'emprise sert aujourd'hui de piste cyclable. On y trouve d'ailleurs certaines des usines les plus vastes et les plus modernes du Canada.

Située à mi-chemin entre Québec et Montréal, sur la rive sud du fleuve, la région du Centre-du-Québec embrasse deux formations géologiques du territoire québécois : la plaine du Saint-Laurent et la chaîne des Appalaches. S'y étendent des zones rurales ouvertes très tôt à la colonisation, et le territoire en conserve toujours le lotissement hérité de l'époque seigneuriale.

L'extrême sud présente des paysages légèrement vallonnés qui annoncent la chaîne des Appalaches. Drummondville et Victoriaville sont les deux pôles urbains et industriels de la région, qui compte par ailleurs un bon nombre d'exploitations agricoles.

MAURICIE
LANAUDIÈRE
MONTÉRÉGIE
CHAUDIÈRE-APPALACHES
Notre-Dame-du-Mont-Carmel
Saint-Alexis-des-Monts
Hunterstown
Saint-Étienne-des-Grès
Saint-Paulin
Saint-Maurice
Batiscan
Champlain
Saint-Louis-de-France
Cap-de-la-Madeleine
Rivière Saint-Maurice
Fleuve Saint-Laurent
Saint-Sévère
Trois-Rivières
Trois-Rivières-Ouest
Pont Laviolette
Yamachiche
Louiseville
Maskinongé
Lac Saint-Pierre
Réserve mondiale de la biosphère du Lac-Saint-Pierre
Montréal
Berthierville
Saint-Ignace-de-Loyola
Sorel-Tracy
Saint-François-du-Lac
Saint-Pie-de-Guire
Massueville
Saint-Ours
Saint-Pierre-les-Becquets
Fortierville
Sainte-Françoise
Gentilly
Villeroy
Manseau
Lyster
Lévis Québec
N
Bécancour
Saint-Angèle-de-Laval
Saint-Grégoire
Sainte-Marie-de-Blandford
Lemieux
Saint-Louis-de-Blandford
Plessisville
Saint-Pierre-Baptiste
Nicolet
Saint-Sylvère
Daveluyville
Saint-Célestin
Aston-Jonction
Saint-Wenceslas
Princeville
Saint-Ferdinand
Sainte-Sophie
Baie-du-Febvre
La Visitation
Sainte-Eulalie
Odanak
Pierreville
Saint-Elphège
Sainte-Perpétue
Parc linéaire des Bois-Francs
Victoriaville
Mont Arthabaska
Vianney
Saint-Samuel
Rivière Saint-François
Saint-Joachim-de-Courval
Saint-Albert
Chesterville
Warwick
Saint-Guillaume
Drummondville
Kingsey Falls
0
10
20km
©ULYSSE

▲ Saint-Pierre-les-Becquets. © Dreamstime.com/Anouk Stricher

Bécancour

Le **Centre de la Biodiversité du Québec** sensibilise et éduque jeunes et adultes à l'existence et à la conservation des espèces biologiques du Québec par le biais de stations d'observation, de bassins de manipulation ainsi que d'aquariums et terrariums peuplés d'espèces indigènes et exotiques.

Construite entre 1842 et 1849, l'**église Saint-Édouard** ⋆ illustre la persistance des modes de construction et de décoration développés au début du XIXe siècle par la famille Baillairgé de Québec. Hormis la façade, refaite en 1907, le reste de l'édifice a conservé son aspect premier.

Le **Moulin Michel de Gentilly** ⋆ est l'un des très rares moulins à eau du Régime français à avoir survécu. Construit en 1739 pour les censitaires de la seigneurie de Gentilly, il a fonctionné pendant plus de 200 ans. Son mécanisme est encore en place et est expliqué pendant les visites guidées organisées par la municipalité. Le moulin sert aujourd'hui de centre culturel et de centre d'interprétation portant sur les us et coutumes des gens de la région.

Saint-Pierre-les-Becquets ⋆

Ce charmant village, juché sur une falaise dominant le fleuve Saint-Laurent, était autrefois le chef-lieu de la seigneurie Lévrard-Becquet, concédée en 1672. Le **manoir Baby-Méthot**, construit en 1817, subsiste toujours.

Plessisville

Plessisville, entourée d'érablières, est surtout reconnue pour ses produits de l'érable et dispute d'ailleurs à la Beauce son statut de capitale mondiale de l'érable. On y tient chaque année, pendant le mois d'avril, un délicieux festival de l'érable, la plus ancienne manifestation populaire du Québec après le Carnaval de Québec.

Victoriaville

Cœur de l'économie du Centre-du-Québec, Victoriaville (45 000 hab.) doit son développement à l'essor des industries du bois et du métal.

L'ancienne ville d'**Arthabaska** ⋆ constitue la partie sud de Victoriaville, à laquelle elle est aujourd'hui annexée. Son nom d'origine amérindienne signifie «là où il y a des joncs et des roseaux». Arthabaska est renommée pour ses belles demeures victoriennes, plus particulièrement celles qui bordent la rue Laurier Ouest. En 1859, Arthabaska se voit propulsée au rang de district judiciaire du canton. Supplantée par Victoriaville au début du XXe siècle, Arthabaska a su conserver en partie son charme de la Belle Époque.

La création du **Lieu historique national de la Maison-Wilfrid-Laurier** ⋆ a permis de préserver l'ancienne demeure de celui qui fut premier ministre du Canada de 1896 à 1911. Premier Canadien français à occuper ce poste, Sir Wilfrid Laurier (1841-1919) est né à Saint-Lin, dans les Basses-Laurentides, mais s'est établi à Arthabaska aussitôt ses études de droit terminées. Sa maison d'Arthabaska fut convertie en musée à caractère politique par deux admirateurs dès 1929.

Le **Musée de l'Hôtel des Postes**, situé à quelques pas du musée dans un imposant édifice, abrite une exposition-installation qui recrée un bureau de poste des années 1910-1920.

L'**église Saint-Christophe** ⋆ fut construite de 1873 à 1875. Elle est surtout appréciée pour son intérieur polychrome, décoré par les peintres Marc-Aurèle de Foy Suzor-Coté et Joseph-Thomas Rousseau. L'église a été classée monument historique en 2001.

Le belvédère aménagé au sommet du **mont Arthabaska** ⋆ permet d'embrasser du regard l'ensemble de la région. Le mont est dominé par une croix lumineuse haute de 24 m érigée en 1928.

Le **moulin La Pierre** est l'un des rares moulins à eau encore en fonction au Québec. Il fut construit en 1845 et utilise encore des méthodes artisanales pour moudre la farine.

Le **Parc linéaire des Bois-Francs** est en fait une piste cyclable aménagée sur le tracé d'une ancienne voie ferrée. Long de 77 km, il permet de contempler les beaux paysages de la région, de Tingwick à Lyster.

Drummondville

Drummondville a été fondée par Frederick George Heriot à la suite de la guerre anglo-américaine de 1812. D'abord poste militaire sur la rivière Saint-François, l'endroit devient rapidement un centre industriel important grâce à l'implantation de moulins et de manufactures dans ses environs. Aujourd'hui, quelque 74 000 personnes y vivent.

Le **Village Québécois d'Antan** ⋆⋆ retrace 100 ans d'histoire. De nombreux bâtiments de l'époque de la colonisation y ont été reconstitués dans le but de recréer les années 1810 à 1930. Plusieurs productions cinématographiques historiques y ont été tournées.

Odanak

Alliés des Français lors des guerres franco-anglaises, les Abénaquis se sont établis à Odanak au début du XVIIIe siècle.

Le **Musée des Abénakis** ⋆, fondé en 1965, permet de découvrir la culture de la nation abénaquise. Une exposition permanente y relate la vie ancestrale des

Abénaquis et leurs relations avec les colons français. Une agréable boutique où faire de belles trouvailles se trouve sur place. Il faut aussi voir l'église du village, décorée de sculptures autochtones.

Saint-François-du-Lac

Premier noyau de peuplement de la rive sud du lac Saint-Pierre, Saint-François-du-Lac est situé en face d'Odanak sur la rive ouest de la rivière Saint-François. En 1845, la paroisse entreprend la construction de l'**église Saint-François-Xavier**. On remarque, à l'intérieur, de belles toiles anonymes du XVIIIe siècle provenant de la France.

▲ Le lac Saint-Pierre. © Philippe Richard

Baie-du-Febvre

Les **aires de repos de la sauvagine** ★ comptent parmi les plus importantes au Québec. Au printemps et en automne, profitez de la tour d'observation pour admirer les spectaculaires volées d'oiseaux.

Le **Centre d'interprétation de Baie-du-Febvre** explique aux visiteurs pourquoi la plaine inondable du lac Saint-Pierre est la plus importante halte migratoire de l'oie des neiges, et ce, par le biais d'une exposition permanente, de vivariums et d'une présentation vidéo.

En l'an 2000, le lac Saint-Pierre a été déclaré Réserve mondiale de la biosphère par l'UNESCO. Il est donc protégé désormais par la **Réserve mondiale de la biosphère du Lac-Saint-Pierre**. Plus grande plaine d'inondation, plus importante halte migratoire de sauvagines, première halte migratoire printanière de l'oie des neiges du Saint-Laurent et plus importante héronnière en Amérique du Nord, le lac Saint-Pierre renferme le plus important archipel du fleuve, avec une centaine d'îles, le cinquième de tous les marais du Saint-Laurent et la moitié des milieux humides du fleuve. On peut y faire l'observation de plantes rares, de près de 300 espèces d'oiseaux, dont plus d'une centaine sont considérées comme nicheuses, et d'une douzaine d'espèces menacées.

Nicolet

On trouve, dans la vallée du fleuve Saint-Laurent, quelques villes et villages fondés par des Acadiens réfugiés au Québec à la suite de la déportation des colons français de l'Acadie par l'armée britannique en 1755. Nicolet a constitué l'un de ces refuges. Siège d'un évêché depuis 1877, la ville a connu un glissement de terrain majeur en 1955 ayant provoqué l'affaissement d'une partie du centre de

la ville. Cette tragédie est imputable au sol glaiseux et marécageux qui borde le lac Saint-Pierre, interdisant l'aménagement d'agglomérations directement sur ses rives.

La **cathédrale de Nicolet** ★ remplace la cathédrale détruite lors du glissement de terrain de 1955. Ses formes ondoyantes, faites de béton armé, évoquent la voilure d'un navire. De l'intérieur, on peut mieux contempler l'immense verrière (21 m sur 50 m) qui recouvre la façade.

Le **Musée des religions du monde** ★ présente des expositions thématiques sur les différentes traditions religieuses à travers le monde.

L'**ancien Séminaire** ★ fut fondé dès 1803 à l'instigation de l'évêque de Québec, qui désirait que les futurs prêtres puissent être formés loin des tentations de la grande ville. L'imposant édifice a été élevé entre 1827 et 1836. Fermé pendant la Révolution tranquille, il abrite de nos jours l'École nationale de police du Québec.

Saint-Grégoire

L'**église Saint-Grégoire-le-Grand** ★ se trouve au centre de l'ancien village de Saint-Grégoire-de-Nicolet, fondé en 1757 par un groupe d'Acadiens originaires de Beaubassin. En 1803, les paroissiens entreprennent la construction de l'église actuelle. De style néoclassique et considérée comme un joyau d'architecture religieuse, elle recèle de superbes sculptures d'Urbain Brien, dit Desrochers.

La ville de Québec et sa région

La beauté de son site et l'étonnante richesse de son patrimoine font de la **ville de Québec** ★★★ une capitale nationale exceptionnelle. La Haute-Ville de Québec occupe un promontoire haut de plus de 98 m, le cap Diamant, qui surplombe le fleuve Saint-Laurent.

Cet emplacement joua un rôle stratégique important dans le système défensif de la Nouvelle-France. Juchée au sommet du cap Diamant, la ville se prête donc très tôt à des travaux de fortification importants qui en font le « Gibraltar d'Amérique ».

Mais cette place forte n'est pas parvenue à repousser les forces britanniques, qui vont finalement s'emparer de la ville au cours de la bataille des plaines d'Abraham. Or, même après avoir été conquise, la colonie française a réussi à protéger son identité culturelle.

En 1985, afin de protéger et de mieux faire connaître les trésors culturels que renferme la ville de Québec, la seule ville fortifiée de l'Amérique du Nord, l'UNESCO déclara l'arrondissement historique de Québec « joyau du patrimoine mondial », une première sur le continent.

Par ailleurs, la grande **région de Québec** ★★ constitue la première zone de peuplement rural dans la vallée du Saint-Laurent. Il est donc normal d'y retrouver les vestiges des premières seigneuries concédées en Nouvelle-France et d'y éprouver, plus que partout ailleurs dans la campagne québécoise, le sentiment de l'histoire et du passage du temps. Les fermes s'y révèlent les plus anciennes du Québec, et dans leurs maisons vécurent les ancêtres des familles dont la nombreuse progéniture allait essaimer à travers toute l'Amérique au cours des siècles suivants

Réserve faunique de Portneuf
Parc national de la Jacques-Cartier
Réserve faunique des Laurentides
Mont Sainte-Anne
Parc national du Cap-Tourmente
Cap Tourmente
Saint-Joachim
Beaupré
Sainte-Anne-de-Beaupré
Saint-François-de-l'Île-d'Orléans
Sainte-Famille
Château-Richer
Île d'Orléans
Saint-Jean-de-l'Île-d'Orléans
L'Ange-Gardien
Saint-Pierre-de-l'Île-d'Orléans
Saint-Michel
Saint-Laurent-de-l'Île-d'Orléans
Saint-Étienne-de-Beaumont
Tewkesbury
Stoneham
Sainte-Brigitte-de-Laval
Lac-Delage
Lac Beauport
Lac-Beauport
Saint-Gabriel-de-Valcartier
Lac Saint-Charles
Lac-Saint-Charles
Boischatel
Lac Saint-Joseph
Plage Lac Saint-Joseph
Lac-Saint-Joseph
Saint-Raymond
Fossambault-sur-le-lac
Shannon
Saint-Léonard-de-Portneuf
Station touristique Duchesnay
Lac-Sergent
Wendake
Charlesbourg
Beauport
Sainte-Pétronille
Val-Bélair
Loretteville
Sainte-Catherine-de-la-Jacques-Cartier
Vanier
Québec
Lévis
Aéroport de Québec
Sainte-Christine-d'Auvergne
L'Ancienne-Lorette
Sillery
Sainte-Foy
CHAUDIÈRE-APPALACHES
Saint-Basile
Pont-Rouge
Saint-Augustin-de-Desmaures
Saint-Romuald
Cap-Rouge
Saint-Jean-Chrysostome
Saint-Alban
Saint-Gilbert
Notre-Dame-de-Portneuf
Pointe-aux-Trembles
Charny
Fleuve Saint-Laurent
Neuville
Saint-Henri
Saint-Marc-des-Carrières
Portneuf
Saint-Nicolas
Saint-Rédempteur
Donnacona
Bernières
Cap-Santé
Deschambault-Grondines
Saint-Casimir
Saint-Antoine-de-Tilly
Saint-Étienne-de-Lauzon
Trois-Rivières
Sainte-Croix
Montréal
0 15 20km
©ULYSSE

▲ Le Lieu historique national des Fortifications-de-Québec. © iStockphoto.com/Kenneth Wiedemann

Le Vieux-Québec ★★★

Une promenade à pied à travers les petites rues pavées du Vieux-Québec, sous le soleil, sous la pluie ou sur un tapis de neige, demeure un circuit classique indémodable que résidents et touristes peuvent s'offrir avec bonheur. Certes, la beauté du Vieux-Québec s'inscrit *intra-muros* dans ses vieilles pierres, mais également, et surtout, elle apparaît dans la chaleur, l'hospitalité et la courtoisie de ses habitants.

La **porte Saint-Louis** ★, qui se trouvait autrefois au niveau de la rue Sainte-Ursule, fut démolie puis reconstruite sur son emplacement actuel vers la fin du XVIIIe siècle. Au cours du siècle suivant, elle subit de nombreuses reconstructions pour finalement acquérir en 1878 l'aspect qu'on lui connaît. Elle constitue, avec sa tourelle en poivrière, une merveilleuse introduction à la visite du Vieux-Québec.

Le **Lieu historique national des Fortifications-de-Québec** ★★ protège et met en valeur les fortifications de la ville. La visite guidée ***En marche sur les fortifications, trésor de l'UNESCO***, sur les murs encerclant la ville sur 4,6 km, est particulièrement intéressante. Il est aussi possible de se balader librement au sommet des murs, où sont disposés des panneaux d'interprétation relatant l'histoire des fortifications. On y accède par les escaliers attenants aux portes de la ville. L'origine de ces murs remonte à une première enceinte faite de terre et de pieux, suffisante pour repousser les attaques des Iroquois, qui fut construite sur la face ouest de Québec en 1693. Ce mur primitif est remplacé par une enceinte de pierre au moment où s'annoncent de nouveaux conflits entre la France et l'Angleterre. Les plans de l'ingénieur Chaussegros de Léry sont mis à exécution en 1745, mais les travaux ne sont toujours pas terminés au moment de la prise de Québec en 1759. Ce sont les Britanniques qui achèveront l'ouvrage à la fin du XVIIIe siècle. Quant à la Citadelle, entreprise timidement en 1693, on peut dire qu'elle a véritablement été édifiée entre 1820 et 1832. L'ensemble adopte cependant les principes mis en avant par le Français Vauban au XVIIe siècle, lesquels conviennent parfaitement au site de Québec.

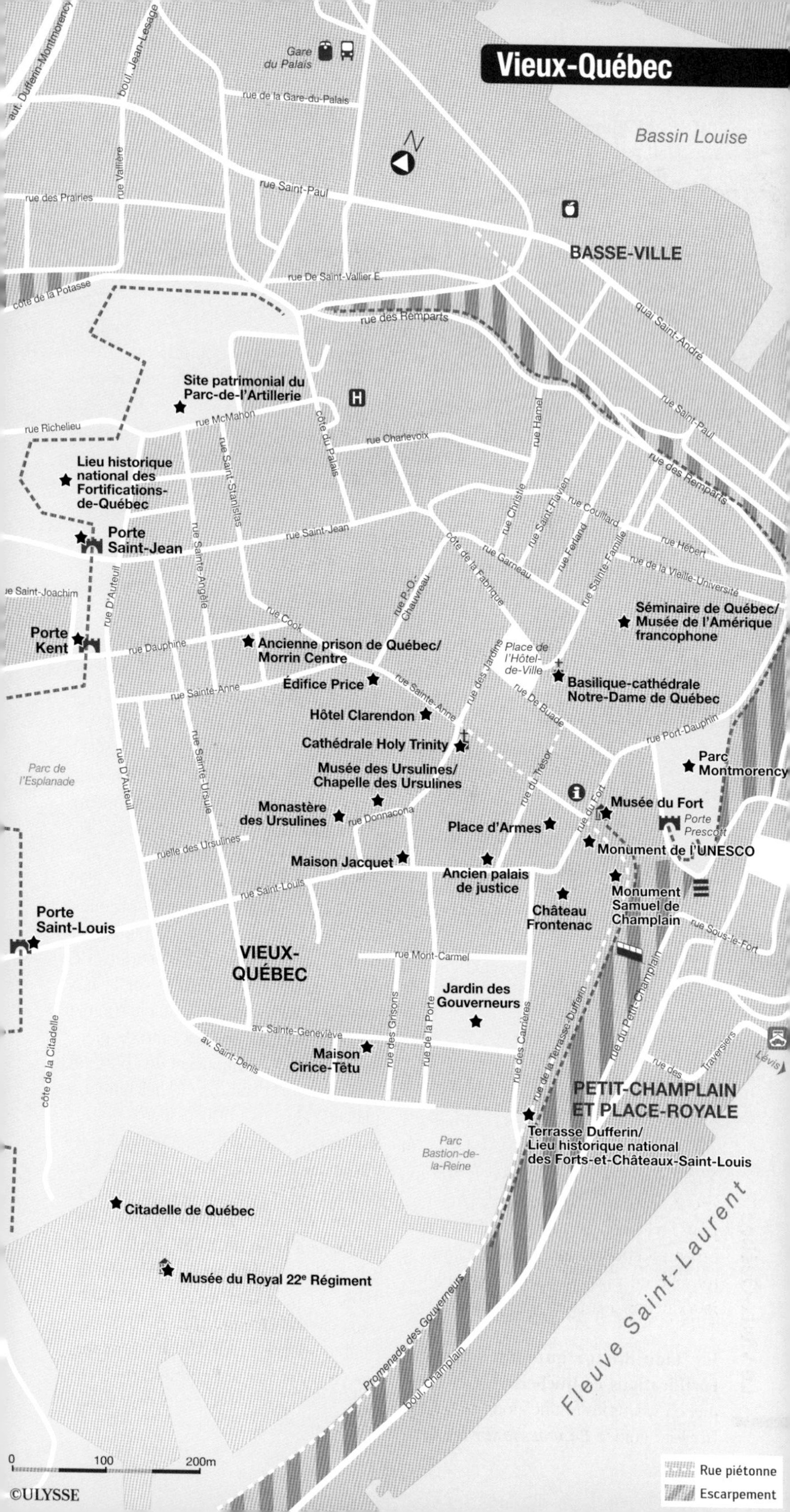

Vieux-Québec
Gare du Palais
Bassin Louise
BASSE-VILLE
aut. Dufferin-Montmorency
boul. Jean-Lesage
rue de la Gare-du-Palais
rue Saint-Paul
rue des Prairies
rue Vallière
rue De Saint-Vallier E.
côte de la Potasse
rue des Remparts
quai Saint-André
rue Saint-Paul
rue des Remparts
Site patrimonial du Parc-de-l'Artillerie
rue McMahon
rue Richelieu
côte du Palais
rue Charlevoix
rue Hamel
Lieu historique national des Fortifications-de-Québec
rue Saint-Stanislas
rue Christie
rue Saint-Flavien
rue Couillard
rue Hébert
Porte Saint-Jean
rue Saint-Jean
rue Sainte-Angèle
côte de la Fabrique
rue Garneau
rue Ferland
rue Sainte-Famille
rue de la Vieille-Université
rue Saint-Joachim
rue D'Auteuil
rue P.-O.-Chauveau
Séminaire de Québec/ Musée de l'Amérique francophone
rue Cook
Porte Kent
rue Dauphine
Ancienne prison de Québec/ Morrin Centre
Place de l'Hôtel-de-Ville
rue des Jardins
Basilique-cathédrale Notre-Dame de Québec
rue Sainte-Anne
Édifice Price
rue Sainte-Anne
rue De Buade
Hôtel Clarendon
rue Port-Dauphin
Cathédrale Holy Trinity
Parc Montmorency
Parc de l'Esplanade
rue D'Auteuil
rue Sainte-Ursule
Musée des Ursulines/ Chapelle des Ursulines
rue du Trésor
Monastère des Ursulines
rue Donnacona
Musée du Fort
rue du Fort
Porte Prescott
Place d'Armes
ruelle des Ursulines
Monument de l'UNESCO
Maison Jacquet
Ancien palais de justice
rue Saint-Louis
Monument Samuel de Champlain
Château Frontenac
Porte Saint-Louis
rue Sous-le-Fort
VIEUX-QUÉBEC
rue Mont-Carmel
Jardin des Gouverneurs
côte de la Citadelle
av. Sainte-Geneviève
av. Saint-Denis
Maison Cirice-Têtu
rue des Grisons
rue de la Porte
rue des Carrières
rue de la Terrasse-Dufferin
rue du Petit-Champlain
rue des Traversiers
Lévis
PETIT-CHAMPLAIN ET PLACE-ROYALE
Terrasse Dufferin/ Lieu historique national des Forts-et-Châteaux-Saint-Louis
Parc Bastion-de-la-Reine
Citadelle de Québec
Fleuve Saint-Laurent
Musée du Royal 22e Régiment
Promenade des Gouverneurs
boul. Champlain
0
100
200m
©ULYSSE
Rue piétonne
Escarpement

Partie intégrante du Lieu historique national des Fortifications-de-Québec, le **Site patrimonial du Parc-de-l'Artillerie** ★★ occupe une partie d'un vaste site à vocation militaire situé en bordure des murs de la ville. Le centre d'interprétation loge dans l'ancienne fonderie de l'Arsenal, où l'on a fabriqué des munitions jusqu'en 1964. On peut y voir une fascinante maquette de Québec exécutée de 1806 à 1808 par l'ingénieur militaire Jean-Baptiste Duberger aux fins de planification tactique. Expédiée en Angleterre en 1810, puis à Ottawa en 1910, elle est de retour à Québec depuis 1981. La maquette est une source d'information sans pareille sur l'état de la ville dans les années qui ont suivi la Conquête.

L'**ancienne prison de Québec**, construite en 1808, a été réaménagée en 1868 pour accueillir, jusqu'en 1902, le Morrin College, affilié à l'Université McGill de Montréal. L'édifice loge aujourd'hui le **Morrin Centre**, cette vénérable institution de la communauté anglophone de Québec qui abrite la magnifique **bibliothèque** ★ de la Quebec Literary and Historical Society, première société savante au Canada, fondée en 1824.

Ce qui fait le charme du «Vieux-Québec», ce sont non seulement ses grands monuments, mais aussi chacune de ses maisons, auxquelles se rattache une histoire particulière et pour lesquelles tant d'efforts et de raffinement ont été déployés. Il est agréable de se promener dans les rues étroites, le nez en l'air, pour observer les nombreux détails d'une architecture dense et compacte, et de s'imprégner de cette urbanité étrangère à la plupart des Nord-Américains.

La **maison Cirice-Têtu** ★ a été érigée en 1852 selon les plans de Charles Baillairgé, membre de la célèbre dynastie d'architectes qui, depuis le XVIIIe siècle, a marqué l'architecture de Québec et sa région. Sa façade de style néogrec est un véritable chef-d'œuvre du genre. C'est également à cette adresse que séjourna Antoine de Saint-Exupéry (l'auteur du *Petit Prince*), dans la famille De Koninck au début des années 1940.

Le **jardin des Gouverneurs** ★ était à l'origine le jardin privé du gouverneur de la Nouvelle-France.

Habitué que l'on est de marcher sur des surfaces revêtues, il est amusant de sentir sous ses pas les planches de bois de la **terrasse Dufferin** ★★★. Cette large promenade fut créée en 1879 à l'instigation du gouverneur général du Canada, Lord Dufferin. La terrasse est l'un des principaux attraits de la ville et le lieu des rendez-vous de la jeunesse québécoise. Elle offre un panorama superbe sur le fleuve, sa rive sud et l'île d'Orléans.

Il est aujourd'hui possible de voir les vestiges du château Saint-Louis sous la terrasse Dufferin. Le **Lieu historique national des Forts-et-Châteaux-Saint-Louis** propose des visites guidées d'une durée de 45 min pendant lesquelles on fait la découverte du rez-de-chaussée du château. Naturellement il ne reste plus grand-chose de ce bâtiment, mais avec les commentaires du guide, on peut facilement imaginer ce à quoi il pouvait ressembler, d'autant plus que la visite comporte un volet visuel avec dessins représentant le château de l'époque.

À l'extrémité est de la terrasse Dufferin se dressent deux monuments. Le premier, le **monument Samuel de Champlain**, fut élevé en 1898 à la mémoire de Samuel de Champlain, fondateur de Québec et père de la Nouvelle-France. Le second, le **monument de l'UNESCO**, rappelle que le Vieux-Québec a été déclaré «Joyau du patrimoine mondial» par l'UNESCO en 1985. Notez qu'il s'agit de la première ville nord-américaine à avoir été inscrite sur la prestigieuse liste de l'UNESCO.

Le **Château Frontenac** ★★★ , ce magnifique hôtel, est l'ambassadeur du Québec

▲ La terrasse Dufferin et le Château Frontenac. © Pierre-Olivier Fortin

le plus connu à l'étranger et le symbole de sa capitale. Ironiquement, il a été conçu par un architecte américain, Bruce Price (1845-1903), célèbre pour ses gratte-ciel new-yorkais.

Au fil des ans, le Château Frontenac fut le théâtre de nombreux événements prestigieux, dont les Conférences de Québec de 1943 et 1944, où le président américain Roosevelt, le premier ministre britannique Winston Churchill et son homologue canadien Mackenzie King définirent la configuration de l'Europe de l'après-guerre.

Pour mieux apprécier le Château, il faut y pénétrer et parcourir l'allée centrale, magnifiquement rénovée et décorée dans les tons de bleu et de doré, jusqu'au bar à vin, situé dans la grosse tour ronde qui donne sur le fleuve Saint-Laurent.

Terrain d'exercice pour les militaires jusqu'à la construction de la Citadelle, la **place d'Armes** ⋆ devient un square d'agrément en 1832.

▲ La maison Jacquet. © Philippe Renault/hemis.fr

Le **Musée du Fort** recrée, par des effets de son et de lumière autour d'une maquette représentant la ville vers 1750, les six sièges de Québec.

L'**ancien palais de justice** ⋆ a été édifié en 1883 selon les plans d'Eugène-Étienne Taché, auteur de l'hôtel du Parlement, avec lequel le palais a plusieurs ressemblances. L'intérieur est constitué de plusieurs salles dotées de belles boiseries.

La **maison Jacquet** ⋆, ce petit bâtiment coiffé d'un toit rouge et revêtu de crépi

Québec
Parc Victoria
SAINT-ROCH
MONTCALM
SAINT-JEAN-BAPTISTE
Église Notre-Dame-de-Jacques-Cartier
Église Saint-Roch
La Fabrique/ École des arts visuels de l'Université Laval
Jardin de Saint-Roch
Méduse
Parc Lucien-Borne
Ancienne église St. Matthew/ Cimetière St. Matthew
Grand Théâtre
Parc de l'Amérique-Française
Promenade des Premiers-Ministres
Édifice Marie-Guyart/Complexe G/ Observatoire de la Capitale
Grande Allée E.
Hôtel du Parlement/ Assemblée nationale du Québec
Place George-V
Musée national des beaux-arts du Québec
Jardin Jeanne-d'Arc
Musée des plaines d'Abraham
Parc des Champs-de-Bataille (plaines d'Abraham)
Parc Notre-Dame-de-la-Garde
Fleuve
175
136
boul. Charest O.
boul. Charest E.
boul. René-Lévesque O.
boul. René-Lévesque E.
rue Saint-Vallier O.
boul. Langelier
avenue Cartier
av. Ontario
av. du Cap-Diamant
boul. Champlain
rue Champlain
0
250
500m
©ULYSSE

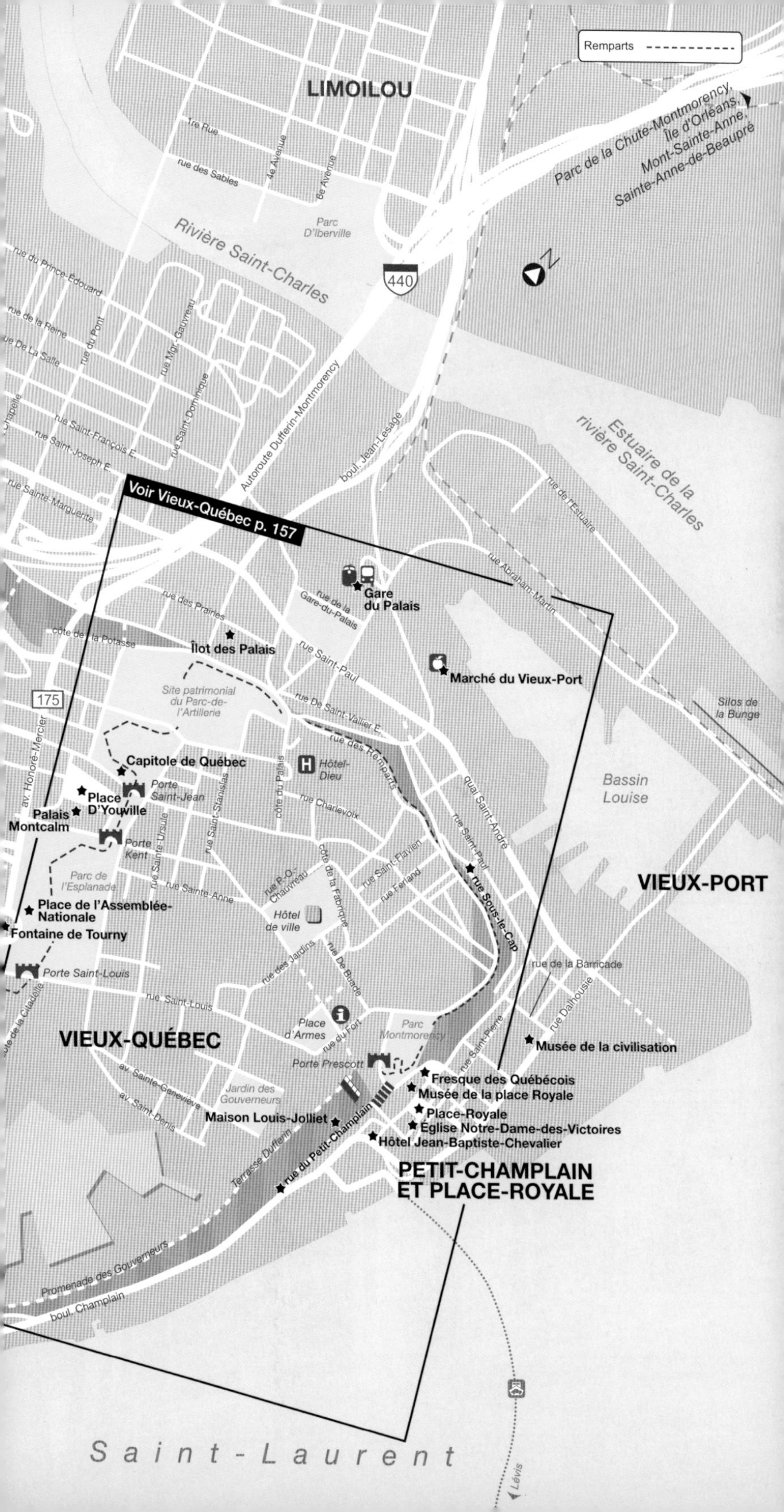
Remparts
LIMOILOU
1re Rue
rue des Sables
4e Avenue
6e Avenue
Parc D'Iberville
Rivière Saint-Charles
Parc de la Chute-Montmorency, Île d'Orléans, Mont-Sainte-Anne, Sainte-Anne-de-Beaupré
440
N
rue du Prince-Édouard
rue de la Reine
rue De La Salle
rue du Pont
rue Mgr-Gauvreau
rue Saint-Dominique
Autoroute Dufferin-Montmorency
boul. Jean-Lesage
rue Saint-François E.
rue Saint-Joseph E.
rue Sainte-Marguerite
Estuaire de la rivière Saint-Charles
rue de l'Estuaire
Voir Vieux-Québec p. 157
Gare du Palais
rue de la Gare-du-Palais
rue Abraham-Martin
rue des Prairies
côte de la Potasse
Îlot des Palais
rue Saint-Paul
Marché du Vieux-Port
175
Site patrimonial du Parc-de-l'Artillerie
rue De Saint-Vallier E.
Silos de la Bunge
rue des Remparts
Capitole de Québec
Hôtel-Dieu
Bassin Louise
av. Honoré-Mercier
Porte Saint-Jean
rue Saint-Stanislas
côte du Palais
quai Saint-André
Place D'Youville
Palais Montcalm
rue Charlevoix
rue Saint-Paul
Porte Kent
rue Sainte-Ursule
rue P.-O.-Chauveau
côte de la Fabrique
rue Saint-Flavien
rue Ferland
rue Sous-le-Cap
VIEUX-PORT
Parc de l'Esplanade
rue Sainte-Anne
Place de l'Assemblée-Nationale
Hôtel de ville
Fontaine de Tourny
rue des Jardins
rue De Buade
rue de la Barricade
Porte Saint-Louis
rue Saint-Louis
côte de la Citadelle
Place d'Armes
Parc Montmorency
rue Dalhousie
VIEUX-QUÉBEC
rue du Fort
rue Saint-Pierre
Musée de la civilisation
Porte Prescott
av. Sainte-Geneviève
av. Saint-Denis
Jardin des Gouverneurs
Fresque des Québécois
Musée de la place Royale
Place-Royale
Maison Louis-Jolliet
Église Notre-Dame-des-Victoires
Hôtel Jean-Baptiste-Chevalier
Terrasse Dufferin
rue du Petit-Champlain
PETIT-CHAMPLAIN ET PLACE-ROYALE
Promenade des Gouverneurs
boul. Champlain
Saint-Laurent
Lévis

▲ La basilique-cathédrale Notre-Dame de Québec. © Philippe Renault/hemis.fr

▼ Le monastère des Ursulines. © Philippe Renault/hemis.fr

blanc, est la plus vieille maison de la Haute-Ville et la seule du Vieux-Québec qui a conservé son apparence du XVIIe siècle.

Les Ursulines débarquent à Québec en 1639 et fondent dès 1641 le **monastère des Ursulines** ★★★, où des générations de jeunes filles recevront une éducation exemplaire. Seuls le **Musée des Ursulines** et la **chapelle des Ursulines** demeurent accessibles au public.

La **cathédrale Holy Trinity** ★★, de style néoclassique, modifiera la silhouette de la ville, dont l'image française était jusque-là demeurée intacte. Première cathédrale anglicane érigée hors des îles Britanniques, elle fut construite de 1800 à 1804.

L'**Hôtel Clarendon** est le plus ancien hôtel de Québec encore en activité. Avec ses boiseries sombres au charme victorien, il constitue un lieu évocateur de la Belle Époque.

Tout en s'inscrivant avec sensibilité dans le cadre du Vieux-Québec, l'**édifice Price** ★ tient de la tradition du gratte-ciel nord-américain. La résidence de fonction du premier ministre du Québec s'y trouve, aux 16e et 17e étages.

La **basilique-cathédrale Notre-Dame de Québec** ★★★ est un livre ouvert sur les difficultés que rencontrèrent les bâtisseurs de la Nouvelle-France et sur la détermination des Québécois à travers les pires épreuves. On pourrait presque parler d'architecture organique, tant la forme définitive du bâtiment est le résultat de multiples campagnes de construction et de tragédies qui laissèrent l'édifice en ruine à deux reprises.

Le **Séminaire de Québec** ★★★ fut fondé en 1663 par Mgr François de Laval à l'instigation du Séminaire des Missions étrangères de Paris, auquel il a été affilié jusqu'en 1763. Le vaste ensemble de bâtiments du Séminaire comprend actuellement la résidence des prêtres, l'ancien Petit Séminaire devenu le Collège François-de-Laval en 2011, l'École d'architecture de l'Université Laval, de même que le **Musée de l'Amérique francophone** ★★, qui se consacre à l'histoire des peuples francophones en Amérique du Nord.

Lors du rabaissement des murs de la ville, le long de la rue des Remparts, le gouverneur général du Canada, Lord Dufferin, découvrit les superbes vues dont on bénéficie depuis ce promontoire et décida, en 1875, d'y aménager le **parc Montmorency** ★.

La plus récente des portes de Québec, la **porte Saint-Jean** ★★, a pourtant les origines les plus anciennes. Dès 1693, on trouve à cet endroit l'une des trois seules entrées de la ville.

Boutique

▲ La porte Saint-Jean. © Dreamstime.com/Martinmark

Tout comme la porte Saint-Louis, la **porte Kent** ★, plus jolie des portes du Vieux-Québec, est le fruit des efforts déployés par Lord Dufferin pour donner à Québec une allure romantique.

La **Citadelle de Québec** ★★★ représente trois siècles d'histoire militaire en Amérique du Nord. Depuis 1920, elle est le siège du Royal 22e Régiment de l'Armée canadienne. S'y trouvent quelque 25 bâtiments distribués sur le pourtour de l'enceinte. Il est possible de se joindre à une visite commentée de l'ensemble des installations et d'assister à la relève de la garde.

Le **Musée du Royal 22e Régiment** ★ présente une intéressante exposition qui relate l'histoire du régiment, de la Première Guerre mondiale au conflit en Afghanistan.

◀ Le quartier du Petit-Champlain. © Shutterstock.com/I. Pilon

Le Petit-Champlain et Place-Royale ★★★

Le très populaire quartier historique du Petit-Champlain demeure un lieu sans égal pour la flânerie, la contemplation et les rencontres entre amis. Plusieurs artistes et artisans de renom y ont pignon sur rue.

La **rue du Petit-Champlain** ★★, une étroite voie piétonne, est bordée de jolies boutiques et d'agréables cafés installés dans des maisons des XVIIe et XVIIIe siècles.

La **maison Louis-Jolliet** ★ est une des plus vieilles demeures de Québec (1683) et l'une des rares œuvres de Claude Baillif encore debout. L'intérieur du bâtiment a été complètement chambardé, puisque l'on y retrouve maintenant l'entrée inférieure du **funiculaire**.

L'**Hôtel Jean-Baptiste-Chevalier** ★★, un ancien hôtel particulier, fut le premier des immeubles du secteur de Place-Royale à retenir l'attention des restaurateurs de bâtiments. Il comprend en réalité trois

▲ La place Royale. © iStockphoto.com/Horst Gerlach

maisons érigées à des époques différentes: la maison Frérot, au toit mansardé (1683), la maison de l'armateur Chevalier, en forme d'équerre (1752), et la maison Chesnay (1960). Tous ces bâtiments ont été restaurés depuis.

Le secteur de **Place-Royale** ★★★, le plus européen de tous les quartiers d'Amérique du Nord, rappelle un village du nord-ouest de la France. Le lieu est lourd de symboles puisque c'est en son cœur que Québec a été fondée en 1608. Il renferme 27 caves voûtées parmi les plus vieilles et les plus belles de Québec. En comparaison, on dénombre ailleurs dans la ville quelque 38 caves voûtées résidentielles.

La **place Royale**, quant à elle, est inaugurée en 1673 par le gouverneur Frontenac, qui en fait une place de marché. Celle-ci occupe l'emplacement du jardin de l'«Habitation de Champlain», sorte de château fort incendié en 1682 au même moment que toute la Basse-Ville.

Le **Musée de la place Royale** ★★ présente plusieurs expositions permanentes ludiques et instructives. Vous pourrez aussi assister à un spectacle multimédia et admirer des maquettes comme celle représentant Québec en 1635.

L'**église Notre-Dame-des-Victoires** ★★, ce petit lieu de culte sans prétention, est la plus vieille église en pierre d'Amérique du Nord. Sa construction a été entreprise en 1688 selon les plans de Claude Baillif sur le site de l'«Habitation de Champlain», dont elle a intégré une partie des murs. D'ailleurs, sur le sol à côté de l'église, on a marqué de granit noir l'emplacement des vestiges des fondations de la seconde «Habitation de Champlain», découverts en 1976.

Dans la **Fresque des Québécois** ★★, qui a nécessité 600 litres de peinture (!), on a amalgamé sur 420 m² des architectures et des lieux caractéristiques de Québec. De haut en bas et de gauche à droite, on aperçoit Marie Guyart, François de Laval, Jacques Cartier, François-Xavier Garneau, Louis-Joseph Papineau, Jean Talon, le comte de Frontenac, Marie Fitzbach, Louis Jolliet, Alphonse Desjardins, Lord Duf-

▲ La gare du Palais. © Philippe Renault/hemis.fr

ferin, Félix Leclerc et, finalement, Samuel de Champlain, par qui tout a commencé!

Le **Musée de la civilisation** ★★ se veut une interprétation de l'architecture traditionnelle de Québec, à travers ses toitures et lucarnes stylisées et son campanile rappelant les clochers des environs. Parallèlement, ses expositions permanentes dressent un portrait des civilisations d'ici. *Le Temps des Québécois* suit l'histoire de l'évolution du peuple québécois. *C'est notre histoire. Premières Nations et Inuit du XXIe siècle*, une exposition à grand déploiement élaborée conjointement avec des Autochtones, retrace l'histoire des 11 nations amérindiennes et inuite qui peuplent le territoire québécois.

Le Vieux-Port ★

Autrefois coincée entre les eaux du Saint-Laurent et l'escarpement du cap Diamant, l'étroite **rue piétonnière Sous-le-Cap** ★ fut pendant longtemps le seul chemin pour rejoindre le quartier du palais de l'Intendant. À la fin du XIXe siècle, cette rue abritait des familles ouvrières d'origine irlandaise. On l'emprunte presque sur la pointe des pieds, tant on a l'impression qu'elle fait partie d'un petit monde à part!

Le **Marché du Vieux-Port** ★, aménagé en 1987, succède à deux marchés de la Basse-Ville, aujourd'hui disparus (marchés Finlay et Champlain). Il est agréable d'y flâner en été et de jouir des vues sur la marina du bassin Louise, accolée au marché.

Édifiée selon les plans de l'architecte new-yorkais Harry Edward Prindle dans le même style que le Château Frontenac, la superbe **gare du Palais** ★★ donne au passager qui arrive à Québec un avant-goût de la ville romantique et pittoresque qui l'attend.

L'**Îlot des Palais** ★★ est situé sur les anciens terrains où fut construit le palais de l'Intendant, qui voyait aux affaires courantes de la colonie de la Nouvelle-France. On peut voir quelque 200 artéfacts sur les 500 000 découverts sur ce site historique et archéologique.

La colline Parlementaire et la Grande Allée ★★

La colline Parlementaire accueille des milliers de fonctionnaires provinciaux venus travailler dans les divers édifices gouvernementaux qui la parsèment. Grâce à son bel aménagement, elle attire également des milliers de touristes qui apprécient son patrimoine architectural et paysager.

L'**hôtel du Parlement** ★★★ est le siège de l'**Assemblée nationale du Québec**. Ce vaste édifice, construit entre 1877 et 1886, arbore un fastueux décor Second Empire. De magnifiques verrières aux accents Art nouveau ornent plusieurs de ses fenêtres.

La **promenade des Premiers-Ministres** ★ informe les passants, à l'aide de panneaux d'interprétation, sur les 28 premiers ministres qui ont marqué le Québec depuis 1867 jusqu'en 2003.

Signalons, devant l'hôtel du Parlement, la belle **place de l'Assemblée-Nationale** ★, bordée par l'élégante avenue Honoré-Mercier. Depuis le 3 juillet 2007, jour du 399e anniversaire de la ville de Québec, on peut admirer la magnifique **fontaine de Tourny** ★★★ au centre de l'avenue Honoré-Mercier.

La superbe **Grande Allée**, située *extra-muros*, est une des agréables voies d'accès au Vieux-Québec. Plusieurs des demeures bourgeoises qui la bordent ont été reconverties en cafés, en restaurants ou en boîtes de nuit pour tous les goûts.

Le **parc des Champs-de-Bataille** ★★★ regroupe entre autres les plaines d'Abraham et le parc des Braves. Il commémore la bataille des plaines d'Abraham, en plus de donner aux Québécois un espace vert incomparable. Les **plaines d'Abraham** ★★, qui couvrent une superficie de 108 ha, comptent plusieurs beaux aménagements paysagers ainsi que des sites d'animation historique et culturelle.

À l'orée du parc, le **Musée des plaines d'Abraham** ★ présente l'exposition virtuelle *1759*, sur la bataille des plaines

▼ Le parc des Champs-de-Bataille. © Philippe Renault/hemis.fr

▲ Le jardin Jeanne-d'Arc. © Philippe Renault/hemis.fr

d'Abraham, ainsi que *Batailles*, une exposition multimédia.

Le **jardin Jeanne-d'Arc** ★★ dévoile aux yeux des promeneurs de magnifiques parterres de même qu'une statue de la pucelle d'Orléans, montée sur un fougueux destrier, qui honore la mémoire des soldats tués en Nouvelle-France au cours de la guerre de Sept Ans.

Au dernier niveau des 31 étages de l'**édifice Marie-Guyart** du **complexe G** se trouve l'**Observatoire de la Capitale** ★, d'où l'on bénéficie de vues à 360° exceptionnelles sur Québec. À 221 m d'altitude,

La bataille des plaines d'Abraham

Juillet 1759: la flotte britannique, commandée par le général Wolfe, arrive devant Québec. L'attaque débute presque aussitôt. Au total, 40 000 boulets de canon s'abattront sur la ville assiégée qui résiste à l'envahisseur. La saison avance et les Britanniques doivent bientôt prendre une décision, avant que des renforts, venus de France, ne les surprennent ou que leurs vaisseaux ne restent pris dans les glaces de décembre. Le 13 septembre, à la faveur de la nuit, les troupes britanniques gravissent le cap Diamant à l'ouest de l'enceinte fortifiée. Pour ce faire, elles empruntent les ravins qui tranchent, çà et là, la masse uniforme du cap, ce qui permet ainsi de dissimuler leur arrivée tout en facilitant leur escalade. Au matin, elles occupent les anciennes terres d'Abraham Martin, d'où le nom de plaines d'Abraham donné à l'endroit. La surprise est grande en ville, où l'on attendait plutôt une attaque directe sur la citadelle. Les troupes françaises, aidées de quelques centaines de colons et d'Amérindiens, se précipitent sur l'occupant. Les généraux français (Montcalm) et britannique (Wolfe) sont tués. La bataille se termine dans le chaos et dans le sang. La Nouvelle-France est perdue!

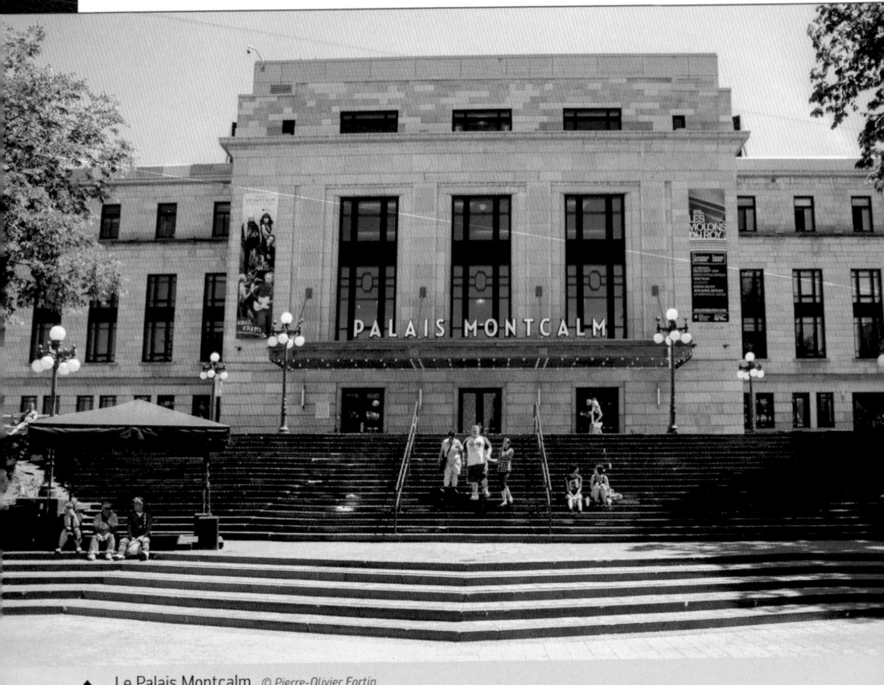

▲ Le Palais Montcalm. © Pierre-Olivier Fortin

c'est le point d'observation le plus haut de la ville.

L'**avenue Cartier** ★ est une des belles rues commerçantes de la ville. Elle aligne restaurants, boutiques et épiceries fines qui attirent une clientèle qui aime y déambuler.

La visite du **Musée national des beaux-arts du Québec** ★★★ permet de se familiariser avec la peinture, la sculpture et l'orfèvrerie québécoises, depuis l'époque de la Nouvelle-France jusqu'à aujourd'hui. On y retrouve plus de 37 000 œuvres et objets d'art datant du XVIIe siècle à nos jours.

Le faubourg Saint-Jean ★

Depuis toujours un quartier très animé, ponctué de salles de spectacle, de bars, de cafés, de bistros et de boutiques, le sympathique faubourg Saint-Jean est juché sur un coteau entre la Haute-Ville et la Basse-Ville. S'y presse une foule hétéroclite composée de résidents affairés et de promeneurs nonchalants.

La **place D'Youville** ★, appelée communément «carré d'Youville» par les Québécois, était autrefois la plus importante place de marché à Québec. Elle constitue de nos jours un carrefour très fréquenté et un pôle culturel majeur. Dès la fin du mois d'octobre, une portion de la place se couvre de glace pour le grand plaisir des patineurs.

Le **Capitole de Québec** ★ constitue l'une des plus étonnantes réalisations de style Beaux-Arts au Canada. L'édifice comprend une grande salle transformée en un vaste café-concert ainsi qu'un hôtel et un restaurant.

Autrefois un lieu privilégié des assemblées politiques et des manifestations en tout genre, le **Palais Montcalm** ★★ adopte une architecture dépouillée qui s'inspire à la fois du Renouveau classique et de l'Art déco. En 2007, le Palais a été réaménagé pour recevoir les mélomanes de tous les

▲ Le jardin de Saint-Roch. © Pierre-Olivier Fortin

horizons musicaux dans une splendide salle de concerts: la salle Raoul-Jobin.

Adjacent à l'**ancienne église St. Matthew**, devenue la bibliothèque Saint-Jean-Baptiste, le **cimetière St. Matthew** ★, aujourd'hui un parc urbain, date de 1771. Entre 6 000 et 10 000 protestants d'origine française huguenote ou britannique anglicane et presbytérienne auraient été inhumées ici entre 1771 et 1860. On peut d'ailleurs y voir la plus vieille pierre tombale du Québec.

Saint-Roch ★

Le quartier Saint-Roch a été l'objet d'une heureuse revitalisation au fil des dernières années et connaît un essor de popularité sans pareil. Désormais, le «Nouvo» Saint-Roch, rajeuni, effervescent, embourgeoisé même, constitue un milieu dynamique et vivant.

Méduse ★ est un regroupement de divers ateliers d'artistes qui soutiennent la création et la diffusion de la culture à Québec. Le complexe, formé de maisons restaurées et de bâtiments modernes intégrés à l'architecture de la ville, s'accroche au cap et fait un lien entre la Haute-Ville et la Basse-Ville.

De nombreux travailleurs et résidents du quartier viennent se reposer le midi au **jardin de Saint-Roch** ★. C'est l'aménagement de ce parc urbain qui a lancé, en quelque sorte, la revitalisation de tout le quartier.

La Fabrique ★ loge dans l'ancienne usine de la Dominion Corset, qui était, comme son nom l'indique, une fabrique de corsets et, plus tard, de soutiens-gorge. Aujourd'hui, elle abrite notamment l'**École des arts visuels de l'Université Laval**.

L'**église Notre-Dame-de-Jacques-Cartier** ★ était à l'origine la chapelle des congréganistes de Saint-Roch. Elle fut construite en 1853, puis agrandie en 1875. Son décor intérieur très riche comprend notamment des jubés latéraux encadrés de colonnes dorées. Remarquez à l'arrière de l'église son clocher incliné.

L'**église Saint-Roch** ★ était presque oubliée depuis plusieurs années, coincée qu'elle était derrière le Mail Centre-Ville. En réaménageant la rue Saint-Joseph, on a redonné à l'église et à son parvis une place de choix au sein du quartier. Sa façade s'inspire de Notre-Dame de Paris.

La Côte-de-Beaupré ★★

De Beauport à Saint-Joachim, la Côte-de-Beaupré est traversée par le premier chemin du Roy, aménagé à l'instigation de Mgr de Laval au XVIIe siècle, le long duquel s'agglutinent les maisons typiques de la côte. Tour à tour juché sur un cap, dernier soubresaut des Laurentides, ou courant dans la plaine du Saint-Laurent, il offre des vues magnifiques sur les montagnes, le fleuve, les champs et l'île d'Orléans.

Beauport ★

Visible de loin, la superbe chute Montmorency est haute de 83 m, soit 30 m de plus que les chutes du Niagara. Le **parc de la Chute-Montmorency** ★★ a été aménagé afin de permettre l'observation du spectacle grandiose de la chute. La rivière Montmorency, qui prend sa source dans les Laurentides, coule paisiblement en direction du fleuve, jusqu'à ce qu'elle atteigne une dénivellation soudaine qui la projette dans le vide, donnant lieu à l'un des phénomènes naturels les plus impressionnants de la province. Plus haute chute du Québec, la chute Montmorency a un débit qui peut atteindre 125 000 litres d'eau par seconde lors des crues printanières.

L'Ange-Gardien

Les **chapelles de procession** ★, qui flanquent de part et d'autre l'église de L'Ange-Gardien, sont les plus vieilles du genre au Québec, puisqu'elles sont les seules dont la construction remonte au Régime français (vers 1750).

Château-Richer ★

Dans une ancienne école de quatre étages, le **Centre d'interprétation de la Côte-de-Beaupré** ★ présente une exposition portant sur l'histoire et la géographie de la Côte-de-Beaupré, ainsi que des expositions temporaires.

Sainte-Anne-de-Beaupré ★

La **basilique Sainte-Anne-de-Beaupré** ★★★ étonne par ses dimensions importantes, mais aussi par l'activité fébrile qui y règne tout l'été. Ses flèches s'élèvent à 91 m dans le ciel de Sainte-Anne-de-Beaupré, alors que sa nef s'étend sur 129 m de longueur et sur plus de 60 m de largeur aux transepts.

On s'est servi des matériaux récupérés lors de la démolition de l'église de 1676 pour ériger, en 1878, la **chapelle commémorative** ★. À son pied se trouve la fontaine de sainte Anne, aux vertus jugées curatives.

La **Scala Santa** ★, étrange bâtiment en bois peint en jaune et blanc (1891), sert d'enveloppe à un escalier que les pèlerins gravissent à genoux en récitant des prières. Il s'agit d'une réplique du Saint-Escalier qu'emprunta le Christ en se rendant au prétoire de Ponce Pilate.

Le **Musée de sainte Anne** ★ se voue à l'art sacré qui honore la mère de la Vierge Marie. Ces œuvres, accumulées depuis des années dans la basilique et aujourd'hui exposées devant le grand public, sont d'une intéressante diversité.

Le **Cyclorama de Jérusalem** ★★ est exposé dans un édifice circulaire. Ce panorama

▸ Le parc de la Chute-Montmorency.
© iStockphoto.com/Tony Tremblay

▲ La réserve nationale de faune du Cap-Tourmente. © iStockphoto.com/kalimf

de 360° de Jérusalem, intitulé *Le jour de la Crucifixion*, a été peint de 1878 à 1882 sur une immense toile en trompe-l'œil de 14 m sur 110 m par le Français Paul Philippoteaux et ses assistants.

Beaupré

La **station touristique Mont-Sainte-Anne** ★ englobe un territoire de 77 km² et un mont (le mont Sainte-Anne) d'une hauteur de 800 m qui compte parmi les plus beaux centres de ski alpin au Québec.

Le **Canyon Sainte-Anne** ★ est composé de torrents aux flots agités, d'une chute atteignant une hauteur de 74 m ainsi que d'une marmite d'un diamètre de 22 m, formée dans le roc par les tourbillons d'eau. Les visiteurs ont l'occasion de contempler cet impressionnant spectacle grâce aux belvédères et aux ponts suspendus installés sur les lieux.

Saint-Joachim

De l'extérieur, l'**église de Saint-Joachim** ★★ n'a rien d'exceptionnel, mais il en va autrement de l'intérieur, qui constitue un véritable chef-d'œuvre d'art religieux au Québec. Le sanctuaire offre une richesse rarement atteinte dans une église de son époque (XVIIIe siècle).

Cap Tourmente ★★

La **réserve nationale de faune du Cap-Tourmente** ★★ est un lieu pastoral et fertile dont les battures sont fréquentées chaque année par des nuées d'oies blanches (également connues sous le nom de «grandes oies des neiges»). Les oies s'y arrêtent pendant quelque temps, en automne et au printemps, afin de reprendre les forces nécessaires pour continuer leur voyage migratoire. La réserve dispose d'installations permettant l'observation de ces oiseaux. Plus de 180 espèces d'oiseaux et 30 espèces de mammifères y vivent.

Félix Leclerc

Félix Leclerc, l'un des plus grands auteurs-compositeurs-interprètes et poètes québécois, est né le 2 août 1914 à La Tuque, en Mauricie. Il était le sixième d'une famille de 11 enfants.

Lui qui avait commencé sa carrière à la radio a toujours été un homme de paroles. Par ses chansons, ses poèmes, ses contes et son théâtre, il a su exprimer, de la plus belle des façons, le monde et les hommes.

Lauréat de plusieurs prix internationaux, il vécut une partie de sa vie à Paris, où il a interprété ses chansons «Le p'tit bonheur», «Moi mes souliers», etc., sur les plus grandes scènes. En plus de chanter, il a écrit de la poésie (*Calepin d'un flâneur, Chansons pour tes yeux*), des pièces de théâtre (*Qui est le père?, Dialogues d'hommes et de bêtes*), des contes (*Adagio, Allegro, Andante*), des romans (*Le fou de l'île, Pieds nus dans l'aube*).

Il fonde des compagnies théâtrales, monte des séries radiophoniques, joue, enregistre, publie, chante sur scène... Cet homme solide et fougueux savait par-dessus tout émouvoir.

C'est en 1970 seulement qu'il fait l'acquisition d'une terre sur l'île d'Orléans. Une île qu'il a rendue célèbre grâce à ses récits et à ses chansons. Dès son retour au Québec, il bâtit une maison à Saint-Pierre, sur l'île, où il s'installe avec sa famille. Cette île, qui l'avait ensorcelé lors d'un premier séjour estival en 1946, il a su l'explorer et en tirer son inspiration. Dans sa chanson «Le tour de l'île», il en dit: *«L'île, c'est comme Chartres, c'est haut et propre, avec des nefs, avec des arcs, des corridors et des falaises.»*

Félix Leclerc habita Saint-Pierre pendant près de 20 ans. Il s'y est éteint le 8 août 1988, entouré de sa femme, de sa fille Nathalie et de son fils Francis, leur laissant, à eux et à tous les Québécois, un important héritage à chérir. On peut se recueillir sur sa pierre tombale au cimetière de Saint-Pierre-de-l'Île-d'Orléans.

L'île d'Orléans ★★

Cette île de 32 km sur 5 km, située au milieu du fleuve Saint-Laurent en aval de Québec, est synonyme de vieilles pierres. C'est en effet, de toutes les régions du Québec, l'endroit le plus évocateur de la vie rurale en Nouvelle-France. En 1970, le gouvernement du Québec faisait de l'île d'Orléans un arrondissement historique, afin de la soustraire au développement effréné de la banlieue et, surtout, de mettre en valeur ses églises et maisons anciennes.

Saint-Jean-de-l'Île-d'Orléans ★★

On trouve à Saint-Jean le plus important manoir du Régime français encore existant, le **Manoir Mauvide-Genest** ★★. Il a été construit en 1734 pour Jean Mauvide, chirurgien du roi, et son épouse, Marie-Anne Genest. Le beau bâtiment en pierre, revêtu d'un crépi blanc, adopte le

▲ Le pont de Québec. © iStockphoto.com/Tony Tremblay

style traditionnel de l'architecture normande. Le domaine devient manoir au milieu du XVIIIe siècle, lorsque Mauvide, qui s'est enrichi dans le commerce avec les Antilles, achète la moitié sud de la seigneurie de l'île d'Orléans. Le lieu est maintenant un centre d'interprétation du régime seigneurial de la Nouvelle-France.

Sainte-Famille ⋆

La belle **église Sainte-Famille** ⋆⋆ a été construite entre 1743 et 1747 en remplacement de la première église de 1669. Sa façade ayant été coiffée de deux tours en façade, l'unique clocher de l'église se trouvait étrangement alors au faîte du pignon. Au XIXe siècle, deux nouveaux clochers sont construits au sommet des deux tours, ce qui porte leur nombre à trois, un cas unique au Québec. Du terrain de l'église, on bénéficie de belles vues sur le fleuve et la Côte-de-Beaupré.

La **Maison Drouin** ⋆⋆ s'ouvre chaque été aux visiteurs curieux. Il s'agit d'une des plus vieilles maisons de l'île puisqu'elle fut bâtie vers 1730. Des antiquités, meubles et outils l'emplissent, et les visites guidées illustrent la vie des pionniers.

Saint-Pierre-de-l'Île-d'Orléans

Aux limites de Saint-Pierre se trouve l'**Espace Félix-Leclerc** ⋆, qui abrite une exposition permanente sur la vie et l'œuvre du célèbre poète et chansonnier québécois, la reconstitution de son bureau de travail, une boîte à chansons et une boutique. À l'extérieur, vous pourrez profiter des sentiers et des vues sur le fleuve.

L'**église Saint-Pierre** ⋆, cet humble mais fort joli lieu de culte élevé en 1717, est la plus vieille église villageoise qui subsiste au Canada.

Le chemin du Roy ★★

Les villes et villages de ce circuit bordent le chemin du Roy, première route carrossable tracée entre Montréal et Québec et achevée en 1734. Ce chemin qui longe le fleuve Saint-Laurent est l'un des plus pittoresques du Canada avec ses belles maisons d'inspiration française, ses églises et ses moulins du XVIIIe siècle.

Sillery ★★

Le **parc du Bois-de-Coulonge** ★★ est un beau parc à l'anglaise qui entourait jadis la résidence du lieutenant-gouverneur du Québec. Certaines dépendances de la villa, incendiée en 1966, ont survécu, comme le pavillon du gardien, les écuries et la chaufferie. C'est d'ailleurs dans ce dernier bâtiment que loge le centre d'interprétation du parc. On y présente l'exposition *Portrait du Bois-de-Coulonge*, qui relate son histoire.

Propriété voisine du parc du Bois-de-Coulonge, la **Villa Bagatelle** ★ hébergeait autrefois un attaché du gouverneur britannique. La villa, construite en 1848, est un bon exemple de l'architecture résidentielle néogothique du XIXe siècle. La maison et son jardin victorien ont été admirablement restaurés en 1984 et sont maintenant ouverts au public. On y trouve un intéressant centre d'interprétation des villas et domaines de Sillery.

Du promontoire de la **Pointe-à-Puiseaux** ★, situé en face du parvis de l'**église Saint-Michel de Sillery** ★, on embrasse du regard un vaste panorama du fleuve Saint-Laurent et de sa rive sud. On remarque le **pont de Québec** ★, un pont cantilever qui était reconnu comme une merveille de l'ingénierie à l'époque où il a été bâti. Sa construction a toutefois été marquée par deux effondrements tragiques.

La **maison des Jésuites de Sillery** ★★, faite de pierres revêtues de crépi blanc, occupe le site de la mission Saint-Joseph, dont on peut encore voir les ruines tout autour. S'y trouve un musée qui met en relief l'intérêt patrimonial du lieu, riche en histoire.

L'**Aquarium du Québec** ★★★ est riche de plus de 10 000 spécimens de poissons, entre autres animaux. Il étale sur 16 ha les écosystèmes du Saint-Laurent et des régions polaires. On y trouve notamment le Grand Océan, un immense bassin circulaire qui révèle l'océan Pacifique subarctique dans toute sa splendeur et où vivent quelque 3 000 spécimens marins.

La **promenade Samuel-De Champlain** ★, une promenade urbaine de 2,5 km comptant quatre secteurs thématiques, vise à redonner vie aux berges du fleuve Saint-Laurent. Les Québécois aiment profiter de ses vastes espaces verts, de sa piste cyclable et de ses sentiers de randonnée pédestre.

Saint-Augustin-de-Desmaures

L'apparence extérieure de l'**église de Saint-Augustin-de-Desmaures** ★, construite entre 1809 et 1816, a été modifiée à plusieurs reprises. La dernière réfection de la façade, qui lui a donné cette allure vaguement *pueblo* du Nouveau-Mexique, remonte à 1933. Le décor intérieur est cependant plus attrayant. Il a été réalisé à partir de 1816 et constitue un bon exemple de la persistance de l'art baroque au Québec. Depuis 2014, l'église est illuminée par un système d'éclairage qui met son architecture en valeur.

Neuville ★

La ville de Neuville est répartie sur trois terrasses en bordure desquelles sont construites les maisons, favorisant ainsi les vues sur le fleuve Saint-Laurent. Cette disposition confère un charme particulier à cette portion du chemin du Roy.

La **rue des Érables** ★★ se caractérise par une des plus importantes concentrations de maisons en pierre hors des grands centres. Cela s'explique par l'abondance du matériau, mais aussi par la volonté des propriétaires d'illustrer les talents de constructeurs et de tailleurs de pierre de la main-d'œuvre locale.

En 1696, les villageois entreprennent la construction toute simple de l'**église Saint-François-de-Sales** ★★, qui sera augmentée et modifiée au cours des siècles suivants, au point que presque toutes les composantes du bâtiment initial disparaîtront. L'intérieur comporte une pièce remarquable de l'art baroque en Nouvelle-France. Il s'agit d'un baldaquin en bois, commandé en 1695 pour la chapelle du palais épiscopal de Québec. En 1717, l'évêché échange le baldaquin contre du blé de Neuville afin de nourrir la population de la ville, alors en pleine disette.

▲ La promenade Samuel-De Champlain. © Philippe Renault/hemis.fr

Cap-Santé ★

Ce village agricole occupe un site admirable qui surplombe le fleuve Saint-Laurent. Faisant autrefois partie de la seigneurie de Portneuf, Cap-Santé se peuple lentement à partir de la fin du XVIIe siècle. S'il existe un village québécois typique, c'est peut-être celui-là...

Le **site historique du Fort-Jacques-Cartier-et-du-Manoir-Allsopp** est souligné par une plaque au bord de la route. L'ouvrage, érigé à la hâte en 1759, au plus fort de la guerre de Sept Ans, doit servir à retarder les Anglais dans leur progression vers Montréal. Le courageux chevalier de Lévis tente désespérément par ces mesures de sauver ce qui reste de la Nouvelle-France. L'attaque du fort ne durera qu'une petite heure, avant que les Français, mal équipés, ne capitulent. Il ne subsiste du fort de bois que des vestiges. Cependant, le manoir Allsopp, érigé vers 1740 sur le même site, est toujours debout, bien dissimulé derrière une forêt.

Le chantier de l'**église de la Sainte-Famille** ★★ de Cap-Santé, qui s'étire de 1754 à 1767, est grandement perturbé par la Conquête. Ainsi, les matériaux amassés pour compléter le lieu de culte sont réquisitionnés pour la construction du fort Jacques-Cartier. Néanmoins, l'église, avec ses deux clochers et sa haute nef éclairée par deux rangées de fenêtres superposées, constitue une œuvre ambitieuse pour l'époque et peut être considérée comme la plus vaste église villageoise construite sous le Régime français.

Le **Vieux Chemin** ★, aujourd'hui une simple rue isolée devant l'église, faisait à l'origine partie du chemin du Roy entre Montréal et Québec. C'est pourquoi on peut encore voir, en face du fleuve Saint-Laurent, plusieurs maisons du XVIIIe siècle fort bien conservées, qui ont valu au Vieux Chemin d'être classé parmi les rues les plus pittoresques du Canada.

Portneuf

Le **Parc naturel régional de Portneuf** protège un territoire de 70 km² où abondent la faune et la flore. On peut entre autres y observer des faucons pèlerins et des cerfs de Virginie. Le parc compte plusieurs lacs dont les magnifiques lacs Long et Montauban, sur lesquels il est possible de pratiquer la pêche, le canot, le kayak et la planche à rame.

Deschambault-Grondines ★★

Deschambault ★★ a vu le jour grâce au seigneur Fleury de La Gorgendière, qui fit construire une première église sur le cap Lauzon en 1720. Le village s'est très lentement développé au gré des saisons, ce qui a permis d'en préserver les atouts. La tranquillité de ce charmant village agricole, situé au bord du fleuve Saint-Laurent, a par ailleurs été un peu troublée par la construction d'une aluminerie dans les années 1990.

Unique en son genre au Québec, l'**église Saint-Joseph** ★ de Deschambault arbore une large façade comportant deux tours massives disposées légèrement en retrait et un toit à croupe orné d'une statue. Cette solide construction a été réalisée entre 1835 et 1838.

Le **Vieux Presbytère** ★ occupe un emplacement privilégié d'où l'on bénéficie d'un beau panorama sur le fleuve Saint-Laurent et sa rive sud. Le petit bâtiment, isolé au milieu d'une vaste pelouse, a été édifié à partir de 1815. On y trouve un centre d'interprétation du patrimoine et des expositions d'art contemporain.

Le magnifique **Moulin de La Chevrotière** ★ présente de nos jours des expositions thématiques à caractère patrimonial.

Au XVIIIe siècle, le village de **Grondines** ★ était situé directement sur la rive du fleuve Saint-Laurent. On décida de le déplacer à l'intérieur des terres en 1831 pour en faciliter l'accès et pour le soustraire aux crues du fleuve. On retrouve ainsi des vestiges d'esprit français entre le fleuve et la route 138, alors que le noyau, qui gravite autour de la rue Principale, est plus volontiers victorien. Les citoyens de Grondines ont démontré une grande sensibilité à l'égard de leur environnement au cours des années 1980, alors qu'ils ont mené une chaude lutte en vue de contrer un projet de traversée fluviale aérienne des lignes d'Hydro-Québec. Ils ont finalement obtenu gain de cause et sont les premiers à bénéficier d'une traversée sous-fluviale qui permet de préserver les beautés du paysage.

Les vestiges de la première église en pierre de Grondines (1716) sont visibles à proximité du moulin à vent (voir ci-dessous). Après le déménagement du village, il fallut, bien sûr, ériger une nouvelle église, l'**église Saint-Charles-Borromée** ★, construite entre 1839 et 1842. Elle comporte quelques tableaux intéressants, dont *Notre-Dame du Rosaire* de Théophile Hamel, au-dessus de l'autel latéral droit, et *Saint Charles Borromée* de Jean-Baptiste Roy-Audy. Il ne faut pas oublier, en ressortant, de jeter un coup d'œil sur le **presbytère néoclassique** de 1842, avec sa belle lucarne-fronton.

Même s'il a perdu de sa prestance depuis qu'il a été transformé en phare, à l'instar de plusieurs de ses semblables, le **moulin à vent de Grondines** demeure important puisqu'il est le plus vieil ouvrage du genre au Québec à être parvenu jusqu'à nous. Le moulin a été construit dès 1674 pour les religieuses hospitalières de l'Hôtel-Dieu de Québec, ces Augustines auxquelles la seigneurie de Grondines avait été concédée en 1637.

Saint-Casimir

Il est possible, sans avoir d'expérience en spéléologie, de visiter la **Grotte le Trou du Diable** ★, gérée par la Société québécoise de spéléologie. Le Parcours touristique permet, pendant 1h30, de se faire guider à travers la grotte, deuxième du Québec par sa longueur.

La vallée de la Jacques-Cartier ★

Idéale pour le camping, les descentes de rivière et autres activités de plein air, la vallée de la Jacques-Cartier illustre à quel point la forêt vierge peut être proche de la grande ville au Québec.

Charlesbourg ★

En Nouvelle-France, les seigneuries prennent habituellement la forme de longs rectangles quadrillés que parcourent montées et côtes. La plupart d'entre elles sont également implantées perpendiculairement à un cours d'eau important. Charlesbourg représente la seule véritable exception à ce système, et quelle exception! En 1665, les Jésuites, à la recherche de différents moyens pour peupler la colonie tout en assurant sa prospérité et sa sécurité, développent sur leurs terres de la seigneurie de Notre-Dame-des-Anges un modèle de répartition des terres tout à fait original. Il s'agit d'un vaste carré, à l'intérieur duquel des lopins de terre distribués en étoile convergent vers le centre, où sont regroupées les habitations. Celles-ci font face à une place délimitée par un chemin appelé le «Trait-Carré», où se trouvent l'église, le cimetière et le pâturage communautaire.

L'**église Saint-Charles-Borromée** ★★ a révolutionné l'art de bâtir en milieu rural au Québec. L'architecte Thomas Baillairgé, influencé par le courant palladien, innove surtout par la disposition rigoureuse des ouvertures de la façade, qu'il coiffe d'un large fronton. En outre, l'église de Charlesbourg a l'avantage d'avoir été construite d'un trait et d'être demeurée intacte depuis. Rien n'est donc venu contrecarrer le projet original. La construction est entreprise en 1828 et le magnifique décor intérieur de Baillairgé est mis en place à partir de 1833.

Le joli **Moulin des Jésuites** ★, un moulin à eau en moellons crépis, est le plus ancien bâtiment de Charlesbourg. Il a été construit en 1740 pour les Jésuites, alors seigneurs des lieux. Après plusieurs décennies d'abandon, le bâtiment de deux étages a enfin été restauré en 1990 et accueille le **Centre d'interprétation de l'histoire du Trait-Carré** ainsi que le bureau d'information touristique. On y organise aussi des concerts et des expositions.

Inspiré du modèle suédois original, l'**Hôtel de Glace** ★★ est le seul du genre en Amérique du Nord. Bien sûr, la durée de vie de cette époustouflante réalisation est limitée, mais, chaque année, les

▼ L'Hôtel de Glace. © Michel Julien

bâtisseurs se remettent à la tâche pour édifier ce magnifique complexe à l'aide de plusieurs tonnes de glace et de neige. Et l'on ne se contente pas d'empiler des blocs de glace, on s'en sert aussi pour décorer l'endroit! Le hall, par exemple, se voit surmonté d'un splendide lustre de glace. S'y trouvent aussi une glissade, une chapelle, une cabane à sucre, une baignoire à remous, un sauna, un café et un bar où l'on sert des cocktails dans des verres de glace.

Lac-Beauport

Le **parc national de la Jacques-Cartier** ★★, qui se trouve enclavé dans la réserve faunique des Laurentides, à 40 km au nord de Québec, accueille toute l'année une foule de visiteurs. Il est sillonné par la rivière Jacques-Cartier, laquelle serpente dans la vallée du même nom entre des collines escarpées. Le site, qui bénéficie d'un microclimat dû à cet encaissement de la rivière, est propice à la pratique de plusieurs activités de plein air. On y trouve une faune et une flore abondantes et diversifiées. Les détours des sentiers, bien aménagés, réservent parfois des surprises, comme un orignal et son petit en train de se nourrir dans un marécage. Un centre d'accueil et d'interprétation permet de s'informer avant de se lancer à la découverte de toutes ces richesses.

La **réserve faunique des Laurentides** couvre un territoire de près de 8 000 km². Vaste étendue sauvage composée de forêts et de rivières, elle abrite une faune diversifiée comprenant des espèces telles que l'ours noir et l'orignal. La chasse et la pêche (à la truite mouchetée) y sont possibles à certaines périodes de l'année.

Wendake ★★

Chassés de leurs terres ontariennes par les Iroquois au XVIIe siècle, quelque 300 Hurons s'installent en divers lieux autour de Québec avant de se fixer définitivement, en 1700, à La Jeune-Lorette, aujourd'hui Wendake. Le visiteur sera charmé par le village aux rues sinueuses de cette réserve amérindienne sur les berges de la rivière Saint-Charles. En visitant ses musées et ses boutiques d'artisanat, il en apprendra beaucoup sur la culture des Hurons-Wendat, peuple sédentaire et pacifique.

Onhoüa Chetek8e ★★ est une reconstitution d'un village huron-wendat tel qu'il en existait aux débuts de la colonisation. Les visiteurs sont invités à se joindre à une visite commentée par d'excellents guides

▲ Une femelle orignal avec son petit dans le parc national de la Jacques-Cartier. © Dreamstime.com/Paul Binet

amérindiens vêtus d'habits traditionnels wendats. Parmi les aménagements du village, notons la maison longue, la hutte du chaman, la hutte de sudation, le fumoir à viande et les palissades. L'agréable restaurant du village permet de goûter à divers mets amérindiens.

L'architecture de l'**Hôtel-Musée Premières Nations** ★★ rappelle celle des maisons longues iroquoises. En plus d'un superbe hôtel, il renferme le **Musée huron-wendat** ★, où la richesse de la culture huronne-wendat est mise en valeur par une collection qui explore les thèmes du territoire, de la mémoire et du savoir. Une maison longue permet d'en apprendre davantage sur les Premières Nations.

L'**église Notre-Dame-de-Lorette** ★, l'église des Hurons-Wendat, terminée en 1730, évoque par sa forme les premières églises de la Nouvelle-France. L'humble bâtiment, revêtu d'un crépi blanc, recèle des trésors insoupçonnés que l'on peut voir dans le chœur et dans la sacristie. Certains de ces objets ont été donnés à la communauté huronne par les Jésuites

▲ Le parc de la Falaise et de la chute Kabir Kouba. © flickr.com/jacme31 (CC BY-SA 2.0)

et proviennent de la première chapelle de L'Ancienne-Lorette (fin XVIIe siècle). Lorsque les Hurons-Wendat ont commencé à se rendre à l'église, il n'y avait pas de bancs, ni de plancher, afin qu'ils puissent être en contact avec la terre. C'est seulement par la suite qu'on a ajouté ces éléments pour la rendre «plus chrétienne». Lorsqu'on a voulu ajouter un agrandissement à l'église, on a dû le construire pardessus un cimetière. Par respect pour les défunts, on décida de déplacer les pierres tombales qui s'y trouvaient à l'intérieur de l'église, ce qui explique pourquoi quelques pierres tombales sont encastrées dans les murs.

La **Maison Tsawenhohi**, dont le nom huron-wendat signifie «l'homme qui voit clair, le faucon», a été achetée en 1804 par le grand chef Nicolas Vincent Tsawenhohi. Elle fait maintenant partie du patrimoine de la nation huronne-wendat et abrite un centre d'interprétation des savoir-faire traditionnels.

Dans le **parc de la Falaise et de la chute Kabir Kouba** ★, quelques petits sentiers longent le bord de la falaise, haute de 42 m, au fond de laquelle coule la rivière Saint-Charles. En empruntant un escalier, vous pourrez admirer de plus près cette magnifique chute haute de 28 m.

Son nom de Kabir Kouba, qui signifie «serpent d'argent» en huron, s'inspire du tracé sinueux de la rivière. Le lieu est très chargé de signification pour les Hurons-Wendat, la rivière et la chute étant protectrices de leur nation.

La magnifique **Fresque murale du peuple Huron-Wendat** ⋆, qu'on peut admirer à la place de la Nation, sur un mur près de la rivière Saint-Charles, témoigne de l'histoire et de la culture des Hurons-Wendat. La fresque compte deux sections : sur celle de gauche, on peut voir les tâches qu'accomplissaient les hommes, soit la chasse, la pêche, la politique et la guerre, alors que sur celle de droite, ce sont les femmes qui sont représentées par l'artisanat, la cueillette et l'entretien de la maison et de la famille. On remarque aussi les quatre espèces animales qui représentent les quatre clans qui sont venus s'établir dans les environs dans les années 1700, soit les clans du Loup, de l'Ours, du Chevreuil et de la Tortue.

Fossambault-sur-le-Lac

Sur la rive du lac Saint-Joseph, près du village de Fossambault-sur-le-Lac, s'étend la **plage Lac Saint-Joseph**. Eh oui! Une véritable plage de sable où se dressent même des palmiers (importés de Floride chaque année)! En plus de la baignade, vous pourrez y pratiquer toutes sortes d'activités nautiques.

Sainte-Catherine-de-la-Jacques-Cartier

À 45 km de Québec, au bord du plus grand lac de la région, le lac Saint-Joseph, la **Station touristique Duchesnay** ⋆ permet de se familiariser avec la forêt laurentienne. Situé sur un territoire de près de 90 km^2, ce centre de recherche sur la faune et la flore de nos forêts fait partie des stations touristiques de la Sépaq. Reconnue depuis longtemps pour ses sentiers de ski de fond, la station s'avère idéale pour pratiquer toutes sortes d'activités de plein air.

Réserve faunique de Portneuf ⋆

La **réserve faunique de Portneuf** propose des kilomètres de sentiers destinés à la pratique de maintes activités de plein air, entre autres la motoneige, le ski de fond et la raquette. Son territoire, sillonné de rivières et de lacs, est également propice à la pêche. On peut y séjourner dans d'agréables chalets.

Chaudière-Appalaches

De charmantes villes au caractère géographique très distinct se regroupent dans la région de **Chaudière-Appalaches** ★★. Sur la rive sud du Saint-Laurent, face à Québec, la région s'ouvre sur une vaste plaine fertile avant de lentement grimper vers les contreforts des Appalaches jusqu'à la frontière avec les États-Unis. La rivière Chaudière, qui prend sa source dans le lac Mégantic, traverse la région et se jette dans le fleuve Saint-Laurent à la hauteur des ponts de Québec.

Les rives du fleuve Saint-Laurent, entre Lotbinière et Saint-Roch-des-Aulnaies, invitent à de charmantes balades le long desquelles défilent des paysages bucoliques. Plaine fertile coincée entre la chaîne des Appalaches et le fleuve, ce territoire fut très tôt une zone d'occupation française. On peut y visiter d'agréables villages, faire une halte à Saint-Jean-Port-Joli, un important centre d'artisanat québécois, ou prendre le large, à la découverte de l'archipel de L'Isle-aux-Grues.

Plus au sud se déploie, sur les berges de la rivière Chaudière, la pittoresque Beauce. Au milieu du XIXe siècle, la découverte de pépites d'or dans le lit de la rivière y attira d'innombrables prospecteurs. Le paysage de la Beauce est constitué d'harmonieuses collines verdoyantes où prospèrent de nombreuses fermes depuis des siècles. La Beauce possède par ailleurs la plus grande concentration d'érablières au Québec, qui fait de cette contrée un véritable royaume de la «cabane à sucre» le printemps venu.

Un peu plus à l'ouest de la rivière Chaudière, dans la région aux abords de Thetford Mines, l'ancien «pays de l'amiante» présente un paysage assez diversifié, jalonné d'impressionnantes mines à ciel ouvert, aujourd'hui abandonnées.

Québec
Lévis
Île d'Orléans
Fleuve Saint-Laurent
Île aux Oies
Grosse Île
Île aux Grues
Saint-Jean-Port-Joli
L'Islet-sur-Mer
L'Islet
Saint-Aubert
Lotbinière
Saint-Croix
Saint-Antoine-de-Tilly
Issoudun
Saint-Nicolas
Saint-Romuald
Beaumont
Saint-Michel-de-Bellechasse
Parc des Chutes-de-la-Chaudière
Charny
Saint-Rédempteur
Pintendre
Laurier-Station
Saint-Apollinaire
Saint-Vallier
Berthier-sur-Mer
Cap-Saint-Ignace
Montmagny
Saint-Eugène
Lac-Trois-Saumons
Sainte-Hélène-de-Breakeyville
Saint-Jean-Chrysostome
Val-Alain
Saint-Agapit
Dosquet
La Durantaye
Saint-François
Saint-Cyrille-de-Lessard
Saint-Henri
Saint-Raphaël
Saint-Gervais
Saint-Gilles
Tourville
CENTRE-DU-QUÉBEC
Lyster
Saint-Anselme
Honfleur
Saint-Nérée
Bras-d'Apic
Sainte-Perpétue-de-l'Islet
Sainte-Agathe-de-Lotbinière
Saint-Narcisse
Parc de la Chute Ste-Agathe
Scott
Saint-Lazare-de-Bellechasse
Armagh
Notre-Dame-du-Rosaire
Sainte-Félicité
Inverness
Saint-Patrice-de-Beaurivage
Saint-Marcel
Saint-Damien-de-Buckland
Saint-Sylvestre
Sainte-Marie
Saint-Jacques-de-Leeds
Rivière Chaudière
Saint-Paul-de-Montminy
Saint-Malachie
Buckland
Saint-Philémon
Saint-Pamphile
Sainte-Apolline-de-Patton
Saint-Elzéar
Saint-Jean-de-Brébeuf
Parc régional du Massif du Sud
Saint-Adalbert
Kinnear's Mills
Saint-Édouard-de-Frampton
Vallée-Jonction
Sainte-Lucie-de-Beauregard
Saint-Frédéric
Saint-Léon-de-Standon
Saint-Fabien-de-Panet
Lac-Frontière
East Broughton
Saint-Joseph-de-Beauce
Saint-Luc
Saint-Magloire
Thetford Mines
Tring-Jonction
Black Lake
Robertsonville
Saint-Odilon
Sainte-Sabine
Lac-Etchemin
Daaquam
Saint-Camille-de-Lellis
MAINE
(ÉTATS-UNIS)
Sainte-Clotilde-de-Beauce
Sainte-Germaine-Station
Saint-Victor
Beauceville
Saint-Benjamin
Sainte-Justine
Saint-Daniel
Parc national de Frontenac
Notre-Dame-des-Pins
Sainte-Rose-de-Watford
Saint-Cyprien
Sainte-Praxède
Grand lac Saint-François
Saint-Georges
Saint-Prosper
Saint-Benoît-Labre
0
10
20km
©ULYSSE

La Côte-du-Sud ★★

De charmants villages, disposés à intervalles réguliers, ponctuent la Côte-du-Sud, région qui prend graduellement un caractère maritime à mesure que le fleuve s'élargit. À plusieurs endroits, on bénéficie de points de vue saisissants sur ce vaste cours d'eau, dont la teinte varie selon la température et l'heure.

Lotbinière ★

La seigneurie de Lotbinière est l'un des rares domaines à être demeuré entre les mains de la même famille depuis sa concession, en 1672, à René-Louis Chartier de Lotbinière. Même s'il n'habite pas les lieux, René-Louis voit alors au développement de ses terres et du bourg de Lotbinière, qui devient vite l'un des plus importants villages de la région. Le cœur de Lotbinière, qui recèle plusieurs maisons anciennes en pierre et en bois, est maintenant protégé par le gouvernement du Québec.

Le **Moulin du Portage** ★, un moulin à farine construit en 1816, s'inscrit dans un site bucolique en bordure de la rivière du Chêne.

La monumentale **église de Saint-Louis** ★★, parallèle au Saint-Laurent, compose avec le presbytère et l'ancien couvent un ensemble religieux admirable sur un site offrant de belles vues sur le fleuve.

Sainte-Croix

Sur un superbe site en bordure du Saint-Laurent, le **Domaine Joly-De Lotbinière** ★★ offre des sentiers pédestres pour contempler le fleuve, les falaises d'ardoise et l'autre rive, sur laquelle on aperçoit l'église de Cap-Santé. Des arbres centenaires d'espèces rares, plusieurs aménagements floraux, un jardin d'oiseaux et divers pavillons ornent le parc du domaine. Le manoir, édifié en 1851, présente l'aspect d'une villa entourée de galeries dominant le fleuve. Il accueille une petite exposition qui renseigne les visiteurs sur la famille du marquis de Lotbinière.

Saint-Antoine-de-Tilly ★

La façade actuelle de l'**église de Saint-Antoine-de-Tilly** ★, ajoutée en 1902 lors d'un agrandissement par l'avant, masque le bâtiment qui fut construit à la fin du XVIIIe siècle. L'intérieur met en valeur de belles toiles provenant des ventes révolutionnaires (1793-1794) en France. Une balade dans le cimetière voisin permet de

▲ Le parc des Chutes-de-la-Chaudière. © Shutterstock.com/Hugo Brizard

découvrir un beau panorama du fleuve Saint-Laurent et d'apprécier le profil de la petite église.

Charny

La **rivière Chaudière** prend sa source dans le lac Mégantic. Longue de 185 km, elle se jette dans le fleuve Saint-Laurent juste après les chutes de la Chaudière, lesquelles relèvent d'une formation géologique particulière: un banc de grès, très résistant, se trouve dans un ensemble de roches sédimentaires formé il y a plus de 570 millions d'années. Le **parc des Chutes-de-la-Chaudière** ★ comprend tout le site des chutes. Une passerelle installée au-dessus de la rivière Chaudière en offre une vue impressionnante.

Lévis ★★

Craignant une attaque surprise des Américains à la fin de la guerre de Sécession, les gouvernements britannique puis canadien font ériger à Lévis, entre 1865 et 1872, une série de trois forts détachés, intégrés au système défensif de Québec. Seul le Fort-Numéro-Un est resté intact. Le **Lieu historique national des Forts-de-Lévis** ★ présente une exposition qui raconte l'histoire du fort. Du sommet de la muraille, on bénéficie d'une belle vue sur Québec et l'île d'Orléans.

▲ La vue sur Québec depuis la Terrasse de Lévis. © Mathieu Dupuis

La **Terrasse de Lévis** ★★ offre également des points de vue spectaculaires sur la ville de Québec, avec notamment le Vieux-Québec et le secteur de Place-Royale, au bord du fleuve, dominé par le Château Frontenac.

Beaumont ★

La ravissante petite **église Saint-Étienne-de-Beaumont** ★★, datant de 1733, est l'une des plus vieilles églises de village qui subsistent au Québec.

Construit en 1821 au niveau de la chute à Maillou, le **Moulin de Beaumont** ★ ne révèle que ses étages supérieurs depuis la route. Coiffé d'un toit mansardé de couleur rouge, il sert toujours à la mouture du grain et au sciage du bois. Les terrains du moulin descendent graduellement vers le Saint-Laurent en offrant de belles vues sur l'île d'Orléans et les Laurentides.

Berthier-sur-Mer ★

Le lieu porte bien son nom puisqu'en arrivant de l'ouest on y sent pour la première fois l'air marin. L'île d'Orléans s'étant retirée du paysage, le fleuve y prend des allures de mer aux flots bleus. La vue sur les montagnes de Charlevoix, en face, est

admirable par temps clair depuis la plage de ce petit centre de villégiature estival, fondé à l'époque seigneuriale.

Montmagny

Chaque année, en automne, Montmagny accueille le **Festival de l'Oie Blanche**, qui donne lieu à diverses dégustations de mets à base d'oie. La ville est aussi renommée pour son esturgeon fumé.

Au départ du quai de Montmagny, une excursion au **Lieu historique national de la Grosse-Île-et-le-Mémorial-des-Irlandais** ★★ offre un retour dans le passé douloureux de l'immigration en Amérique du Nord. Fuyant les épidémies et la famine, les Irlandais furent nombreux à venir au Canada au cours des années 1830-1850. Afin de limiter la propagation du choléra et du typhus sur le continent américain, les autorités décidèrent d'obliger les passagers des transatlantiques à subir une quarantaine avant de débarquer dans le port de Québec. Près de Québec mais éloignée des côtes, la Grosse Île s'imposait alors comme un choix logique.

La visite de la Grosse Île entraîne les visiteurs autour de l'île, de ses beautés naturelles et de ses installations. Sur la trentaine de bâtiments encore debout, quelques-uns sont ouverts au public. Ces témoins précieux racontent on ne peut plus clairement une page de l'histoire du continent.

Île aux Grues ★★

Également accessible depuis le quai de Montmagny, l'île aux Grues, seule île de l'archipel de L'Isle-aux-Grues habitée toute l'année, offre aux visiteurs un magnifique cadre champêtre ouvert sur le fleuve. C'est le lieu idéal pour l'observation des oies blanches au printemps, pour la chasse en automne et pour la balade en été. En hiver, l'île est prisonnière des glaces et les habitants utilisent alors l'avion pour se rendre sur la terre ferme. Quelques gîtes touristiques parsèment cette île longue de 10 km et vouée à l'agriculture. S'y promener à bicyclette, au milieu des champs de blé dorés et le long du fleuve, est des plus agréables.

Au centre de l'île se dresse le hameau de **Saint-Antoine-de-l'Isle-aux-Grues**, avec sa petite église et ses jolies maisons. À l'est, on aperçoit le **manoir seigneurial MacPherson-Le Moine**. Le peintre Jean Paul Riopelle, qui en avait fait son havre pendant plusieurs années, y est décédé en 2002. Voilà une île à découvrir pour prendre un certain recul par rapport à la vie mouvementée et stressante de la ville!

L'Islet-sur-Mer ★

L'activité du joli village de L'Islet-sur-Mer est tournée vers la mer. Depuis le XVIIIe siècle, ses habitants se transmettent de père en fils les métiers de marin et de pilote sur le Saint-Laurent.

Le **Musée maritime du Québec** ★★ a pour mission la sauvegarde, l'étude et la mise en valeur du patrimoine maritime du fleuve Saint-Laurent. Au moyen d'une très belle exposition sur le lien qu'entretiennent les Québécois avec le fleuve, d'un parc d'interprétation de la mer, d'une chalouperie, de centaines d'objets et de deux véritables navires, le visiteur est plongé dans l'histoire du fleuve Saint-Laurent du XVIIe siècle à aujourd'hui.

Saint-Jean-Port-Joli ★★

Saint-Jean-Port-Joli est devenu synonyme d'artisanat et de sculpture sur bois grâce à la famille Bourgault, qui en a fait sa raison de vivre au début du XXe siècle. Outre cet artisanat plus vivant que jamais, le village est connu pour son église ainsi que pour le célèbre roman *Les Anciens Canadiens*, écrit par Philippe Aubert de Gaspé dans son manoir seigneurial et publié en 1863. Considérée comme le premier roman canadien-français, l'œuvre, dont l'importance littéraire est aussi grande

▼ L'Île aux Grues. © Michel Julien

Joseph-Elzéar Bernier (1852-1934)

Joseph-Elzéar Bernier est l'un des marins les plus célèbres du Québec. Il est né en 1852 à L'Islet-sur-Mer et est issu d'une lignée de capitaines au long cours.

En 1869, à l'âge de 17 ans, Joseph-Elzéar est nommé capitaine d'un navire auparavant piloté par son père, le *Saint-Joseph*. Il devient ainsi le plus jeune capitaine du monde. Pendant les années qui suivirent, il navigua sur toutes les mers de la planète, établissant même des records de vitesse de traversée.

En 1904, il effectue un premier voyage d'exploration, financé par le gouvernement canadien, dans l'océan Arctique. Ces voyages seront couronnés par la prise de possession officielle des territoires arctiques canadiens au nom du gouvernement. Une plaque installée sur l'île Melville commémore cet événement.

Par la suite, Bernier reprendra ses habits de marin à son propre compte pour sillonner l'Arctique, où il fait du commerce, et le golfe du Saint-Laurent, où il fait du transport de marchandises. Jusqu'à la fin de sa vie, à l'âge de 82 ans, il restera en étroite relation avec la mer qui l'a vu naître, grandir et repousser les frontières des exploits humains.

▲ La Seigneurie des Aulnaies. © Michel Julien

que son aspect ethnologique, décrit la vie quotidienne à la fin du régime seigneurial.

Le **Musée de la mémoire vivante** ★★ loge dans le manoir seigneurial de Philippe Aubert de Gaspé (1786-1871), incendié en 1909 et reconstitué en 2007. De toute beauté, le site Philippe-Aubert-de-Gaspé recèle, en plus du manoir actuel, plusieurs attraits historiques. À l'intérieur du manoir, les expositions mettent en lumière plusieurs pans de la société québécoise.

Le **Musée de sculpture sur bois des Anciens Canadiens** ★ présente une série de sculptures de bois figuratives qui racontent l'histoire locale. Les visiteurs peuvent observer un sculpteur à l'œuvre pendant la haute saison et une petite boutique se trouve également sur place.

La coquette **église Saint-Jean-Baptiste** ★★, construite entre 1779 et 1781, se distingue par son toit rouge vermillon, coiffé de deux clochers dont l'emplacement (l'un à l'avant et l'autre à l'arrière, au début de l'abside) est tout à fait inusité dans l'architecture religieuse québécoise. L'église présente un exceptionnel intérieur en bois sculpté et doré, qui aura probablement joué un rôle dans la popularité de cette forme d'art à Saint-Jean-Port-Joli.

Au centre du village se trouve le **parc des Trois-Bérets** ★★, qui accueille **La Biennale de Sculpture de Saint-Jean-Port-Joli**. Plus d'une centaine d'œuvres y sont exposées tout l'été et plusieurs sont fascinantes.

Saint-Roch-des-Aulnaies★★

Joli village en bordure du fleuve Saint-Laurent, Saint-Roch-des-Aulnaies tire son nom de l'abondance d'aulnes tout au long de la rivière Ferrée.

La **Seigneurie des Aulnaies** ★★ est un captivant centre d'interprétation du régime seigneurial. Le visiteur est d'abord accueilli dans l'ancienne maison du meunier, reconvertie en boutique et en café. On y propose entre autres des galettes et des muffins à base de farine provenant du moulin voisin, un vaste bâtiment en pierre reconstruit en 1842 sur l'emplacement d'un moulin plus ancien. On accède au manoir de style victorien, juché sur un promontoire, par un long escalier. Des bornes interactives, qui expliquent de façon détaillée les principes du régime seigneurial et son impact sur le paysage rural québécois, sont disposées dans les différentes pièces. Un beau jardin ainsi que des sentiers sauvages entourent le manoir.

La Beauce ★

Après les timides tentatives de colonisation du Régime français, la Beauce connaît un essor important grâce à l'ouverture du chemin Kennebec (entre 1810 et 1830) puis de la voie ferrée (1870-1895), qui relieront tous deux le Québec et sa capitale à la Nouvelle-Angleterre en passant par la vallée de la rivière Chaudière. Le long du parcours, les hameaux agricoles tireront profit de ces voies de communication et deviendront dès la fin du XIXe siècle de petites villes industrielles prospères.

Saint-Joseph-de-Beauce ★

L'**église Saint-Joseph** ★, de style néoroman, a été construite en pierre en 1865. Le **presbytère** fut, quant à lui, édifié au cours des années 1880, l'époque qui marque l'apogée du style néo-Renaissance française dans la région parisienne.

Le **Musée Marius-Barbeau** ★ relate les différentes étapes du développement de la vallée de la Chaudière. Les arts et traditions populaires étudiés par l'ethnologue et folkloriste beauceron Marius Barbeau y tiennent également une grande place.

Saint-Georges

L'**église de Saint-Georges** ★★ est perchée sur un promontoire dominant la rivière Chaudière. Sa construction a été entreprise en 1900. L'art de la Belle Époque y trouve ses lettres de noblesse, que ce soit à l'examen de la flèche de son clocher central culminant à 75 m ou dans son magnifique intérieur à trois niveaux, abondamment sculpté et doré.

Le **parc des Sept-Chutes** ★ propose de beaux sentiers de randonnée. Le principal attrait du parc est le sentier des gorges de la Pozer, qui longe la rivière du même nom. Vous pourrez admirer les sept chutes qui ont donné leur nom au parc. Arrivé à la septième chute, vous verrez une passerelle d'une longueur de 40 m qui surplombe la rivière d'une hauteur de 25 m et qui permet de relier les sentiers pédestres des deux côtés de la rivière.

Thetford Mines

De superbes collections de pierres et de minéraux provenant du monde entier se retrouvent au **Musée minéralogique et minier de Thetford Mines**. Le musée présente notamment des échantillons d'amiante de plus de 25 pays. Des expositions expliquent aux visiteurs l'histoire du développement des mines ainsi que les différentes caractéristiques des minéraux et roches du Québec.

Au bord du Grand lac Saint-François se trouve le **parc national de Frontenac** ★, qui comprend plusieurs aires de pique-nique, quelques plages et des sentiers d'interprétation. La plus grande partie de son territoire qui couvre 155 km^2 se trouve toutefois dans la région des Cantons-de-l'Est.

Sainte-Agathe-de-Lotbinière

Le **parc de la Chute Ste-Agathe** ★ offre un agréable site pour la baignade et la randonnée pédestre. À certains endroits, il faut être assez dégourdi pour se rendre de pierre en pierre jusqu'à l'eau, mais on a créé une petite plage pour permettre à tous d'en profiter. Les cascades et les bassins de la rivière Palmer vous promettent un bon rafraîchissement.

Le Bas-Saint-Laurent

Très pittoresque, le **Bas-Saint-Laurent** ★★ s'étire le long du fleuve depuis la petite ville de La Pocatière jusqu'à Sainte-Luce et pénètre dans les terres sur une centaine de kilomètres à certains endroits. Comme le littoral s'allonge sur près de 320 km dans cette région, la population locale vit au rythme de l'eau. On y trouve par ailleurs les plus importantes marées au Québec, qui remodèlent constamment le paysage.

S'étendant sur quelque 22 185 km^2, la région du « Bas-du-Fleuve », comme on l'appelle parfois, est bordée par le Nouveau-Brunswick et l'État américain du Maine au sud, par la région de Chaudière-Appalaches à l'ouest et par la Gaspésie à l'est.

La traite des fourrures y attira les premiers colons qui fondèrent, avant la fin du XVIIe siècle, les postes de Rivière-du-Loup, du Bic, de Cabano et de Notre-Dame-du-Lac.

Les riches terres bordant le fleuve Saint-Laurent furent défrichées puis cultivées dès le siècle suivant. Les terres de l'intérieur furent colonisées un peu plus tard, vers 1850, alors que l'exploitation des richesses forestières se faisait de pair avec la culture du sol.

Il y eut finalement une dernière vague de peuplement au cours de la crise économique des années 1930, alors que la campagne devenait le refuge des ouvriers sans travail des villes. Ces différentes étapes de colonisation du Bas-Saint-Laurent se reflètent d'ailleurs dans son riche patrimoine architectural. Au XIXe siècle, le Bas-Saint-Laurent est aussi devenu l'un des principaux lieux de villégiature des riches familles montréalaises, qui s'y sont fait construire de belles résidences secondaires.

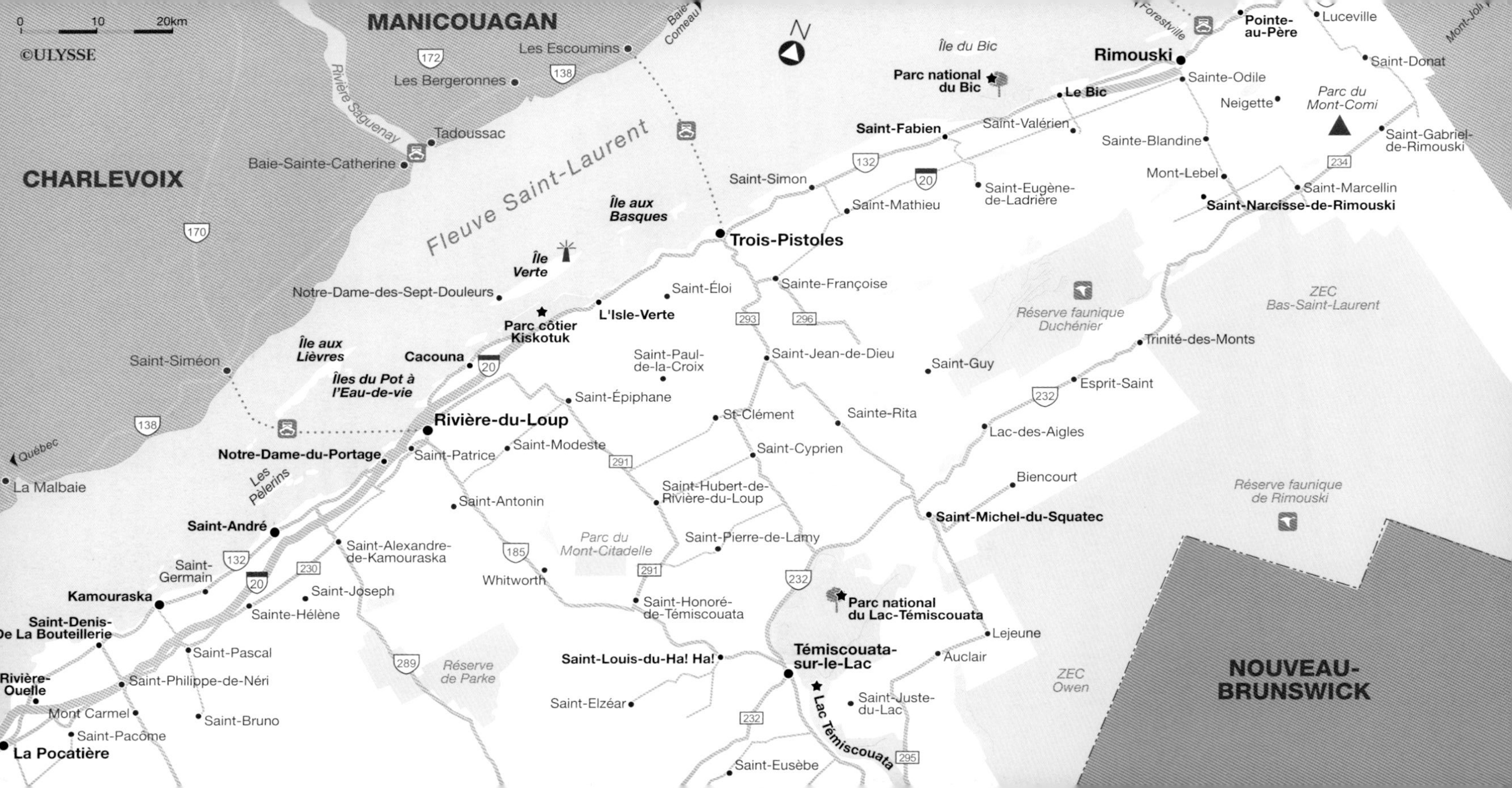

0 10 20km
©ULYSSE
MANICOUAGAN
CHARLEVOIX
Les Escoumins
Baie-Comeau
Les Bergeronnes
Rivière Saguenay
Tadoussac
Baie-Sainte-Catherine
Fleuve Saint-Laurent
Île aux Basques
Île Verte
Notre-Dame-des-Sept-Douleurs
Parc côtier Kiskotuk
L'Isle-Verte
Île aux Lièvres
Îles du Pot à l'Eau-de-vie
Cacouna
Saint-Siméon
Rivière-du-Loup
Notre-Dame-du-Portage
Les Pèlerins
Québec
La Malbaie
Saint-André
Saint-Germain
Kamouraska
Saint-Denis-De La Bouteillerie
Rivière-Ouelle
Mont Carmel
Saint-Pacôme
La Pocatière
Saint-Pascal
Saint-Philippe-de-Néri
Saint-Bruno
Sainte-Hélène
Saint-Joseph
Saint-Alexandre-de-Kamouraska
Saint-Patrice
Saint-Modeste
Saint-Antonin
Whitworth
Réserve de Parke
Parc du Mont-Citadelle
Saint-Épiphane
Saint-Paul-de-la-Croix
Saint-Éloi
Trois-Pistoles
Saint-Simon
Saint-Mathieu
Sainte-Françoise
Saint-Jean-de-Dieu
St-Clément
Saint-Cyprien
Saint-Hubert-de-Rivière-du-Loup
Saint-Pierre-de-Lamy
Saint-Honoré-de-Témiscouata
Saint-Louis-du-Ha! Ha!
Saint-Elzéar
Témiscouata-sur-le-Lac
Lac Témiscouata
Saint-Eusèbe
Saint-Juste-du-Lac
Auclair
Lejeune
Parc national du Lac-Témiscouata
Sainte-Rita
Saint-Guy
Saint-Michel-du-Squatec
Biencourt
Lac-des-Aigles
Esprit-Saint
Trinité-des-Monts
Réserve faunique Duchénier
ZEC Bas-Saint-Laurent
Réserve faunique de Rimouski
ZEC Owen
NOUVEAU-BRUNSWICK
Saint-Fabien
Saint-Valérien
Saint-Eugène-de-Ladrière
Parc national du Bic
Île du Bic
Le Bic
Rimouski
Forestville
Pointe-au-Père
Luceville
Sainte-Odile
Neigette
Sainte-Blandine
Mont-Lebel
Saint-Narcisse-de-Rimouski
Saint-Marcellin
Parc du Mont-Comi
Saint-Donat
Saint-Gabriel-de-Rimouski
Mont-Joli
172
138
170
132
20
230
185
289
291
293
296
232
234
295

La Pocatière

Le **Musée François-Pilote** ★ porte le nom du fondateur de l'École d'agriculture de La Pocatière. On y présente, dans l'ancien couvent des sœurs de la Sainte-Famille, différentes collections thématiques qui racontent la vie rurale au Québec au tournant du XXe siècle.

Rivière-Ouelle

L'**église de Notre-Dame-de-Liesse** ★ fut reconstruite entre 1877 et 1880 sur les fondations de celle édifiée en 1792. L'intérieur recèle quelques trésors dont le maître-autel importé de France (1716) et sept tableaux de Louis Dulongpré.

Saint-Denis-De La Bouteillerie

Au cœur du pays de Kamouraska, Saint-Denis est un bourg typique, dominé par son église. En face de celle-ci se dresse le monument à l'abbé Édouard Quertier (1796-1872), fondateur de la «Croix noire de la Tempérance», qui fit campagne contre l'alcoolisme. À chaque personne qui s'engageait à ne plus boire d'alcool, il remettait solennellement une croix noire...

La **maison Chapais** ★ est nommé d'après Jean-Charles Chapais. Il a fait agrandir en 1866 cette maison qui date de 1833 afin de lui donner une prestance équivalente à sa prestigieuse carrière politique. L'intérieur a conservé son apparence d'origine. De magnifiques jardins entourent la propriété.

Kamouraska ★★

Le 31 janvier 1839, le jeune seigneur de Kamouraska, Achille Taché, est assassiné par un «ami», le docteur Holmes de Sorel. L'épouse du seigneur, Joséphine-Éléonore d'Estimauville, avait comploté avec son amant médecin afin de supprimer un mari devenu gênant, pour ensuite s'enfuir vers de lointaines contrées. Ce fait divers a inspiré Anne Hébert pour son roman *Kamouraska*, porté à l'écran par Claude Jutra.

Large de plusieurs mètres, la **plage de Kamouraska** ★ s'étend près du quai. Il fait bon y flâner et s'y tremper les pieds. À marée basse, on peut même marcher très loin avant d'atteindre l'eau, et ainsi profiter d'une superbe vue sur les îles situées au large.

La pêche à l'anguille représentait autrefois une activité économique importante dans la région, jusqu'à ce que la population d'anguilles baisse dramatiquement au cours des dernières décennies. Aujourd'hui, la pêche est plutôt artisanale. Une visite au **Site d'interprétation de l'anguille** ★ permet d'en apprendre davantage sur le sujet.

Saint-André ★

La **Société d'écologie de la batture du Kamouraska (SEBKA)** explique l'importance des battures filtrant l'eau du fleuve, servant ainsi d'habitat à de nombreuses espèces d'oiseaux ainsi qu'à plusieurs invertébrés. Vous pouvez parcourir le site, y pique-niquer ou tout simplement observer les marais salés de même que la faune et la flore locales.

Notre-Dame-du-Portage ★

Notre-Dame-du-Portage, un village charmant et paisible, est agréable pour la promenade. Fait intéressant: les Portageois ont l'habitude de nommer leurs maisons et d'en inscrire le nom sur la devanture.

▲ Kamouraska. © Thierry Ducharme

▲ Les îles du Pot à l'Eau-de-Vie. © Michel Julien

Prenez le temps de lire les *J. Prengou* et autres sobriquets originaux.

Rivière-du-Loup

Le **Manoir Fraser** ★, construit en 1829, est devenu la résidence seigneuriale de la famille Fraser à partir de 1834. Restauré dans les années 1990, le manoir propose aujourd'hui des visites commentées, une boutique, un salon de thé et de beaux jardins.

Le **Musée du Bas-Saint-Laurent** ★ présente des expositions qui mettent en valeur la photographie ethnographique et l'art moderne tout en favorisant les artistes de la région.

Le **parc des Chutes** ★ dispose d'un belvédère qui offre une vue superbe sur la ville, le fleuve et les îles, ainsi que de passerelles au-dessus des spectaculaires chutes qui alimentaient autrefois Rivière-du-Loup en électricité.

La **Station exploratoire du Saint-Laurent** ★ propose des visites guidées, des activités d'interprétation, un bassin tactile et des expositions permanentes qui permettent de découvrir les espèces marines du Saint-Laurent.

L'île aux Lièvres et les îles du Pot à l'Eau-de-Vie ★★★

Situés dans le fleuve Saint-Laurent en face de Rivière-du-Loup, l'île aux Lièvres et l'archipel des îles du Pot à l'Eau-de-Vie profitent sans doute de l'une des plus belles initiatives touristiques du Bas-Saint-Laurent. Depuis 1989, la **Société Duvetnor** permet au public de profiter de ces paysages et de ces écosystèmes magnifiques.

Cacouna ★

Les villas réparties sur toute la longueur de Cacouna rappellent l'âge d'or de la villégiature victorienne au Québec, alors que le village était l'une des destinations estivales favorites de l'élite montréalaise. Même si les grands hôtels du XIXe siècle ont disparu, Cacouna n'en conserve pas moins sa vocation récréotouristique.

Le **parc côtier Kiskotuk** ★ longe le littoral entre Cacouna et L'Isle-Verte et offre 10 km de sentiers de randonnée. Le premier secteur du parc correspond au **Site ornithologique du marais de Gros-Cacouna**, un endroit idéal pour l'observation de la faune ailée.

L'Isle-Verte ★

Ce village a conservé plusieurs témoins de son passé glorieux, alors qu'il était un centre de services important pour le Bas-Saint-Laurent.

En face du village apparaît l'**île Verte** ★★, la seule île du Bas-Saint-Laurent habitée toute l'année. Baptisée par Jacques Cartier en 1535, elle fut abordée très tôt, d'abord par les pêcheurs basques, puis par les missionnaires français, qui fraternisèrent avec les Malécites, lesquels s'y rendaient chaque année pour commercer et pêcher.

Construit entre 1806 et 1809, le **phare de l'île Verte**, situé sur la pointe est de l'île, est le plus vieux phare du fleuve Saint-Laurent. Les maisons du gardien et de l'assistant-gardien ont été converties en auberge.

Trois-Pistoles

On raconte qu'un marin français, de passage dans la région au XVIIe siècle, échappa son gobelet d'argent, d'une valeur de trois pistoles (la monnaie de l'époque), dans la rivière toute proche, donnant du coup un nom très pittoresque à celle-ci et, plus tard, à cette petite ville industrielle du Bas-Saint-Laurent.

▲ Le parc national du Bic. © Michel Julien

La taille et l'opulence de l'**église Notre-Dame-des-Neiges** ★★, coiffée de trois clochers recouverts de tôle argentée, sont plutôt impressionnantes pour une église paroissiale.

Des excursions à l'**île aux Basques** ★★ sont proposées aux amateurs de faune ailée et aux fervents d'archéologie, puisqu'on a découvert les installations des pêcheurs basques qui venaient ici chaque année pour la chasse à la baleine

bien avant que Jacques Cartier n'y mette les pieds.

Saint-Fabien ★★

Dans le village de Saint-Fabien, on peut visiter le **Musée de la grange octogonale Adolphe-Gagnon**. La grange a été construite en 1888 et le musée porte le nom de son constructeur et premier propriétaire. Ce type de bâtiment de ferme importé des États-Unis, relativement peu pratique quoique original, n'a connu qu'une diffusion limitée au Québec. Sur quatre étages, on y présente l'histoire de l'agriculture dans l'est du Québec.

Le Bic

Le **parc national du Bic** ★★★ se compose d'un enchevêtrement d'anses, de presqu'îles, de promontoires, de collines, d'escarpements et de marais, ainsi que de baies profondes dissimulant une faune et une flore des plus diversifiées. Il ne faut pas manquer le **belvédère du pic Champlain** ★★, qui offre une vue des plus spectaculaires sur toute la baie du Bic.

▲ Le Site historique maritime de la Pointe-au-Père. © Michel Julien

Rimouski ★

Le **Musée régional de Rimouski** ★ présente des expositions d'art contemporain, d'ethnologie et de sciences dans l'ancienne église Saint-Germain. On y organise aussi des concerts et des ateliers d'art.

La **Maison Lamontagne** ★ est l'une des seules constructions du Régime français à l'est de Kamouraska et un rare exemple d'architecture en colombage pierroté au Canada. S'y trouve un centre d'interprétation de l'architecture domestique du Québec.

Saint-Narcisse-de-Rimouski ★

Visiter le **Canyon des Portes de l'Enfer** ★★ permet de découvrir un panorama étonnant! Le site comporte plus de 14 km de sentiers pédestres interprétatifs permettant de cheminer tranquillement jusqu'en haut d'une falaise qui atteint près de 90 m. Une passerelle haute de 63 m, la plus élevée du Québec, fait aussi partie de la randonnée.

Pointe-au-Père

Aujourd'hui fusionnée à Rimouski, la municipalité de Pointe-au-Père abrite le **Site historique maritime de la Pointe-au-Père** ★★★, qui comprend le **Musée *Empress of Ireland***, le **sous-marin *Onondaga*** et le **Lieu historique national du Phare-de-Pointe-au-Père**. Le Musée *Empress of Ireland* possède une belle collection d'objets récupérés dans l'épave de l'*Empress of Ireland* et raconte l'histoire du navire et la tragédie de manière détaillée. Le phare, situé à proximité, peut être visité. Quant à l'*Onondaga*, il donne l'occasion de visiter le seul sous-marin accessible au public au Canada. Les plus curieux pourront même passer une nuit à bord et expérimenter la vie de sous-marinier.

Le naufrage de l'*Empress of Ireland*

Dans la nuit du 28 au 29 mai 1914, plus d'un millier de personnes périrent au milieu du fleuve Saint-Laurent, face à Pointe-au-Père, dans le naufrage du paquebot *Empress of Ireland* de la Canadian Pacific, qui assurait la liaison entre la ville de Québec et Liverpool, en Angleterre. La présence de brumes épaisses, qui recouvrent parfois le fleuve encore aujourd'hui, provoqua la collision fatale entre le paquebot et un charbonnier. Sur la vieille route en bord de mer dans le village se trouve le monument à l'*Empress of Ireland*, qui marque le lieu de sépulture de quelques-unes des nombreuses victimes.

Sainte-Luce

La petite station balnéaire de Sainte-Luce abrite l'agréable **promenade de l'Anse-aux-Coques** ⋆. Cette promenade en planches, ponctuée de sculptures, permet de déambuler le long du fleuve et donne accès à la **plage de l'Anse-aux-Coques** ⋆, l'une des plus belles plages du Bas-Saint-Laurent, idéale pour la baignade.

L'**église de Sainte-Luce** ⋆, édifiée en 1840, a été dotée en 1914 d'une nouvelle façade, à l'éclectisme surchargé. On remarque les belles verrières ajoutées en 1917.

Le Témiscouata ⋆

L'industrie forestière règne en maître dans le Témiscouata, cet arrière-pays du Bas-Saint-Laurent situé au nord de la frontière américaine. Cette région de collines boisées et de lacs est prisée par les amateurs de plein air.

Saint-Louis-du-Ha! Ha!

Nom d'origine amérindienne, Ha! Ha! signifie «quelque chose d'inattendu». Ce terme est tout à fait à propos, lorsque, du sommet du mont Aster, on découvre soudainement le lac Témiscouata dans le lointain.

La station scientifique **Aster** ⋆⋆ propose une exposition portant sur l'astronomie dont le contenu est vulgarisé. Grâce à une lunette solaire située sur le toit, on peut y observer notre étoile, le Soleil, et ses éruptions de gaz.

Témiscouata-sur-le-Lac ⋆

La ville occupe un très beau site en bordure du magnifique **lac Témiscouata** ⋆⋆, entouré de collines et de rivières.

Le **Fort Ingall** ⋆⋆ faisait partie du système de dissuasion mis en place par les Britanniques. Il n'a jamais connu la guerre et sera abandonné graduellement, pour ensuite sombrer dans l'oubli. Ce n'est qu'en 1973 que l'on entreprend de reconstituer 6 des 11 bâtiments à partir des vestiges archéologiques. L'ensemble, ouvert au public, est entouré d'une palissade de bois et de terre.

Saint-Michel-du-Squatec

C'est par la petite localité de Saint-Michel-du-Squatec qu'on accède au **parc national du Lac-Témiscouata** ⋆⋆. Le parc borde le lac Témiscouata et propose de nombreuses activités de plein air (canot, kayak, pêche, randonnée pédestre) et d'interprétation de la faune, de la flore et de l'archéologie.

La Gaspésie

Terre mythique à l'extrémité est du Québec, la **Gaspésie** ★★ fait partie des rêves de ceux qui caressent, souvent longtemps à l'avance, le projet d'en faire enfin le « tour » : de traverser les splendides paysages côtiers, là où les monts Chic-Chocs plongent abruptement dans les eaux froides du fleuve Saint-Laurent; de visiter l'extraordinaire parc national Forillon; de se rendre, bien sûr, jusqu'au fameux rocher Percé; de prendre le large pour l'île Bonaventure; enfin, de lentement revenir en longeant la tranquille baie des Chaleurs et en sillonnant l'arrière-pays par la vallée de la Matapédia.

Dans ce beau « coin » du Québec, aux paysages si pittoresques, des gens fascinants et accueillants tirent encore leur subsistance, en grande partie, des produits de la mer. La grande majorité des Gaspésiens habitent de petits villages côtiers, laissant le centre de la péninsule recouvert d'une riche forêt boréale.

Gaspé, mot d'origine amérindienne, est « le bout du monde » pour les Micmacs qui habitent ces terres depuis des millénaires. Malgré son isolement, la péninsule a su attirer au cours des siècles des pêcheurs de maintes origines, que ce soit anglaise, écossaise, acadienne ou jersiaise. On y retrouve maintenant une population à forte majorité de langue française.

MANICOUAGAN
138
Godbout
Baie-Comeau
Fleuve Saint-Laurent
Ruisseau-à-Rebours
Rivière-à-Claude
L'Anse-Pleureuse
Gros-Morne
Manche-d'Épée
Rivière-Madeleine
Grande-Vallée
Petite-Vallée
Pointe-à-la-Frégate
Cloridorme
Pointe-Jaune
Saint-Maurice-de-l'Échouerie
Rivière-au-Renard
L'Anse-au-Griffon
Jersey Cove
Parc national Forillon
Cap-Aux-Os
Cap-des-Rosiers
Gaspé
Baie de Gaspé
Douglastown
Saint-Georges-de-Malbaie
Coin-du-Banc
Parc national de l'Île-Bonaventure-et-du-Rocher-Percé
Percé
L'Anse-à-Beaufils
Grande-Rivière
Cap-d'Espoir
Pabos
Chandler
Pabos Mills
Newport
Port-Daniel–Gascons
Saint-Elzéar
Paspébiac
New Carlisle
Bonaventure
Saint-Siméon
Caplan
New Richmond
Cascapédia
Maria
Carleton-sur-Mer
Saint-Omer
Miguasha
Nouvelle
Parc national de Miguasha
Pointe-à-la-Garde
Pointe-à-la-Croix
Restigouche
Saint-André-de-Restigouche
Matapédia
Baie des Chaleurs
NOUVEAU-BRUNSWICK
Marsoui
La Martre
Cap-au-Renard
Mont-Saint-Pierre
Tourelle
Sainte-Anne-des-Monts
Cap-Chat
Capucins
Les Méchins
Grosses-Roches
Sainte-Félicité
Matane
Saint-Ulric
Baie-des-Sables
Métis-sur-Mer
Grand-Métis
Sainte-Flavie
Mont-Joli
Saint-Damase
Saint-Moïse
Sayabec
Sainte-Angèle-de-Mérici
Saint-Cléophas
Val-Brillant
Lac Matapédia
Amqui
Lac-au-Saumon
Rivière Matapédia
Causapscal
Sainte-Florence
Saint-Zénon-du-Lac-Humqui
Lac Humqui
Lac Inférieur
Routhierville
BAS-SAINT-LAURENT
Murdochville
Parc national de la Gaspésie
Réserve faunique des Chic-Chocs
Réserve faunique de Matane
Réserve faunique de Baldwin
Réserve faunique de Dunière
ZEC Casault
Rivière Cascapédia
Réserve faunique de Port-Daniel
132
195
197
198
297
299
N
0
20
40km
©ULYSSE

La péninsule ★★

Sainte-Flavie

Surnommé «la porte d'entrée de la Gaspésie», le village de Sainte-Flavie a été fondé en 1829. On y trouve des boutiques d'artisanat et plusieurs lieux d'hébergement avec vue sur l'estuaire du Saint-Laurent.

Le **Centre d'Art Marcel Gagnon** ★ comprend à la fois une boutique d'artisanat, un centre d'exposition, un restaurant et une auberge. À l'arrière, une œuvre de Marcel Gagnon intitulée *Le grand rassemblement*, composée d'une centaine de personnages de béton émergeant du fleuve Saint-Laurent, surprend le visiteur.

Grand-Métis ★

Les **Jardins de Métis** ★★★ font partie des plus beaux jardins du Québec et sont reconnus internationalement. Les jardins sont divisés en plusieurs ensembles ornementaux distincts que l'on parcourt à son gré.

Au milieu des Jardins de Métis se dresse la **Villa Estevan** ★★, ancienne demeure magnifiquement restaurée d'Elsie et Robert Reford, horticulteurs, photographes et pêcheurs passionnés. Elle abrite un excellent restaurant.

Métis-sur-Mer ★

Métis-sur-Mer, ancien centre de villégiature d'aristocrates anglophones, était, au tournant du XXe siècle, le lieu de prédilection des professeurs de l'Université McGill

▼ Le parc national de la Gaspésie. © Dreamstime.com/Gbouchar

de Montréal qui louaient d'élégants cottages en bord de mer pour la durée des vacances estivales. Par sa cohésion et la qualité de son architecture de bois, cette ville, aussi connue sous le nom de «Metis Beach», a conservé son charme d'antan et se démarque des villages environnants.

Cap-Chat

Cap-Chat, en raison de sa situation géographique idéale, sert de site à diverses installations d'éoliennes depuis plusieurs années. Vous ne pourrez d'ailleurs manquer d'observer, depuis la route, ce spectacle un peu surnaturel!

Le centre d'interprétation, de recherche et de développement de l'énergie éolienne **Éole Cap-Chat** comprend une éolienne de 110 m de haut, **Éole** ★, la plus haute éolienne à axe vertical au monde, ainsi que le **Nordais**, le premier parc d'éoliennes de l'Est canadien. On peut grimper dans la tour de l'Éole jusqu'à une hauteur de 100 m pour profiter d'une vue à couper le souffle.

Sainte-Anne-des-Monts ★

Couvrant 802 km² et abritant une partie des célèbres monts Chic-Chocs, le **parc national de la Gaspésie** ★★★ est situé au sud de Sainte-Anne-des-Monts par la route 299. Il est constitué de zones de préservation réservées à la protection des éléments naturels de la région et de la zone d'ambiance, formée d'un réseau de routes, de sentiers ainsi que de lieux d'hébergement. C'est le seul endroit au Québec où se trouvent à la fois des cerfs de Virginie, des orignaux et des caribous.

La route de La Martre à L'Anse-Pleureuse ★★★

Au-delà de La Martre, la côte gaspésienne devient beaucoup plus accidentée et abrupte. Vous aurez droit alors à un magnifique spectacle qui dévoile la Gaspésie dans toute sa splendeur, culminant avec les falaises du parc national Forillon. À plusieurs endroits, la route longe directement la mer, dont les vagues viennent lécher l'asphalte par «gros temps». C'est une route à parcourir au coucher du soleil, alors que la lumière illumine l'eau et se reflète sur les montagnes.

Murdochville

Murdochville fut créée en 1951 alors que la Gaspé Mines décide d'exploiter les importants gisements de cuivre de cette région isolée. Malheureusement, en 2002, la mine a fermé ses portes et l'exploitation du minerai de cuivre a cessé.

Cependant, on peut visiter le **Centre d'interprétation du cuivre de Murdochville** ★★ pour en apprendre plus sur la vie des mineurs ainsi que sur l'histoire et les méthodes de l'extraction du cuivre.

Les visites guidées du site de l'ancienne mine, agrémentées de plusieurs explications, ainsi que la visite de l'exposition, demeurent des expériences très enrichissantes.

L'Anse-au-Griffon ★

Le **Manoir Le Boutillier** ★ fut construit en 1850 afin de servir de résidence et de bureau aux gérants de l'entreprise de Le Boutillier, qui employa jusqu'à 2 500 personnes dans la région en 1860. Des guides en costumes d'époque font visiter le manoir qui évoque la vie des marchands originaires de l'île de Jersey durant les années 1850-1860.

Cap-des-Rosiers ★★

Occupant un site admirable, Cap-des-Rosiers a été le théâtre de nombreux naufrages. Deux monuments rappellent un naufrage particulier, celui du voilier *Carrik* (1847), au cours duquel 87 des quelque 170 immigrants irlandais qui prenaient place à bord périrent; ils furent enterrés au cimetière local. La plupart des autres s'établirent à Cap-des-Rosiers, donnant une couleur nouvelle et inattendue à cette communauté.

Le thème du **parc national Forillon** ★★★ est «l'harmonie entre l'homme, la terre et la mer». La succession de forêts et de montagnes, sillonnées de sentiers et bordées de falaises le long du littoral, fait rêver plus d'un amateur de plein air. Plus de 225 espèces d'oiseaux y sont répertoriées, notamment le goéland argenté, le cormoran, le grand pic, l'alouette et le fou de Bassan. À partir des sentiers du littoral, on peut apercevoir, selon les saisons, des baleines et des phoques.

Gaspé ★

C'est ici que, le 24 juillet 1534, Jacques Cartier prend possession du Canada au nom du roi de France, François Ier. Il faut cependant attendre le début du XVIIIe siècle avant que ne soit implanté le premier poste de pêche à Gaspé, et la fin du même siècle pour voir apparaître un véritable village à cet endroit.

Le **Site d'interprétation micmac de Gespeg** ★ retrace les origines et les différents outils et habitats de la nation micmaque. Un petit musée se trouve sur place, mais ce qui retient surtout l'attention est le site extérieur, beaucoup plus intéressant, car il permet d'être témoin du savoir-faire des Autochtones dans la fabrication des différents outils de piégeage d'animaux et de préparation de la nourriture, et de voir aussi de véritables huttes amérindiennes (Wigwams).

Le **Musée de la Gaspésie** ★★ fut construit en 1977 sur la pointe Jacques-Cartier. Il présente une exposition permanente sur l'histoire gaspésienne, intitulée *Gaspésie... Le grand voyage*. L'architecture du bâtiment permet d'admirer la baie

La croix de Gaspé

Sur le site historique de la Pointe O'Hara, l'endroit où la ville de Gaspé est née, on retrouve la croix de Gaspé qui commémore l'arrivée de Jacques Cartier au Canada. Ce navigateur breton, maître pilote du roi de France, a quitté Saint-Malo le 20 avril 1534 avec deux navires et 61 hommes. Lorsqu'il débarqua à Gaspé, où l'attendaient 200 Amérindiens désireux de faire commerce avec les Européens, Cartier fit planter une croix de bois que rappelle cette croix faite d'un seul morceau de granit.

de Gaspé grâce à une immense fenêtre panoramique.

Le superbe **monument à Jacques Cartier** ★ qui avoisine le musée est une œuvre de la famille Bourgault de Saint-Jean-Port-Joli. Sur les six stèles en bronze sont inscrits des textes relatant l'arrivée de Cartier, la prise de possession du Canada et la première rencontre avec les Amérindiens.

La **maison William Wakeham** ★, cette ancienne demeure construite vers 1880 pour le docteur William Wakeham, célèbre explorateur de l'Arctique, est l'une des rares maisons en pierre du XIXe siècle de la Gaspésie. Elle abrite maintenant une splendide auberge.

Percé ★★

En arrivant à Percé, l'œil est attiré par le célèbre **rocher Percé** ★★★, véritable

▼ Le parc national Forillon. © iStockphoto.com/Vladone

▲ Le parc national de l'Île-Bonaventure-et-du-Rocher-Percé. © iStockphoto.com/JHVEPhoto

muraille longue de plus de 400 m et haute de 85 m à sa pointe extrême. Le rocher fait aujourd'hui partie du parc national de l'Île-Bonaventure-et-du-Rocher-Percé (voir plus loin).

Le **Musée le Chafaud** ⋆ est aménagé dans la plus grande des structures formant les installations de l'ancienne entreprise Charles Robin. Le «chafaud» était un bâtiment dans lequel on transformait et entreposait le poisson. Il présente de nos jours une exposition sur le patrimoine local de même que diverses activités liées aux arts visuels et des expositions d'œuvres contemporaines.

Partie intégrante du **parc national de l'Île-Bonaventure-et-du-Rocher-Percé** ⋆⋆⋆, l'**île Bonaventure** abrite d'importantes colonies d'oiseaux et est ponctuée de maisons rustiques le long de ses nombreux sentiers de randonnée.

L'Anse-à-Beaufils ⋆⋆

Le **Magasin Général Historique Authentique 1928** ⋆⋆⋆ propose une splendide incursion dans l'univers d'un magasin général des années 1920 au Québec.

La Vieille Usine de L'Anse-à-Beaufils ⋆ est un charmant lieu pluridisciplinaire qui comprend un café-bistro, une galerie-boutique, une salle de spectacle et un studio d'enregistrement.

Port-Daniel–Gascons ⋆

Sur un territoire de 52 km², la **réserve faunique de Port-Daniel** ⋆ abrite une faune et une flore particulièrement riches. L'endroit est d'ailleurs prisé par les chasseurs et les pêcheurs. Les deux sentiers de randonnée pédestre de la réserve offrent de très belles vues.

La baie des Chaleurs et la Matapédia ⋆⋆

Comme son nom l'indique, la baie des Chaleurs compte plusieurs plages de sable caressées par une eau calme et chaude. Elle pénètre profondément à l'intérieur des terres, séparant le Nouveau-Brunswick, au sud, du Québec, au nord.

Pour ce qui est de la Matapédia, cette longue et étroite vallée parsemée de petits villages dépend essentiellement

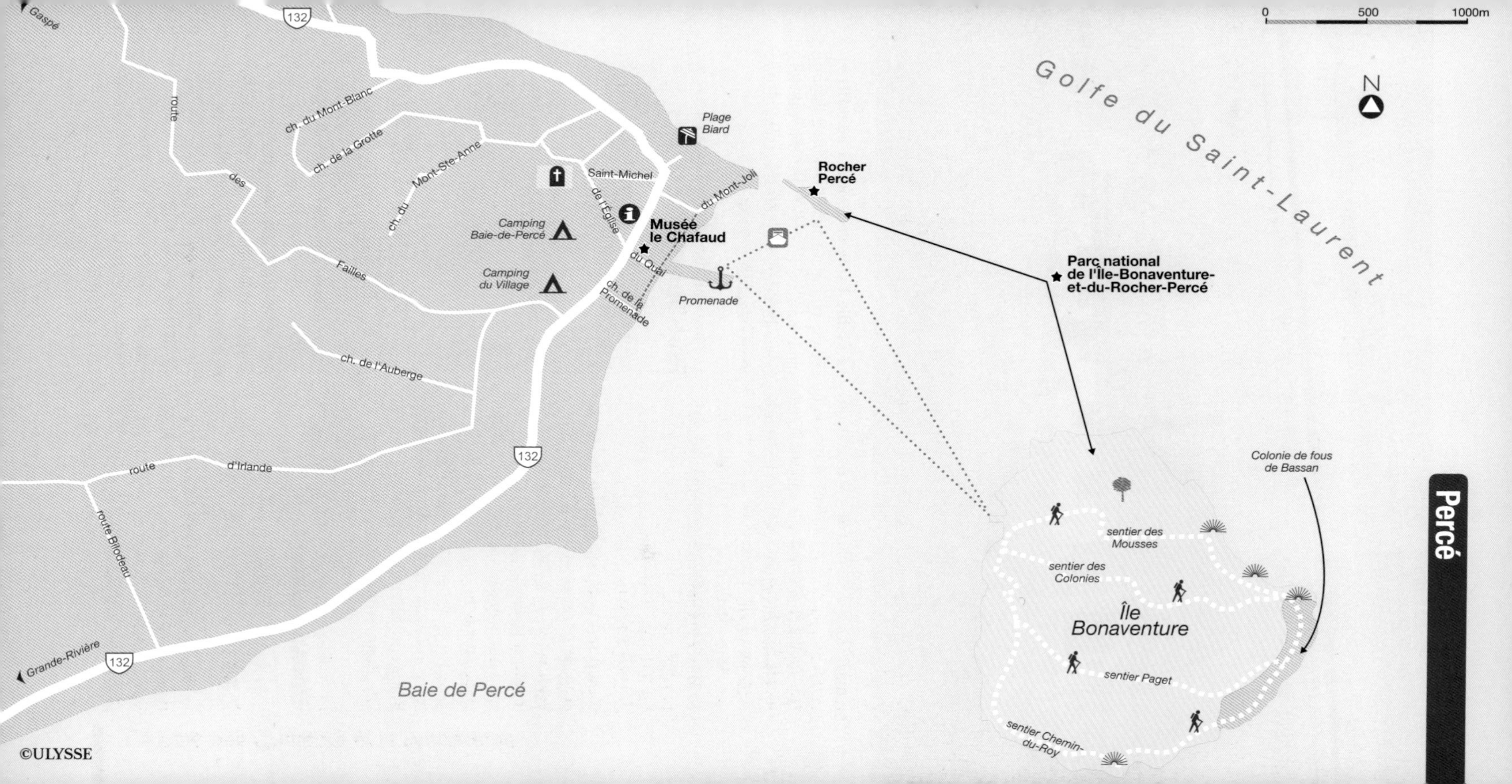

Percé
0
500
1000m
N
Golfe du Saint-Laurent
Gaspé
132
route
des
ch. du Mont-Blanc
ch. de la Grotte
ch. du Mont-Ste-Anne
Failles
Saint-Michel
de l'Église
Camping Baie-de-Percé
Camping du Village
Plage Biard
Musée le Chafaud
du Mont-Joli
du Quai
ch. de la Promenade
Promenade
Rocher Percé
Parc national de l'Île-Bonaventure-et-du-Rocher-Percé
ch. de l'Auberge
route
d'Irlande
route Bilodeau
Grande-Rivière
Baie de Percé
Colonie de fous de Bassan
sentier des Mousses
sentier des Colonies
Île Bonaventure
sentier Paget
sentier Chemin-du-Roy
©ULYSSE

▲ Le Site historique du Banc-de-Pêche-de-Paspébiac. © Dreamstime.com/Meunierd

de l'industrie forestière. Ses belles forêts et ses nombreux lacs et rivières sont le royaume de la chasse et de la pêche. Les amateurs de plein air et d'ornithologie apprécieront particulièrement cette vallée.

Paspébiac

Le **Site historique du Banc-de-Pêche-de-Paspébiac** ⋆⋆ est installé sur la langue de sable et de gravier où s'est développé une véritable industrie de la pêche. En 1964, un incendie détruisit la majeure partie des quelque 70 bâtiments des entreprises Robin et Le Boutillier. Seuls 11 bâtiments sont parvenus jusqu'à nous; ils ont été soigneusement restaurés et sont ouverts au public.

Bonaventure ⋆⋆

Des Acadiens réfugiés à l'embouchure de la rivière Bonaventure ont fondé le village du même nom à la suite de la victoire des Britanniques lors de la bataille de la Ristigouche en 1760. Aujourd'hui, Bonaventure est l'un des bastions de la culture acadienne dans la région de la baie des Chaleurs, en plus d'accueillir une petite station balnéaire qui bénéficie à la fois d'une **plage** sablonneuse et d'un port en eaux profondes.

Le **Musée acadien du Québec** ⋆ retrace le périple des Acadiens du Québec et d'ailleurs en Amérique par une collection de meubles du XVIIIe siècle, de toiles et de photographies d'époque.

Le **Bioparc de la Gaspésie** ⋆ est un lieu idéal à visiter en famille. Sur un parcours d'environ 1 km, on a recréé le milieu naturel des animaux qui vivent en Gaspésie.

Saint-Elzéar

La **grotte de Saint-Elzéar** vous fera découvrir quelque 230 000 années d'histoire gaspésienne. À travers ce voyage spéléologique et géomorphologique, vous aurez l'occasion de visiter les deux plus grandes salles souterraines du Québec.

La **Ferme Bos G.** ⋆ propose des visites guidées qui permettent de démystifier ce «bœuf qui grogne», le yack. Les propriétaires ouvrent aussi leur cuisine à ceux qui voudraient goûter leurs produits, et on peut également acheter des produits de la ferme sur place. Une activité qui vaut le détour!

New Richmond ⋆

Les bâtiments restaurés du **Village Gaspésien de l'Héritage Britannique** ⋆ accueillent des expositions thématiques portant sur le développement industriel de la région et les différents arrivants anglophones en Gaspésie.

Donnant sur la baie des Chaleurs, le **parc de la Pointe-Taylor** ⋆ compte entre autres un agréable sentier asphalté de 1,5 km, des aires de jeux et de pique-nique et un service de location de canots et de kayaks. À ne pas manquer: les Jardins sur la baie.

Cascapédia

Le **Musée de la rivière Cascapédia** ⋆ révèle des pans d'histoire de la pêche dans l'une des meilleures rivières à saumon au monde.

Carleton-sur-Mer ⋆

Tout comme Bonaventure, Carleton-sur-Mer est un important centre de la culture acadienne au Québec, de même qu'une station balnéaire dotée d'une belle **plage** de sable caressée par des eaux calmes relativement plus chaudes qu'ailleurs en Gaspésie. Les montagnes qui s'élèvent derrière la ville contribuent à lui donner un cachet particulier. Carleton a été fondée dès 1756 par des réfugiés acadiens auxquels se sont joints des déportés de retour d'exil. Connue à l'origine sous le nom de «Tracadièche», la petite ville a été rebaptisée au XIXe siècle par l'élite d'origine britannique en l'honneur de Sir Guy Carleton, troisième gouverneur du Canada.

Nouvelle

Plus petit parc du réseau de Parcs Québec avec moins de 1 km^2 de superficie, le **parc national de Miguasha** ⋆⋆⋆ offre une chance unique au Québec de découvrir le monde fascinant de la paléontologie et d'admirer des fossiles vieux de 380 millions d'années.

Pointe-à-la-Croix

Le 10 avril 1760, une flotte française quitte Bordeaux à destination du Canada afin de libérer la Nouvelle-France, tombée aux mains des Anglais. Seuls trois navires parviennent dans la baie des Chaleurs, les autres ayant été victimes des canons anglais à la sortie de la Gironde. Ce sont *Le Machault*, *Le Bienfaisant* et *Le Marquis-de-Malauze*, des vaisseaux de 350 tonneaux en moyenne. Peine perdue, les troupes anglaises rejoignent les Français dans la baie des Chaleurs à l'embouchure de la rivière Ristigouche. La bataille s'engage. Les Anglais, beaucoup plus nombreux, déciment la flotille française en quelques heures...

Le **Lieu historique national de la Bataille-de-la-Ristigouche** ⋆ présente plusieurs objets repris aux épaves de même que quelques morceaux de la frégate *Le Machault*. Une intéressante reconstitution audiovisuelle donne une idée des différentes étapes de l'affrontement.

Causapscal ⋆

Jadis un luxueux club de pêche au saumon, le **Site historique Matamajaw** ⋆ comprend entre autres une boutique d'art et d'artisanat local, un salon de thé, une neigière, une remise à canot où sont présentées des expositions thématiques ainsi qu'un bassin à saumons permettant l'observation des poissons.

La **Maison Dr Joseph-Frenette** ⋆ permet de voir les archives personnelles de Joseph Frenette, de découvrir sa passion pour l'écriture et de comprendre la profession de médecin de campagne au début du XXe siècle.

Les Îles de la Madeleine

Émergeant du golfe du Saint-Laurent à plus de 200 km des côtes de la péninsule gaspésienne, les **Îles de la Madeleine** ★★ séduisent. Balayées par les vents du large, elles deviennent une destination coup de cœur pour tous les voyageurs qui les découvrent.

Ici, le blond des dunes et des longues plages sauvages se marie au rouge des falaises de grès et au bleu de la mer. Quelques jolies bourgades, aux maisons souvent peintes de vives couleurs, caractérisent le paysage madelinot. D'ailleurs, les pittoresques maisons des îles ont une histoire semblable à celle de leurs occupants: elles se sont éparpillées au hasard du paysage comme les braves Acadiens d'autrefois qui ont choisi l'archipel comme terre d'exil à la suite du Grand Dérangement de 1755.

Les Îles de la Madeleine constituent un archipel en forme d'hameçon d'environ 65 km de longueur, composé d'une douzaine d'îles. Sept d'entre elles sont habitées: l'île de la Grande Entrée, la Grosse Île, l'île aux Loups, l'île du Havre aux Maisons, l'île du Cap aux Meules, l'île du Havre Aubert et l'île d'Entrée. Parmi celles-ci, seule l'île d'Entrée, où vivent quelques familles anglophones d'origine écossaise ou irlandaise, n'est pas reliée par voie terrestre au reste de l'archipel.

En grande majorité francophones, les Madelinots et Madeliniennes, depuis toujours tournés vers la mer, vivent principalement de la pêche et de l'industrie touristique.

On ne repart pas des Îles indifférent. On y revient!

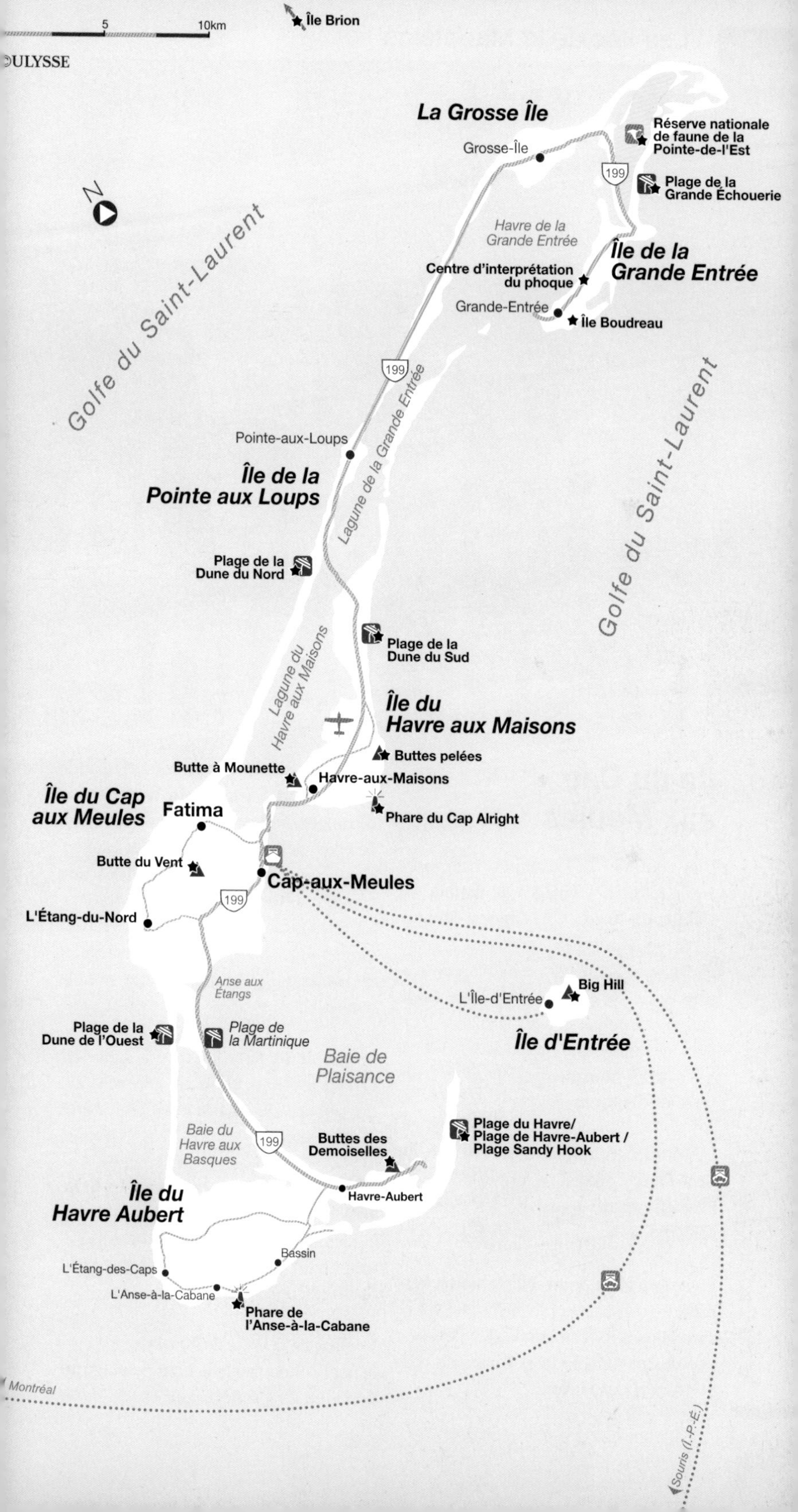

5
10km
Île Brion
©ULYSSE
N
La Grosse Île
Grosse-Île
Réserve nationale de faune de la Pointe-de-l'Est
199
Plage de la Grande Échouerie
Havre de la Grande Entrée
Île de la Grande Entrée
Centre d'interprétation du phoque
Grande-Entrée
Île Boudreau
Golfe du Saint-Laurent
199
Lagune de la Grande Entrée
Pointe-aux-Loups
Île de la Pointe aux Loups
Golfe du Saint-Laurent
Plage de la Dune du Nord
Plage de la Dune du Sud
Lagune du Havre aux Maisons
Île du Havre aux Maisons
Buttes pelées
Butte à Mounette
Havre-aux-Maisons
Île du Cap aux Meules
Fatima
Phare du Cap Alright
Butte du Vent
Cap-aux-Meules
199
L'Étang-du-Nord
Anse aux Étangs
Big Hill
L'Île-d'Entrée
Plage de la Dune de l'Ouest
Plage de la Martinique
Île d'Entrée
Baie de Plaisance
Baie du Havre aux Basques
199
Buttes des Demoiselles
Plage du Havre/ Plage de Havre-Aubert / Plage Sandy Hook
Île du Havre Aubert
Havre-Aubert
Bassin
L'Étang-des-Caps
L'Anse-à-la-Cabane
Phare de l'Anse-à-la-Cabane
Montréal
Souris (Î.-P.-É.)

▲ Les falaises de la Belle Anse. © iStockphoto.com/DenisTangneyJr

Île du Cap aux Meules ★

L'île centrale de l'archipel, composée entre autres des villages de **Fatima**, de **L'Étang-du-Nord** et de **Cap-aux-Meules**, constitue depuis plus de 50 ans le cœur de l'activité économique locale. Les maisons qui y sont bâties affichent souvent de belles couleurs vives. D'ailleurs, certains racontent que, grâce à ces coloris, les marins pouvaient apercevoir leurs maisons depuis la mer.

La route panoramique du **chemin du Gros-Cap** ★ permet de longer la baie de Plaisance et de découvrir des paysages splendides.

La belle **église Saint-Pierre de La Vernière** ★, construite entre 1872 et 1881 et surnommée la «cathédrale des Îles», est une des plus imposantes églises en bois de l'Amérique du Nord.

Le petit effort physique que demande la montée de la **butte du Vent** ★★★ est récompensé par un panorama saisissant de l'archipel et du golfe du Saint-Laurent. C'est parmi ces buttes et vallons que l'entreprise **Vert et Mer** a établi son «écolodge», un campement de yourtes ouvert toute l'année alliant confort, rusticité et le privilège d'un contact unique avec la nature.

Le **site de La Côte** ★★, face à l'anse de l'Étang du Nord, abrite un joli petit port de pêche. De charmantes boutiques l'agrémentent.

Les magnifiques **falaises de la Belle Anse** ★★★ offrent une vue imprenable sur la mer. Le site est particulièrement séduisant en fin de journée avec le spectacle du soleil couchant.

La **plage de la Dune de l'Ouest** ★★ est également connue sous le nom de **plage du Corfu** en raison du navire *Corfu Island*

▲ L'île du Havre Aubert. © Dreamstime.com/Craig Doros

qui y a fait naufrage en 1963 et dont les vestiges sont toujours visibles. S'étendant sur 8,7 km, cette magnifique plage est idéale pour marcher ou se baigner dans les eaux qui la bordent. Mais attention aux courants marins quand les vents sont forts.

Île du Havre Aubert ★★★

L'île du Havre Aubert a su garder un charme bien pittoresque. C'est ici que débuta le véritable peuplement permanent de l'archipel, avec l'arrivée de quelques familles acadiennes au début des années 1760.

L'attrait majeur du village de **Havre-Aubert** est sans conteste le **Site historique de La Grave** ★★★, petit quartier d'art et d'artisanat qui s'est développé sur la grève où jadis pêcheurs et marchands se donnaient rendez-vous pour le débarquement des prises.

Sur le site de La Grave se trouvent la boutique des **Artisans du sable** et son **Économusée du sable** ★★. Vous pourrez y découvrir les méthodes utilisées par les artisans pour sculpter et façonner le sable pour en faire des pièces uniques.

L'exposition permanente *Vivre aux Îles, Vivre les Îles* du **Musée de la Mer** ★ retrace l'histoire des Îles notamment par le biais de la relation unissant le destin des Madelinots à la mer. Toute l'année, des expositions temporaires s'y succèdent.

Quelques centaines de mètres plus loin, par le chemin d'En Haut, s'élèvent les **buttes des Demoiselles** ★, qui surplombent la mer et La Grave et offrent un panorama bucolique idéal pour faire un pique-nique.

En suivant le chemin du Sable à partir de la route 199, vous atteindrez la **plage** du Havre-Aubert ★★★, que les Madelinots nomment communément la **plage Sandy Hook** ou la **plage du Havre**. Vous devrez marcher durant 2h30 pour en atteindre l'extrémité (12 km), mais vos efforts seront grandement récompensés par une incomparable impression d'avoir atteint le bout du monde.

Île du Havre aux Maisons ★★★

L'île du Havre aux Maisons, très dénudée, est l'une des plus mignonnes de l'archipel. Sur ses buttes et vallons verdoyants se sont déposées, çà et là, de jolies maisons le long de routes sinueuses. Portant le même nom que l'île, le village de **Havre-aux-Maisons** est sa principale agglomération.

Offrez-vous le plaisir d'une promenade autour de la **butte à Mounette** ★★. Grimpez-y au coucher du soleil pour une vue à couper le souffle.

Entrez au **Fumoir d'Antan – Économusée de la boucanerie** ★, où vous rencontrerez les Arseneau, qui se feront un plaisir de vous raconter comment leur famille fume le poisson depuis trois générations.

Au **phare du Cap-Alright** ★★, remarquez l'imposant escarpement rocheux où se mêlent l'argile, le calcaire et le gypse. L'érosion, une véritable menace pour l'archipel, a forcé la fermeture de la route à cet endroit. Il vous faudra donc emprunter le chemin des Buttes puis le chemin des Montants pour apprécier l'un des plus beaux panoramas de l'île du Havre aux Maisons : les **Buttes pelées** ★★★.

Ceinturée au sud de falaises rouges et de grottes accessibles à marée basse, la **plage de la Dune du Sud** ★★ offre 22 km de sable fin.

Île de la Pointe aux Loups

Posée entre deux longues dunes, l'île de la Pointe aux Loups montre bien la fragilité du milieu madelinot. Elle est reconnue pour son abondance de mollusques (côté lagune) et pour la baignade dans les vagues (côté mer) sur la **plage de la Dune du Nord** ★★. Prenez toutefois garde aux forts courants marins puisqu'ils peuvent sournoisement vous entraîner au large.

La Grosse Île ★

Les côtes particulièrement accidentées de la Grosse Île furent la cause de bien des naufrages et nombre de rescapés durent s'y arrêter. C'est ainsi que des descendants écossais s'y établirent et quelque 500 anglophones y habitent toujours.

À la **réserve nationale de faune de la Pointe-de-l'Est** ★★★ vous attend un éco-

▼ L'île du Havre aux Maisons. © Michel Julien

système unique au Québec. Si vous vous y rendez pour observer sa riche faune ailée, prenez garde de ne pas endommager les lieux de nidification (ils sont indiqués).

La Grosse Île abrite également l'une des plus belles plages des Îles: la **plage de la Grande Échouerie** ★★★, qui semble s'étendre vers l'infini.

Île de la Grande Entrée ★★

Le chemin du Bassin Ouest mène à l'**île Boudreau** ★, en réalité une presqu'île qui s'étire sur la côte sud de l'île de la Grande Entrée. Cet joyau naturel cache des veines d'argile et abrite une colonie de phoques.

Ne manquez pas de visiter le **Centre d'interprétation du phoque** ★. L'exposition interactive vous permettra d'en connaître davantage sur les habitudes de vie de ce mammifère marin.

Île d'Entrée ★★

À peine plus d'une centaine de personnes vivent sur cette île qui émerge du golfe du Saint-Laurent à l'est de l'archipel. Les paysages champêtres complètement dénudés et les chevaux sauvages lui confèrent un charme bien particulier. C'est ici que se trouve le plus haut sommet des Îles, **Big Hill** (174 m), d'où vous pourrez contempler l'archipel d'un bout à l'autre. Par temps clair, il est même possible d'apercevoir l'île du Cap-Breton au large.

Île Brion ★★

Protégé au sein de la **réserve écologique de l'Île-Brion** depuis 1984, ce joyau naturel qu'est l'île Brion abrite plus de 160 espèces d'oiseaux et une impressionnante forêt de conifères rabougris. L'accès y est restreint et certains secteurs sont même complètement interdits à toute présence humaine.

Charlevoix

La singulière beauté des paysages de **Charlevoix** ★★★ séduit les artistes depuis des générations. De Petite-Rivière-Saint-François jusqu'à l'embouchure de la rivière Saguenay, la rencontre du fleuve et des montagnes a su y sculpter des paysages envoûtants et poétiques. Les vieilles habitations et églises qui jalonnent le pays, tout comme le lotissement du territoire, hérité de l'époque seigneuriale, rappellent que Charlevoix fut l'une des premières régions de colonisation en Nouvelle-France.

À la richesse du patrimoine architectural et aux paysages exceptionnels, s'allient une faune et une flore d'une éblouissante variété. Déclarée Réserve mondiale de la biosphère par l'UNESCO en 1988, la région de Charlevoix abrite des espèces animales et végétales uniques. Près des berges, à l'embouchure de la rivière Saguenay, des baleines de différentes espèces viennent se nourrir tout au long de l'été.

Profondément nichée dans l'arrière-pays, une partie du territoire est constituée d'un environnement ayant les propriétés de la taïga, ce qui est tout à fait remarquable à cette latitude, et recèle différentes espèces florales et animales, entre autres le caribou et le loup.

Charlevoix est sans aucun doute un lieu de séjour fort apprécié au Québec. Dès la fin du XVIIIe siècle, la beauté des paysages y attirait déjà de nombreux visiteurs. Un peu plus tard, au début du XXe siècle, la belle société québécoise, canadienne et américaine se donnait rendez-vous, après une agréable croisière sur le fleuve Saint-Laurent, au Manoir Richelieu de Pointe-au-Pic. Cette longue tradition d'hospitalité s'est perpétuée et l'on retrouve désormais un peu partout dans cette belle région de charmantes auberges et d'excellents restaurants.

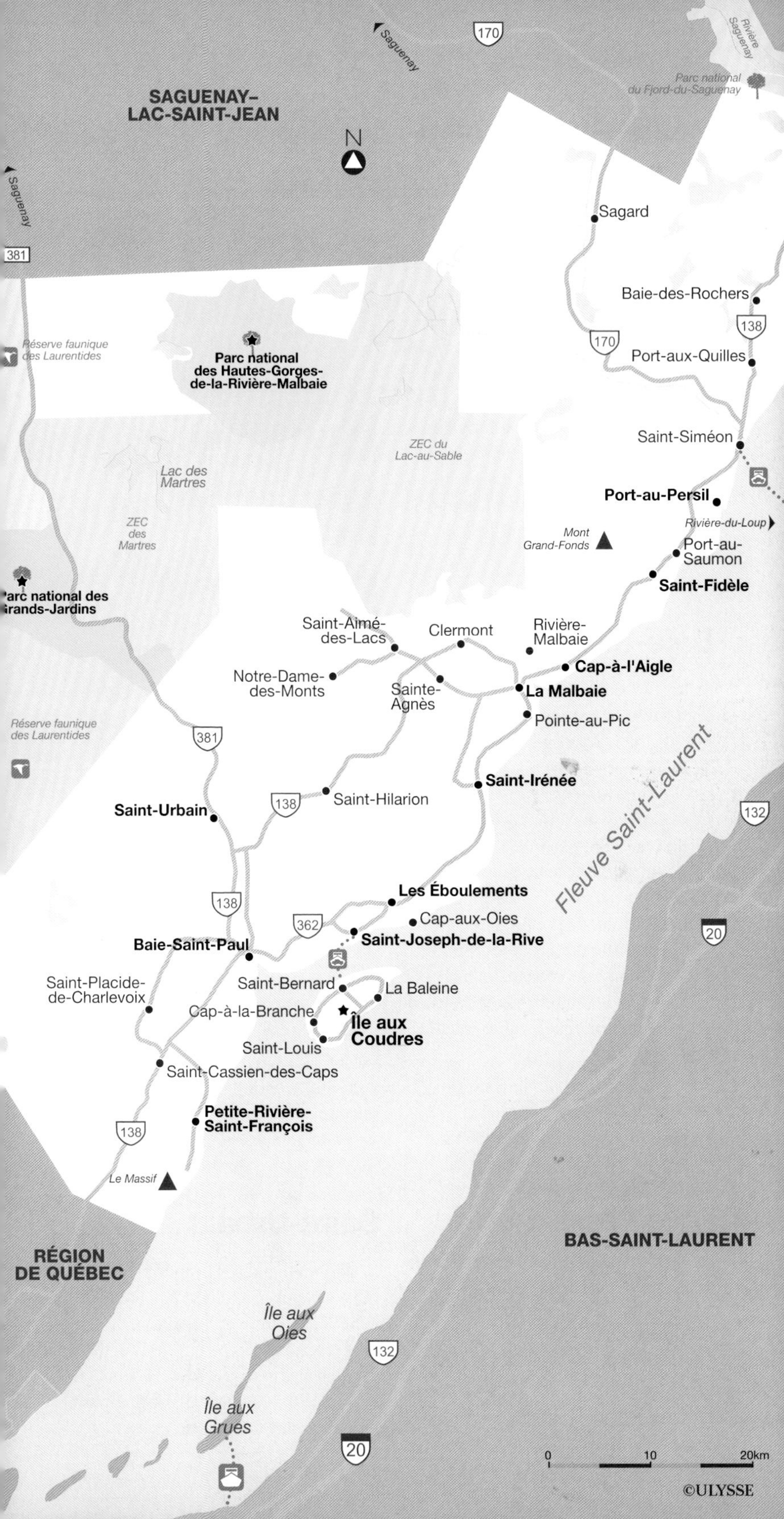

SAGUENAY–LAC-SAINT-JEAN
Saguenay
170
Rivière Saguenay
Parc national du Fjord-du-Saguenay
N
Saguenay
381
Sagard
Baie-des-Rochers
138
170
Port-aux-Quilles
Réserve faunique des Laurentides
Parc national des Hautes-Gorges-de-la-Rivière-Malbaie
ZEC du Lac-au-Sable
Saint-Siméon
Lac des Martres
Port-au-Persil
Rivière-du-Loup
ZEC des Martres
Mont Grand-Fonds
Port-au-Saumon
Saint-Fidèle
Parc national des Grands-Jardins
Saint-Aimé-des-Lacs
Clermont
Rivière-Malbaie
Cap-à-l'Aigle
Notre-Dame-des-Monts
Sainte-Agnès
La Malbaie
Pointe-au-Pic
Réserve faunique des Laurentides
381
Fleuve Saint-Laurent
Saint-Irénée
138
Saint-Hilarion
132
Saint-Urbain
Les Éboulements
138
362
Cap-aux-Oies
Saint-Joseph-de-la-Rive
20
Baie-Saint-Paul
Saint-Bernard
La Baleine
Saint-Placide-de-Charlevoix
Cap-à-la-Branche
Île aux Coudres
Saint-Louis
Saint-Cassien-des-Caps
Petite-Rivière-Saint-François
138
Le Massif
BAS-SAINT-LAURENT
RÉGION DE QUÉBEC
Île aux Oies
132
Île aux Grues
20
0
10
20km
©ULYSSE

Petite-Rivière-Saint-François

Outre les parcs de la région, Charlevoix attire les randonneurs avec son magnifique **Sentier des Caps de Charlevoix** ★★. De Petite-Rivière-Saint-François à la réserve nationale de faune du Cap-Tourmente (dans la région de Québec), le sentier couvre 48 km sur des sommets de 500 m à 800 m qui surplombent le fleuve. Ses dénivelés importants conviennent surtout aux marcheurs aguerris. Les vues qui s'ouvrent sur le fleuve tout au long du tracé, et particulièrement depuis les belvédères aménagés, sont littéralement époustouflantes.

Baie-Saint-Paul ★★

En arrivant de l'ouest, on découvre Baie-Saint-Paul du haut de la côte de la route 138. Un belvédère aménagé par l'office de tourisme de Charlevoix à l'entrée de la ville offre un point de vue des plus spectaculaires qui permet d'embrasser en un coup d'œil la vallée de la rivière du Gouffre, Baie-Saint-Paul et l'île aux Coudres. Une longue descente mène ensuite au cœur de la ville. Il est agréable de se promener dans les rues Saint-Jean-Baptiste, Saint-Joseph et Sainte-Anne, bordées de maisons en bois au toit mansardé qui abritent boutiques, cafés et galeries d'art.

Aménagé dans un bâtiment moderne, le **Carrefour culturel Paul-Médéric** ★ présente des expositions d'arts visuels dont des toiles et des photographies d'artistes de Charlevoix.

Le **Musée d'art contemporain de Baie-Saint-Paul** ★ accueille des expositions d'artistes du Québec et d'ailleurs.

Au début du XXe siècle, François-Xavier Cimon hérite de la **maison René-Richard** ★. Le portraitiste Frederick Porter Vinton, qui se lie d'amitié avec la famille Cimon, fait aménager un atelier de peinture à proximité. Celui-ci sera plus tard utilisé par les Clarence Gagnon, Marc-Aurèle Fortin et Arthur Lismer. Enfin, en 1942, le peintre René Richard obtient le domaine par son mariage avec la fille Cimon. La propriété est désormais ouverte au public et fait office de musée et de galerie d'art.

Saint-Urbain

Le **parc national des Grands-Jardins** ★★, qui couvre une superficie de 310 km^2, est riche d'une faune et d'une flore de taïga et de toundra. De nombreuses activités de plein air y sont possibles. Le sentier du Mont-du-Lac-des-Cygnes compte parmi les plus beaux au Québec.

▲ Baie-Saint-Paul. © iStockphoto.com/Nicolas McComber

Saint-Joseph-de-la-Rive ★

La **Papeterie Saint-Gilles** ★ est un atelier de fabrication de papier fondé en 1965 par le prêtre-poète Félix-Antoine Savard (1896-1982), auteur de *Menaud maître-draveur*. Pendant la visite des lieux, qui se doublent de l'**Économusée du papier**, on apprend les différentes étapes de la fabrication du papier selon les techniques du XVIIe siècle.

Le **Musée maritime de Charlevoix** ★★, installé sur le site d'un chantier naval, raconte la grande époque des goélettes. On peut visiter les bateaux sur place, et la goélette *Saint-André* est agrémentée d'une animation son et lumière.

Île aux Coudres ★★

La vie économique de l'île aux Coudres a gravité pendant plusieurs générations autour de la chasse aux cétacés, plus particulièrement la chasse au béluga. Les constructions navales, principalement les goélettes, appelées «voitures d'eau» dans la région de Charlevoix, constituaient également une industrie importante. Cette époque est aujourd'hui révolue, mais des souvenirs impérissables y sont rattachés. Le **Musée Les Voitures d'Eau** ★ raconte l'aventure des goélettes, de leurs constructeurs et de leurs équipages.

Il est rare de retrouver moulin à eau et moulin à vent dans un même voisinage. Les **Moulins de L'Isle-aux-Coudres** ★★ forment, en fait, un ensemble unique au

Canada. Le site réunit un moulin à eau (1825) et un moulin à vent (1836) qui sont toujours en fonction, ainsi que L'**Économusée de la meunerie**, où les visiteurs peuvent assister à la fabrication de farine, jeter un coup d'œil aux expositions et se procurer des produits cuits sur place dans un antique four à bois.

Les Éboulements ★

En 1663, un violent tremblement de terre entraîna un gigantesque glissement de terrain. On raconte que la moitié d'une petite montagne s'affaissa alors dans le fleuve, ce qui valut à la région le nom des Éboulements.

Le **Moulin seigneurial des Éboulements** ★★ a été construit en 1790 au sommet d'une chute haute de 30 m. Son mécanisme, encore en place et fonctionnel, fait l'objet de visites guidées en été qui se terminent par une petite exposition. Il est à noter que la moitié du bâtiment accueille encore le logement du meunier.

Saint-Irénée ★

Le **Domaine Forget** ★ consiste en fait en trois propriétés dont l'une était la résidence d'été de Sir Rodolphe Forget (1861-1919) au début du XXe siècle. La vaste propriété, qui porte le nom de cet homme d'affaires et politicien important de l'époque, comptait sur sa propre centrale électrique et s'entourait d'une dizaine de bâtiments secondaires.

L'endroit accueille depuis 1978 l'**Académie de musique et de danse du Domaine Forget**, où maîtres et élèves viennent se perfectionner pendant la saison estivale. Le domaine, d'où l'on jouit de vues magnifiques sur le fleuve et la campagne environnante, est aussi l'hôte d'un festival annuel de musique classique, le **Festival International du Domaine Forget**.

La Malbaie ★

En 1608, Samuel de Champlain mouille dans une baie de Charlevoix pour la nuit. Quelle ne fut pas sa surprise de constater en se réveillant au petit matin que sa flotte était échouée sur de larges battures. Il se serait alors exclamé *Ah! La malle baye!*, ce

▼ Les Moulins de L'Isle-aux-Coudres. © *Dreamstime.com/Mikeaubry*

qui veut simplement dire «Ah! la mauvaise baie». L'agglomération forme de nos jours une communauté de quelque 8 500 habitants distribués dans les terres et sur le pourtour de cette baie.

La seigneurie de la Malbaie dut être concédée par trois fois avant que l'on ne se décide à la développer sérieusement. Jean Bourdon la reçut une première fois pour services rendus en 1653. Trop occupé par son poste de procureur du roi au Conseil souverain, il n'y touche pas. Elle sera ensuite concédée à Philippe Gaultier de Comporté en 1672. À la suite du décès de ce dernier, elle est vendue par sa famille aux marchands Hazeur et Soumande, qui exploitent son bois pour la construction de vaisseaux en France. La seigneurie est rattachée au domaine royal en 1724 et sera concédée de nouveau sous l'occupation anglaise, un cas exceptionnel, en 1762. Le capitaine John Nairne et l'officier Malcolm Fraser se partagent alors le territoire, s'y établissent et entreprennent de le coloniser.

Les seigneurs Nairne et Fraser ont inauguré une tradition d'hospitalité qui ne s'est jamais démentie par la suite, hébergeant dans leur manoir respectif amis ou simples étrangers venus d'Écosse et d'Angleterre. Prenant modèle sur ses seigneurs, l'habitant canadien-français se met lui aussi à recevoir chez lui des visiteurs de Montréal ou de Québec pendant l'été. Puis, des auberges de plus en plus vastes sont érigées pour accueillir les citadins qui débarquent, en nombre toujours croissant, des vapeurs venus de la «grande ville» qui s'amarrent au quai de Pointe-au-Pic.

Seul parmi les grands hôtels de Charlevoix à avoir survécu, le **Manoir Richelieu** ★★ a vu le jour en 1899 sur la falaise de Pointe-au-Pic. Au premier hôtel de bois, détruit par le feu, a succédé l'hôtel actuel (Fairmont Le Manoir Richelieu), construit en béton. Même si l'on ne réside pas au Manoir, il est permis de parcourir discrètement son allée intérieure, bordée d'élégants salons, et de flâner dans ses jardins surplombant le fleuve Saint-Laurent. Le **Casino de Charlevoix** est voisin du Manoir Richelieu.

L'**église de Sainte-Agnès** ★ est un bon exemple des églises de colonisation en bois du XIXe siècle. Elle abrite un joli décor sculpté ainsi que trois toiles d'Antoine Plamondon (1844).

▼ Saint-Irénée. © Michel Julien

Alexis le Trotteur

Alexis Lapointe, dit «le Trotteur», est né en 1860 à La Malbaie. Très tôt, il se distingue comme un original puisqu'il croyait qu'il était un cheval qui avait pris une forme humaine. Il est difficile de séparer la réalité de la légende tellement ses exploits à la course sont quelquefois énormes. L'anecdote la plus célèbre à son sujet veut qu'il ait couru les 146 km qui séparent La Malbaie de Bagotville pour arriver avant son père, parti en même temps que lui, mais par bateau! Plus tard, il se serait mesuré à des automobiles et à des trains. C'est d'ailleurs sur une voie ferrée à Alma qu'il mourut en 1924. Les témoignages divergent sur les raisons de sa mort. Selon certains, il aurait trébuché et serait tombé sur les rails en tentant de battre le train à la course. Selon d'autres, comme il perdait l'ouïe, il n'aurait pas entendu le train arriver derrière lui.

Auparavant exposés au musée de la Pulperie de Chicoutimi, dans la région du Saguenay, et ce, depuis plus de 30 ans, les ossements du célèbre personnage ont été rapatriés et enterrés en 2009 à Clermont, son village natal, dans la région de Charlevoix.

▼ Port-au-Persil. *© Dreamstime.com/lamstef*

D'une grande richesse écologique, le **parc national des Hautes-Gorges-de-la-Rivière-Malbaie** ★★★, qui s'étend sur quelque 225 km², fut créé afin de protéger le site de l'exploitation commerciale. Il y a 800 millions d'années, une cassure terrestre forma de magnifiques gorges qui furent, par la suite, modelées par les glaciers. Les types de forêts couvrant la région sont en outre d'une grande diversité, allant des érablières à la toundra alpine. Le centre de location du parc propose des vélos hybrides et des canots afin de faire profiter les visiteurs des magnifiques sentiers du parc et de la rivière Malbaie. Des croisières en bateau-mouche sont également organisées dans les gorges.

Cap-à-l'Aigle

Le **manoir Fraser** ★ a été construit pour le fils de Malcolm Fraser en 1827. Endommagé par un incendie en 1975, il a été restauré par la famille Cabot, propriétaire des titres de la seigneurie de Cap-à-l'Aigle depuis 1902.

Francis Cabot (1925-2011), horticulteur chevronné, a conçu et élaboré sur 8 ha les splendides **Jardins de Quatre-Vents** ★★, des jardins privés de renommée mondiale ouverts au public quatre jours par année seulement, sur réservation.

Le **Village des Lilas** ★ et les **Jardins du cap à l'Aigle** ★ consistent en de magnifiques arrangements floraux et paysagers. S'y trouvent une collection de plus de 200 variétés de lilas ainsi que quatre jardins thématiques, un café-terrasse et des promenades avec vue sur le fleuve.

Saint-Fidèle

Le **Centre écologique de Port-au-Saumon** ★ est voué à la préservation de l'environnement et organise des visites éducatives sur des sentiers qui traversent différents écosystèmes et qui offrent de magnifiques points de vue. Durant la saison estivale, le centre accueille un camp de vacances scientifique pour les jeunes.

Port-au-Persil ★★

Charmant petit hameau, Port-au-Persil doit sa notoriété à sa chute d'eau, à sa chapelle anglicane ainsi qu'à ses paysages d'une grande beauté.

La **Poterie de Port-au-Persil**, plus vieille institution de céramique au Québec (1974), comprend une galerie-boutique, un atelier de production et un café-terrasse.

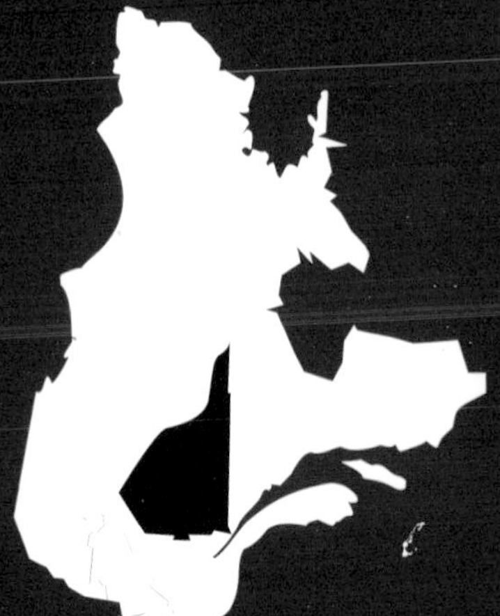

Le Saguenay–Lac-Saint-Jean

Par ses paysages grandioses, le **Saguenay–Lac-Saint-Jean** ★★ est le pays du gigantisme. La rivière Saguenay prend sa source dans le lac Saint-Jean, une véritable mer intérieure de plus de 35 km de diamètre. Ce formidable plan d'eau et cette imposante rivière constituent en quelque sorte le pivot d'une superbe région touristique. Gagnant rapidement le fleuve Saint-Laurent, la rivière Saguenay traverse un paysage très accidenté où se dressent falaises et montagnes : le fjord du Saguenay, qui s'étend sur environ 100 km de Saint-Fulgence à Tadoussac et qui est l'un des plus longs fjords du monde. En croisière ou depuis les rives, on peut y admirer un défilé de splendides panoramas à la beauté sauvage. Jusqu'à Chicoutimi, le Saguenay est navigable et subit le rythme perpétuel des marées. Sa riche faune marine comprend, en été, des mammifères marins de différentes espèces. Au cœur de cette région, la ville de Saguenay, en particulier l'arrondissement de Chicoutimi, est un endroit très animé et le principal centre urbain.

Le lac Saint-Jean impressionne par sa superficie et la couleur de ses eaux. Les jolies plaines aux abords du lac sont très propices à l'agriculture et attirèrent les premiers colons au XIXe siècle. La vie rude de ces défricheurs, paysans en été et bûcherons en hiver, fut d'ailleurs immortalisée dans le roman *Maria Chapdelaine* de Louis Hémon. Le bleuet, en grande quantité au Lac-Saint-Jean, fait la renommée de cette région à un point tel que, partout au Québec, on utilise son appellation pour surnommer affectueusement les gens de ce pays. Tout comme ceux de la région du Saguenay, les habitants du Lac-Saint-Jean sont reconnus pour être accueillants et fort colorés.

Saint-Edmond-les-Plaines
Normandin
Albanel
Dolbeau-Mistassini
Sainte-Jeanne-d'Arc
Ste-Marguerite-Marie
Saint-Augustin
Rivière Péribonka
Notre-Dame-du-Rosaire
La Doré
Péribonka
Sainte-Monique
Saint-Méthode
Parc national de la Pointe-Taillon
L'Ascension-de-Notre-Seigneur
Bégin
Saint-Félicien
Saint-Henri-de-Taillon
Saint-Léon
Delisle
Saint-David-de-Falardeau
Parc national des Monts-Valin
Saint-Prime
Lac Saint-Jean
St-Nazaire
Saint-Ambroise
Mashteuiatsh (Pointe-Bleue)
Alma
Parc thématique l'Odyssée des Bâtisseurs
Saint-Honoré
Roberval
Saint-Hedwidge
Saint-Gédéon
Shipshaw
Saint-Fulgence
Saint-Bruno
Larouche
Chambord
Desbiens
Jonquière
Chicoutimi
Parc national du Fjord-du-Saguenay
Hébertville
Sainte-Rose-du-Nord
Parc de la caverne du Trou de la Fée
Métabetchouan
Rivière Saguenay
Baie-des-Ha! Ha!
Saint-François-de-Sales
Lac-Kénogami
Bagotville
La Baie
Lac Otis
Riv. Ouiatchouan
Lac Kénogami
Laterrière
Saint-André
route du Parc
Ville de Saguenay
Saint-Félix-d'Otis
Rivière-Éternité
L'Anse-Saint-Jean
Lac-Bouchette
Lac des Commissaires
Lac Bouchette
Petit-Saguenay
Ferland
Réserve faunique des Laurentides
Boilleau
Lac Ha! Ha!
La Tuque, Trois-Rivières
Québec
CÔTE-NORD (MANICOUAGAN)
CHARLEVOIX
N
0
15
30km
169
167
373
170
172
372
381
175
155
©ULYSSE

▲ Le parc national du Fjord-du-Saguenay. © iStockphoto.com/Vladone

Le Saguenay ★★

Le «royaume du Saguenay», comme ses habitants le désignent souvent avec fierté, sans une once de modestie, est réparti de part et d'autre de la rivière Saguenay et de son fjord cyclopéen. Le Saguenay se compose avant tout de paysages grandioses, riches d'une faune et d'une flore exceptionnelles.

L'Anse-Saint-Jean ★★

Au printemps de 1838, une goélette quitte la région de Charlevoix et les premiers colons débarquent à L'Anse-Saint-Jean, ce qui fait de ce charmant village, l'un des plus beaux au Québec, la plus vieille municipalité du Saguenay–Lac-Saint-Jean. En plus de quelques jolies maisons ancestrales, on peut y voir l'**église Saint-Jean-Baptiste**, construite en pierre (1890), ainsi qu'un pont couvert, baptisé **pont du Faubourg** et construit en 1929.

Près du village, le **belvédère de l'Anse-de-Tabatière** ★★★ offre un point de vue spectaculaire sur les falaises abruptes du fjord.

Rivière-Éternité ★

Rivière-Éternité constitue la porte d'entrée du secteur sud du parc national du Fjord-du-Saguenay (voir ci-dessous), en plus de donner accès à l'un des secteurs du merveilleux **parc marin du Saguenay–Saint-Laurent** (voir p. 241), où l'on peut observer les baleines et autres mammifères marins dans leur habitat naturel.

Le **parc national du Fjord-du-Saguenay** ★★★ couvre une partie des berges de la rivière Saguenay (voir aussi p. 240). Il s'étend le long des rives du

Le Saguenay

fjord jusqu'au cap à l'Est, où d'abruptes falaises se jettent dans la rivière, créant de magnifiques paysages.

Saint-Félix-d'Otis

Le **Site de la Nouvelle-France** ⋆⋆ est un magnifique site d'interprétation sur la vie des premiers arrivants en Amérique du Nord. On peut y visiter entre autres la boulangerie, l'église et le village huron reconstitué avec ses habitations traditionnelles.

La Baie ⋆

Le **Musée du Fjord** ⋆⋆ est installé dans un magnifique complexe. Il présente des expositions interactives à caractère scientifique et éducatif. S'y trouvent également un aquarium géant d'eau salée, où vivent plusieurs spécimens marins dont certains qu'on peut manipuler.

La **passe à saumon Rivière-à-Mars** ⋆, installée sur une portion de la rivière qui coule au cœur même de La Baie, a pour but d'aider les saumons à remonter la rivière au moment de leur migration. Autour a été aménagé un agréable parc où l'on peut observer les saumons et, selon la saison, les pêcher.

Bagotville

Seul musée relatant l'histoire de l'aviation militaire au Québec, le **Musée de la Défense aérienne** est situé sur la seule base militaire en activité au Canada qui peut être visitée. À l'intérieur, une exposition nous explique l'histoire de l'aviation militaire canadienne par ses héros, et une autre nous raconte la menace

▲ La Pulperie de Chicoutimi. © iStockphoto.com/Tony Tremblay

que constituait l'arrivée de l'avion durant la Première Guerre mondiale. Quant à l'exposition extérieure *État d'alerte*, elle fait vivre aux visiteurs diverses sensations grâce à un nouveau concept technologique de réalité augmentée. La visite guidée de la 3e Escadre est aussi à ne pas manquer, car elle fait découvrir une véritable ville où vivent 1 400 personnes et permet d'admirer les CF-18 de près et de les voir décoller.

Chicoutimi ★

La **cathédrale Saint-François-Xavier** ★ fut reconstruite à deux reprises à la suite d'incendies. L'édifice actuel est surtout remarquable par sa haute façade à deux tours coiffées de clochers métalliques qui dominent le Vieux-Port.

Comment une petite maison blanche, qui est devenue le symbole du Saguenay, a-t-elle résisté à l'énorme débit d'eau du déluge qui a dévasté la région en 1996? C'est ce qu'on apprend dans le **Musée de la Petite Maison Blanche** ★★ , qui dresse également un portrait du quartier avant le déluge. Le musée propose des expositions audioguidées, des vidéos et des jeux pour les enfants.

La **Pulperie de Chicoutimi** ★★ fut pendant 20 ans le plus important fabricant de pâte à papier mécanique au Canada. Aujourd'hui, le site de la Pulperie, qui s'étend sur plus de 1 ha, constitue un immense parc en plein cœur de Chicoutimi. La **maison Arthur-Villeneuve** ★, cette humble maison ouvrière conservée dans la Pulperie, serait le plus important exemple d'art populaire du Québec, sinon

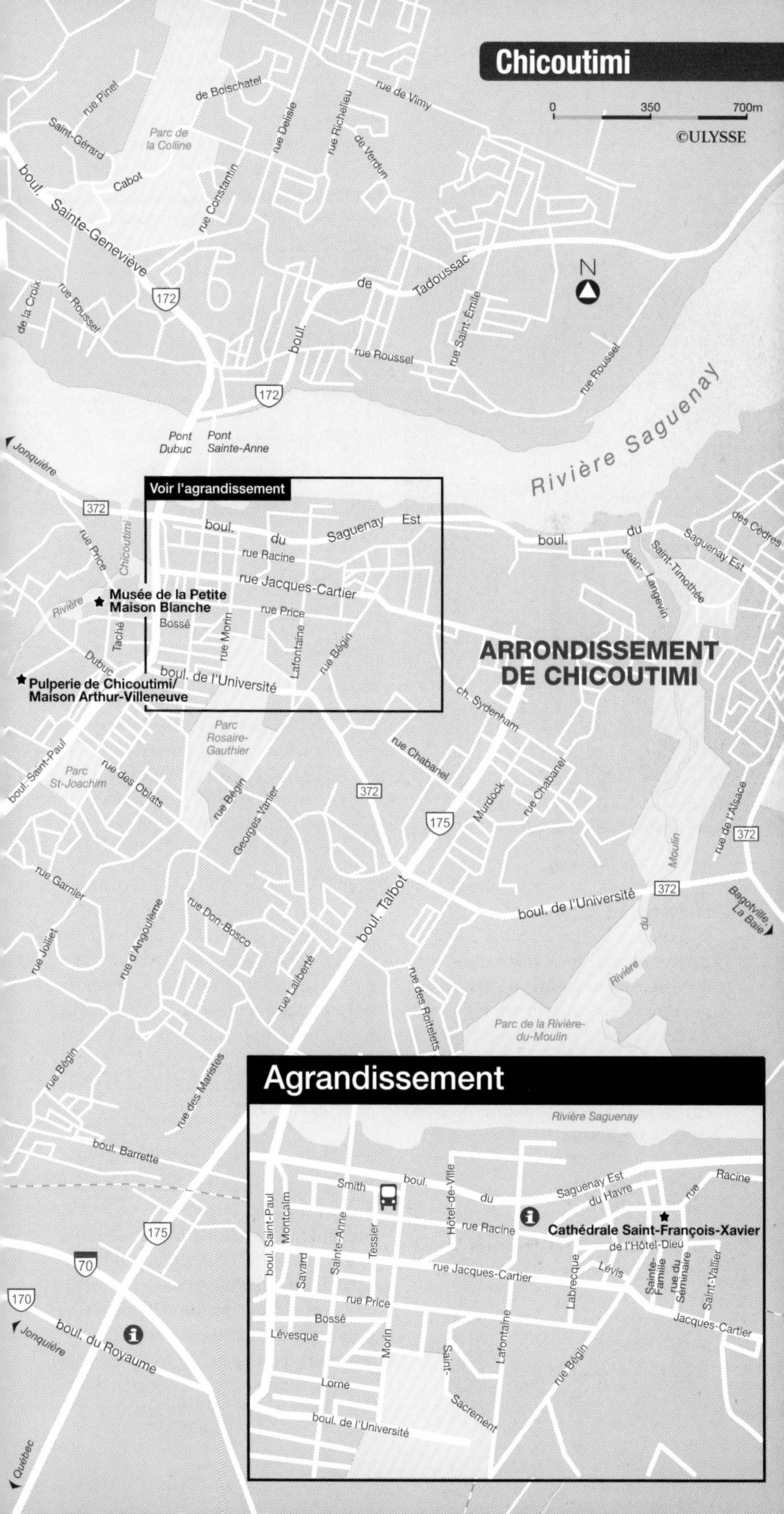
Chicoutimi
0 350 700m
©ULYSSE
Rivière Saguenay
Pont Dubuc
Pont Sainte-Anne
Voir l'agrandissement
Musée de la Petite Maison Blanche
Pulperie de Chicoutimi/ Maison Arthur-Villeneuve
ARRONDISSEMENT DE CHICOUTIMI
Parc de la Colline
Parc Rosaire-Gauthier
Parc St-Joachim
Parc de la Rivière-du-Moulin
boul. Sainte-Geneviève
boul. de Tadoussac
boul. du Saguenay Est
boul. de l'Université
boul. Talbot
boul. Saint-Paul
boul. Barrette
boul. du Royaume
rue Jacques-Cartier
rue Racine
rue Price
rue Bégin
rue Morin
Lafontaine
Jonquière
Bagotville, La Baie
Québec
Agrandissement
Rivière Saguenay
Cathédrale Saint-François-Xavier
boul. du Saguenay Est
rue Racine
rue Jacques-Cartier
rue Price
boul. de l'Université
rue Bégin
Saint-Sacrement

▲ Le Parc de la caverne du Trou de la Fée.
© Dreamstime.com/Philippehalle

du Canada. Elle fut habitée jusqu'en 1990 par le peintre-barbier Arthur Villeneuve.

Saint-Fulgence

Le **parc national des Monts-Valin** ★, avec ses hauts sommets, offre une foule d'activités quatre-saisons. En hiver, l'accumulation de neige égale des niveaux records pouvant atteindre 7 m. Ce territoire sauvage et spectaculaire dominant la région devient alors un haut lieu du ski hors-piste, du ski de fond et de la raquette.

Au bout d'une petite route de terre qui s'accroche aux falaises du fjord, le **Parc Aventures Cap Jaseux** ★★ propose des activités de plein air «terre-mer-air»: parcours d'aventure en forêt, kayak, randonnée, etc., et de l'hébergement original (maisons dans les arbres, sphères suspendues, cabanes de bois rond).

Pour leur part, les amoureux des oiseaux pourront faire une halte au **Centre d'interprétation des battures et de réhabilitation des oiseaux** ★★. Les battures qui s'étendent au pied de la grande maison qui abrite le centre d'interprétation sont remplies d'une foule d'espèces d'oiseaux.

Le Lac-Saint-Jean ★★

Le Lac-Saint-Jean s'est doté d'une des plus importantes infrastructures cyclables du Québec avec la **Véloroute des Bleuets**. Ce réseau ceinture tout le lac Saint-Jean sur 256 km de pistes cyclables et de voies partagées. La plus belle section va de Saint-Gédéon à Roberval, où les cyclistes longent le lac de près.

Desbiens

De multiples chantiers de fouilles ont été entrepris autour de l'embouchure de la rivière Métabetchouane, où l'on a mis au jour divers vestiges archéologiques de l'occupation millénaire du site par les Amérindiens ainsi que ceux de la mission des Jésuites et du poste de traite des fourrures. Plusieurs des objets découverts au cours des fouilles sont exposés au **Centre d'histoire et d'archéologie de la Métabetchouane** ★.

Le **Parc de la caverne du Trou de la Fée** ★★, situé sur les abords de la magnifique rivière Métabetchouane, est un endroit à ne pas manquer pour les amoureux de la nature. En plus d'offrir des visites guidées de la grotte de granit d'une profondeur de 68 m, appelée le «Trou de la Fée», le parc compte plusieurs sentiers pédestres avec panneaux d'interprétation.

Lac-Bouchette

L'**Ermitage Saint-Antoine de Lac-Bouchette** ★, situé sur les bords du lac Ouiatchouan, est un populaire centre de retraite et de pèlerinage aménagé en

▲ Le Village historique de Val-Jalbert. © Dreamstime.com/Philippehalle

pleine forêt et placé sous la gouverne des pères capucins. On y trouve, regroupés autour de la première chapelle de 1908, un musée, le monastère et une chapelle mariale à l'architecture audacieuse.

Chambord

En 1901, l'industriel Damase Jalbert construit une usine de pulpe au pied de la chute de la rivière Ouiatchouan, qui deviendra la plus importante société industrielle entièrement placée sous contrôle canadien-français. En quelques années, une ville modèle voit le jour autour de l'usine. Malheureusement, la chute du prix de la pulpe en 1921 et son remplacement par la pâte synthétique dans la fabrication du papier entraînent la fermeture de l'usine en 1927. Le village est alors complètement déserté par ses habitants. Le site demeure abandonné jusqu'à ce que le gouvernement du Québec en fasse une base de plein air, au milieu des années 1960.

Le **Village historique de Val-Jalbert** ★★ est un riche morceau du patrimoine industriel nord-américain figé dans le temps. Le site, dans un cadre naturel d'une grande beauté, a conservé en partie son aspect de village fantôme, alors que le reste a été soigneusement restauré pour loger certains services d'hébergement de même qu'un centre d'interprétation.

Mashteuiatsh ★

Entièrement conçues par les artisans de la communauté, les expositions permanentes du **Musée amérindien de Mashteuiatsh** ★★ évoquent les us et coutumes des premiers habitants du Saguenay–Lac-Saint-Jean, ce qu'ils sont devenus aujourd'hui ainsi que leurs aspirations, en plus de présenter une ode à leur lieu de vie, la forêt. Des expositions temporaires font également découvrir des œuvres d'artistes de cette communauté et de certaines autres nations autochtones.

Saint-Prime

C'est à Saint-Prime que l'on fabrique l'excellent fromage cheddar Perron. Le musée **La vieille fromagerie Perron** vous en dévoile l'historique par une visite guidée des installations, des activités interactives et des ateliers, dont une dégustation des produits des fromageries artisanales de toute la région.

Saint-Félicien

Le **Zoo sauvage de Saint-Félicien** ⋆⋆ renferme près de 1 000 animaux représentant 75 espèces indigènes et exotiques. Le zoo tient sa particularité du fait que les animaux ne sont pas en cage. Ils circulent librement, et ce sont plutôt les visiteurs qui font le tour du zoo dans un petit train baladeur grillagé. Plusieurs divertissements, activités et films, dont un multisensoriel, viennent compléter la visite.

La Doré

Le **Moulin des Pionniers** ⋆⋆ est l'un des derniers moulins à scie encore en activité au Québec. Avec les sympathiques guides de l'endroit, vous pourrez apprendre le fonctionnement de ce type de moulin et découvrir la véritable force motrice de l'eau. Vous serez témoin de toutes les étapes de la transformation du bois, du tronc d'arbre frais coupé jusqu'au planage de la planche de bois d'œuvre. Ce très beau site comprend aussi des sentiers de randonnée pédestre et de vélo de montagne, ainsi qu'un bon restaurant et une auberge.

Normandin

À Normandin, en plus de profiter des paysages grandioses qu'on peut admirer dans des sentiers aménagés en ville et en forêt, il faut absolument visiter le **Bilodeau Économusée du Pelletier-Bottier et de la Taxidermie** ⋆, où vous verrez en plein travail les artisans qui vous expliqueront chacune des étapes du traitement d'une fourrure, que ce soit pour la transformation (en bottes, en vêtements, en accessoires…) ou la naturalisation, qui donne une seconde vie aux animaux en les plaçant dans des postures naturelles réalistes: ces œuvres sont d'ailleurs très en demande au cinéma.

Péribonka ⋆

Péribonka est un coquet village qui sert de point de départ aux nageurs lors de la Traversée internationale du lac Saint-Jean.

Louis Hémon naît à Brest (France) en 1880 et est devenu écrivain pendant un séjour à Londres. Son esprit aventurier le conduit au Canada, jusqu'au Lac-Saint-Jean, où la vie quotidienne du pays l'intéresse. Et c'est à Péribonka, en participant aux travaux de la ferme de Samuel Bédard, qu'il donnera naissance à son chef-d'œuvre, le roman *Maria Chapdelaine*. Hémon mourra cependant en 1913 avant la parution du roman. *Maria Chapdelaine* fut d'abord publié en feuilleton dans *Le Temps* de Paris, puis sous forme de roman en 1916, avant d'être traduit dans plusieurs langues. Nul autre ouvrage ne fit autant connaître le Québec

▾ Le Zoo sauvage de Saint-Félicien. © Dreamstime.com/Philippehalle

à l'étranger. Le roman fut même porté au grand écran à trois reprises.

La maison de Samuel Bédard, où a séjourné Louis Hémon durant l'été 1912, subsiste toujours en bordure de la route 169. Il s'agit d'un des rares exemples d'habitation de colons du Lac-Saint-Jean ayant survécu à l'amélioration du niveau de vie dans la région. La maison au confort minimal, qui a inspiré Hémon tout en donnant naissance au mythe de la «cabane au Canada», a été construite en 1903. Elle devient un musée dès 1938, ce qui a permis de conserver intact son mobilier et d'en voir la disposition initiale à travers les humbles pièces d'habitation. Un grand bâtiment postmoderne, le **Musée Louis-Hémon** ★★, a été édifié érigé à proximité pour abriter les objets personnels de Louis Hémon, différents souvenirs liés aux villageois ayant inspiré son œuvre, de même que des rappels du succès du roman *Maria Chapdelaine*.

Saint-Henri-de-Taillon

Le **parc national de la Pointe-Taillon** ★ se trouve sur la bande de terre qui est formée par la rivière Péribonka et qui s'avance dans le lac Saint-Jean. Le site est un endroit privilégié pour pratiquer divers sports nautiques tels que le canot et la voile. En outre, le parc offre de magnifiques plages de sable. Des pistes cyclables et des sentiers de randonnée pédestre permettent de se promener tout en découvrant les beautés des lieux.

L'Ascension-de-Notre-Seigneur

Situé dans le village de L'Ascension-de-Notre-Seigneur, le **Jardin Scullion** ★★ est le rêve de Brian Scullion, qui, depuis 1985, développe son entreprise dans un esprit inventif et écologique. On y trouve plus de 2 000 variétés de plantes d'ici et d'ailleurs, toutes adaptées au climat de la région et mises en valeur grâce à de magnifiques aménagements paysagers.

Alma

Initiative de la Société d'histoire du Lac-Saint-Jean, le **parc thématique l'Odyssée des Bâtisseurs** ★★ présente, dans la Maison des Bâtisseurs, sa collection permanente et des expositions temporaires. Tout autour, des circuits d'interprétation sillonnent le secteur historique de l'Isle-Maligne, que vous pouvez parcourir par le biais d'une visite guidée, en plus du Parcours des Bâtisseurs (belvédère et Château d'eau avec présentation multimédia en haute saison), unique en son genre et accessible jusqu'à la fin du mois d'octobre. Axé sur l'importance de l'eau au cœur du développement, le parc bénéficie d'un environnement patrimonial exceptionnel.

▼ Alma. © iStockphoto.com/Tony Tremblay

La Côte-Nord

L'immense **Côte-Nord** ** est subdivisée en deux régions touristiques distinctes : Manicouagan et Duplessis. Bordant le fleuve sur 300 km, la région de Manicouagan s'enfonce dans le plateau laurentien jusqu'au nord des monts Groulx et du réservoir Manicouagan. L'infinie contrée sauvage qu'est la région de Duplessis longe quant à elle le golfe du Saint-Laurent sur près d'un millier de kilomètres jusqu'au Labrador, et sa population, composée de francophones, d'anglophones et d'Innus, vit dispersée sur le littoral et dans quelques villes minières de l'arrière-pays.

Point de convergence des Inuits et des nations amérindiennes depuis des temps immémoriaux, grâce notamment à son réseau hydrographique tentaculaire et à ses importants territoires de chasse aux mammifères marins, la Côte-Nord était également connue des Européens avant même la découverte du Canada par Jacques Cartier en 1534. Dès le début du XVIe siècle, elle était fréquentée par les pêcheurs basques et bretons qui faisaient, eux aussi, la chasse aux cétacés : la précieuse graisse de baleine, fondue sur place dans de grands fours, servait à la fabrication de chandelles et de pommades.

La présence humaine, bien que très ancienne, n'a cependant laissé que peu de traces sur la Côte-Nord avant le XXe siècle. De nos jours, les petits ports de pêche alternent avec les villes papetières et minières. Le tourisme, lié à l'observation des baleines, occupe une place de plus en plus grande dans l'économie de la région depuis que ces espèces sont protégées. La Côte-Nord est faite sur mesure pour les amateurs de grands espaces et de nature sauvage.

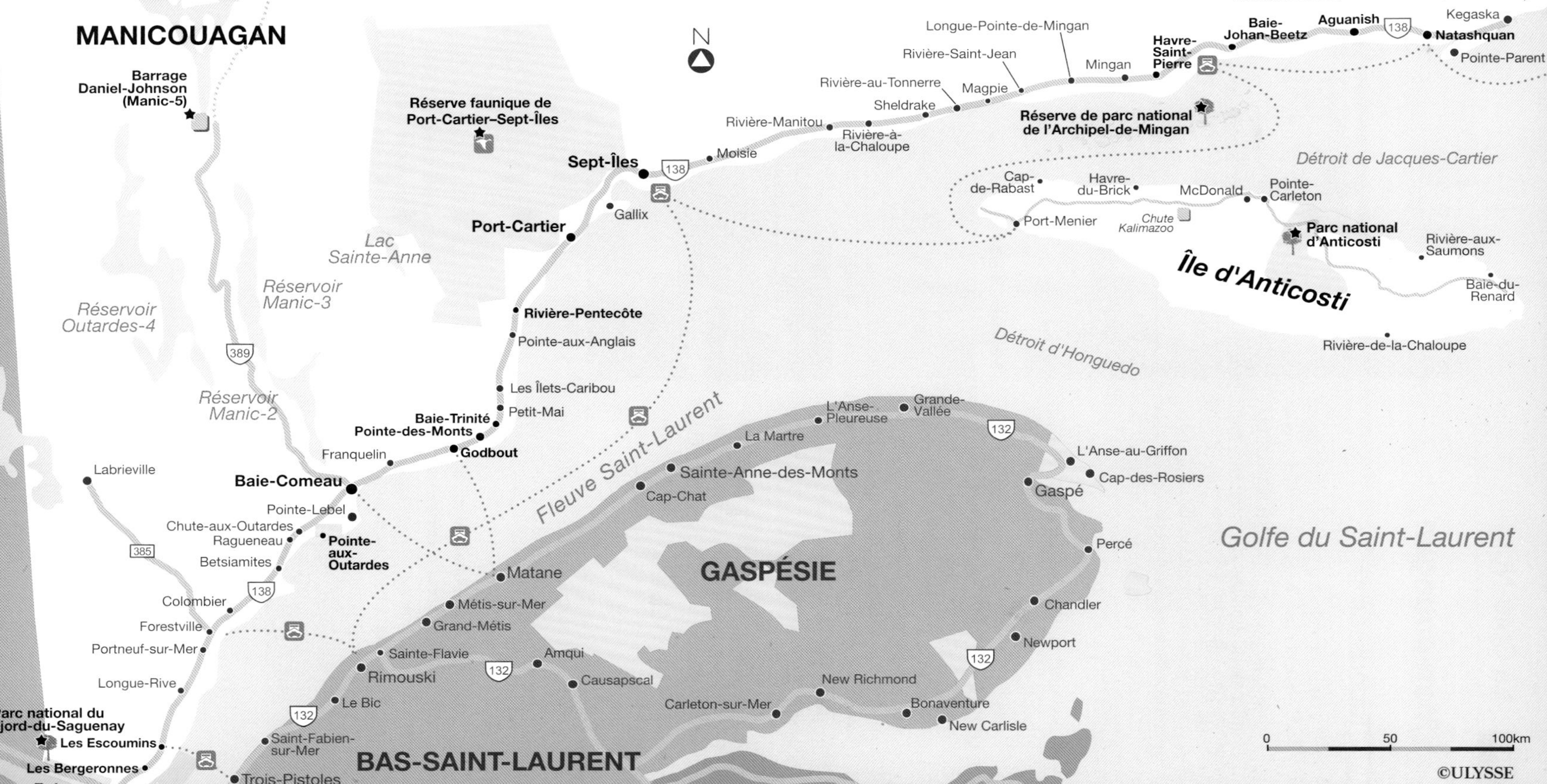
MANICOUAGAN
Barrage Daniel-Johnson (Manic-5)
Réserve faunique de Port-Cartier–Sept-Îles
N
Sept-Îles
138
Moisie
Rivière-Manitou
Rivière-à-la-Chaloupe
Sheldrake
Rivière-au-Tonnerre
Magpie
Rivière-Saint-Jean
Longue-Pointe-de-Mingan
Mingan
Havre-Saint-Pierre
Baie-Johan-Beetz
Aguanish
Natashquan
Kegaska
Pointe-Parent
Harrington Harbour, Tête-à-la-Baleine, Blanc-Sablon
Réserve de parc national de l'Archipel-de-Mingan
Détroit de Jacques-Cartier
Cap-de-Rabast
Havre-du-Brick
McDonald
Pointe-Carleton
Port-Menier
Chute Kalimazoo
Parc national d'Anticosti
Rivière-aux-Saumons
Île d'Anticosti
Baie-du-Renard
Rivière-de-la-Chaloupe
Détroit d'Honguedo
Gallix
Port-Cartier
Lac Sainte-Anne
Réservoir Manic-3
Réservoir Outardes-4
389
Rivière-Pentecôte
Pointe-aux-Anglais
Les Îlets-Caribou
Petit-Mai
Réservoir Manic-2
Baie-Trinité
Pointe-des-Monts
Godbout
Franquelin
Labrieville
Baie-Comeau
Pointe-Lebel
Chute-aux-Outardes
Ragueneau
Pointe-aux-Outardes
385
Betsiamites
Colombier
Forestville
Portneuf-sur-Mer
Longue-Rive
Parc national du Fjord-du-Saguenay
Les Escoumins
Les Bergeronnes
Tadoussac
Parc marin du Saguenay–Saint-Laurent
Fleuve Saint-Laurent
L'Anse-Pleureuse
Grande-Vallée
La Martre
Sainte-Anne-des-Monts
Cap-Chat
L'Anse-au-Griffon
Cap-des-Rosiers
Gaspé
Percé
Golfe du Saint-Laurent
GASPÉSIE
Matane
Métis-sur-Mer
Grand-Métis
Sainte-Flavie
Rimouski
Amqui
Causapscal
Chandler
Newport
Le Bic
Saint-Fabien-sur-Mer
Trois-Pistoles
BAS-SAINT-LAURENT
Carleton-sur-Mer
New Richmond
Bonaventure
New Carlisle
132
0
50
100km
©ULYSSE

Manicouagan ★★

Tadoussac ★★

L'emplacement stratégique de Tadoussac, à l'embouchure du Saguenay, lui vaudra d'être choisi pour l'établissement du premier poste français de traite des fourrures en Amérique dès 1600, soit huit ans avant la fondation de la ville de Québec. Tadoussac est en fait le plus ancien site d'occupation européenne au nord du Mexique.

Aujourd'hui, le village de Tadoussac, un lieu privilégié pour l'observation des baleines, est très vivant, surtout en été lorsque nombre d'estivants viennent y passer quelques jours et que les festivaliers s'y rendent pour assister au **Festival de la chanson de Tadoussac**. Tadoussac est aussi le point de départ du remarquable **sentier Le Fjord**, qui offre une vue spectaculaire sur l'embouchure du Saguenay et le fleuve.

Dominant le village, l'**Hôtel Tadoussac** ★ est à cette communauté ce que le Château Frontenac est à Québec, son emblème et son point de repère. Sa forme allongée et son revêtement à clins de bois, dont la blancheur contraste violemment avec sa toiture de tôle peinte en rouge, ne sont pas sans rappeler les hôtels de villégiature de la Nouvelle-Angleterre construits dans la seconde moitié du XIXe siècle.

Le **Poste de traite Chauvin** ★ consiste en une reconstitution du premier poste de traite de Tadoussac. Ce petit bâtiment de billots équarris, ouvert aux visiteurs, rappelle le premier poste de traite des fourrures de la Nouvelle-France, établi par le huguenot Pierre Chauvin de Tonnetuit en 1600.

La majeure partie de l'intéressante et éducative exposition du **Centre d'interprétation des mammifères marins** ★ traite des 13 espèces de baleines présentes dans l'estuaire et le golfe du Saint-Laurent. On y présente notamment le squelette d'un cachalot de 13 m de long, ainsi qu'un aquarium contenant divers poissons vivant dans le fleuve.

▲ Tadoussac. © iStockphoto.com/Rixipix

Les **dunes** sont situées à environ 5 km au nord de la ville. Elles furent formées, il y a plusieurs milliers d'années, lors de la fonte des glaces. Sur le site, on trouve un petit centre d'interprétation associé au parc national du Fjord-du-Saguenay, le centre de découverte de la **Maison des dunes** ★.

Le **parc national du Fjord-du-Saguenay** ★★★ s'étend sur les deux rives de la rivière Saguenay. Des sentiers de randonnée pédestre permettent de découvrir la végétation recouvrant ces abruptes falaises. D'ailleurs, au haut des

falaises, il est intéressant de constater la présence d'une végétation rabougrie.

Le territoire du **Parc marin du Saguenay–Saint-Laurent** ★★★, avec ses 1 245 km², couvre la moitié de l'estuaire du Saint-Laurent et presque tout le lit de la rivière Saguenay (voir aussi p. 230). Il a été créé afin de protéger l'exceptionnelle vie aquatique qui y habite.

Creusé par les glaciers, le merveilleux fjord du Saguenay a une profondeur de 276 m près du cap Éternité et de 10 m à peine à son embouchure. Cette configuration particulière, créée par l'amoncellement de matériaux charriés par les glaciers, a laissé un bassin où l'on retrouve la faune et la flore marines de l'Arctique. En effet, l'eau à la surface de la rivière Saguenay, dans les premiers 20 m, est douce et affiche une température variant entre 15°C et 18°C, alors que l'eau en profondeur est salée et se maintient autour de 1,5°C. Ce milieu, reliquat de la mer de Goldthwait, a conservé ses habitants, comme le requin arctique ou le béluga, espèces que l'on rencontre aussi beaucoup plus au nord dans l'Arctique.

En outre, grâce à une oxygénation constante, y prolifèrent une multitude d'organismes vivants dont se nourrissent plusieurs mammifères marins, comme le petit rorqual, le rorqual commun et le rorqual bleu. Ce dernier pouvant atteindre

30 m, il constitue le plus grand mammifère du monde. Dans les eaux du parc, on peut également apercevoir des phoques et parfois des dauphins.

Très tôt, les pêcheurs venus d'Europe tirèrent parti de ces richesses marines. Certaines espèces de mammifères marins telles que la baleine franche furent malheureusement trop chassées. Aujourd'hui, on peut s'aventurer sur le fleuve pour contempler de plus près ces impressionnants animaux. Toutefois, afin de les protéger de certains abus, des règles strictes ont été édictées et les bateaux ne peuvent pas les approcher de trop près. Le kayak de mer demeure le moyen de déplacement privilégié dans ce parc.

Les Bergeronnes ★

Le **Centre Archéo Topo** ★ présente de façon moderne et vivante toute la richesse archéologique de ce secteur de la Côte-Nord.

Le **Centre d'interprétation et d'observation de Cap-de-Bon-Désir** ★ s'est installé autour du phare de Cap-de-Bon-Désir. On y présente une intéressante exposition sur la vie des cétacés, en plus d'y trouver un point d'observation des baleines, pour ceux qui auraient moins le pied marin. On y propose aussi plusieurs activités d'interprétation sur la vie sur la Côte-Nord et sur les communautés amérindiennes locales.

Les Escoumins ★

Aux abords du beau village côtier des Escoumins, d'agréables sentiers permettent d'observer les oiseaux et les poissons. Le site est également reconnu pour la plongée sous-marine.

Le **Centre de découverte du milieu marin** ★★ dessert surtout la clientèle nombreuse des plongeurs, mais on peut également s'y rendre pour observer les préparatifs de ces mêmes plongeurs ou le déplacement des pilotes qui se rendent sur les navires marchands.

Pointe-aux-Outardes

Les visiteurs du **Parc Nature de Pointe-aux-Outardes** ★ peuvent profiter de belles plages qu'ils pourront parcourir les pieds dans l'eau à marée basse. Cependant, le parc est surtout connu comme un des plus importants sites de migration et de nidification du Québec. D'ailleurs, plus de 240 espèces d'oiseaux peuvent y être observées.

Baie-Comeau

Situé au bord du fleuve Saint-Laurent dans un environnement inusité et exceptionnel, le **Jardin des glaciers** ★★ traite de la période glaciaire, des changements climatiques et de la migration des premiers peuples. Son Parc d'aventure maritime permet de voir les traces spectaculaires laissées par la dernière glaciation sur les paysages de la Côte-Nord, que plus de 4 km d'épaisseur de glace recouvrait il y

a 20 000 ans, et de comprendre l'effet de la fonte des glaces sur l'augmentation du niveau de la mer.

Les centrales hydroélectriques Manic-2 et Manic-5 (barrage Daniel-Johnson) se dressent sur la rivière Manicouagan. Au moment de sa construction, le premier barrage du complexe, soit **Manic-2** ★★, était le plus grand barrage-poids à joints évidés au monde (aujourd'hui il est le deuxième, après celui d'Itapuí). La visite guidée du barrage vous entraînera à l'intérieur de l'imposante structure.

Sachez par contre qu'un spectacle encore plus surprenant vous attend plus au nord: **Manic-5 et le barrage Daniel-Johnson** ★★★. Construit en 1968 et doté d'une arche centrale de 214 m, ce barrage constitue, avec ses 1 314 m de long, le plus grand barrage à voûtes multiples et à contreforts du monde. La visite mène les curieux au pied du barrage et sur les collines environnantes, d'où l'on a une vue panoramique sur la vallée de la Manicouagan et le réservoir de près de 2 000 km².

Godbout ★

La majorité des objets exposés au petit **Musée amérindien et inuit** ★★ proviennent du Grand Nord canadien (Yukon, Territoires du Nord-Ouest et Nunavut). Ces collections d'art inuit, amassées par le chaleureux fondateur de l'institution, Claude Grenier, sont fort intéressantes.

Pointe-des-Monts ★

De nombreux vaisseaux se sont abîmés sur les côtes aux environs de la pointe des Monts. En 1805, les autorités du port de Québec décident de baliser le fleuve afin de réduire le risque de naufrage. Le **phare de Pointe-des-Monts** ★ est l'un des premiers construits (1829). Le lieu a été

▼ Manic-5 et le barrage Daniel-Johnson. © Shutterstock.com/Denis Roger

entièrement rénové en 2011. La maison en contrebas accueille de nos jours une auberge.

Baie-Trinité

Le **Centre national des naufrages du Saint-Laurent** ⋆⋆ offre, en plus d'une exposition d'artéfacts, une expérience multimédia spectaculaire. On y convie les visiteurs à revivre l'épopée dramatique des naufrages qui ont jalonné l'histoire, de 1600 jusqu'à aujourd'hui.

De Rivière-Pentecôte à Sept-Îles

Au-delà de Pointe-des-Monts, le paysage se désertifie. Les forêts et les falaises font place en maints endroits à des plaines septentrionales de bord de mer, balayées par des vents incessants. L'intérieur des terres demeure, quant à lui, exclusivement une région de nature sauvage.

Rivière-Pentecôte

Le **Musée Louis-Langlois** ⋆, installé dans une ancienne résidence datant de 1873, présente entre autres une exposition sur le naufrage de la flotte anglaise de l'amiral Walker, en 1711.

Port-Cartier

La **réserve faunique de Port-Cartier–Sept-Îles** ⋆ s'étend sur 6 423 km² et est surtout fréquentée par les chasseurs, les pêcheurs à la ligne ainsi que les canoteurs d'expérience qui aiment chevaucher les rapides de la rivière aux Rochers.

Sept-Îles

Ancien poste de traite des fourrures sous le Régime français, la ville de Sept-Îles connaît un âge d'or industriel au début du XXe siècle grâce à l'exploitation des forêts de l'arrière-pays. Son port en eaux profondes, libre de glaces en hiver, est le troisième en importance au Québec, après les ports de Montréal et de Québec, pour le tonnage manutentionné.

Le **Musée régional de la Côte-Nord** ⋆ vise à la fois des objectifs anthropologiques et artistiques. Il présente certaines des 40 000 pièces provenant des fouilles archéologiques effectuées sur la Côte-Nord, quelques animaux naturalisés, des objets amérindiens ainsi que des œuvres d'artistes contemporains provenant de différentes régions du Québec.

En bordure de la baie des Sept Îles, le **parc du Vieux-Quai** occupe le cœur de l'activité estivale. On y trouve entre autres des sites remarquables d'où l'on peut admirer les îles dispersées à l'horizon, ainsi que les comptoirs de plusieurs artisans locaux venus exposer leurs créations.

Maison de transmission de la culture innue, le **Musée Shaputuan** ⋆ présente de façon captivante l'histoire et la culture de ce peuple autochtone de la Côte-Nord.

À l'origine du nom de la ville, l'**archipel des Sept Îles** ⋆⋆ est composé des îles Petite Boule, Grande Boule, De Quen, Manowin, Corossol, Grande Basque et Petite Basque. Les crevettes étant abondantes aux alentours, la pêche demeure une activité populaire. Sur l'île Grande Basque, des sentiers d'interprétation de la nature et des emplacements de camping ont été aménagés.

La Minganie ⋆⋆⋆

La Minganie, qui tient son nom de l'étrange mais splendide archipel de Mingan est reconnue pour ses tumultueuses rivières à saumon, perpendiculaires au fleuve Saint-Laurent.

◂ Le phare de Pointe-des-Monts.
© Mathieu Dupuis

▲ La réserve de parc national de l'Archipel-de-Mingan. © Mathieu Dupuis

Havre-Saint-Pierre ★

La **Maison de la culture Roland-Jomphe** ★ est installée dans l'ancien magasin général de la famille Clarke, restauré avec talent. On y raconte l'histoire locale, de 1857 à nos jours, à travers une exposition.

Composée d'une série d'îles et d'îlots s'étendant sur 152 km à quelque distance de la côte entre Longue-Pointe-de-Mingan et Aguanish, la **réserve de parc national de l'Archipel-de-Mingan** ★★ recèle de formidables richesses naturelles. Sa particularité vient des falaises, des arches et des monolithes qui ont été façonnés par les éléments naturels au fil du temps. Outre cet aspect fascinant, le climat et la mer ont favorisé le développement d'une flore rare et variée.

Les amateurs de randonnée pédestre ont accès à quelque 25 km de sentiers situés sur quatre îles de l'archipel. Les sentiers longent souvent le bord de mer, mais parfois font une incursion au cœur des îles, dans la forêt, la lande et les tourbières.

Île d'Anticosti ★★

La présence amérindienne sur l'île d'Anticosti remonte à la nuit des temps. Les Innus l'ont fréquentée de façon sporadique, le climat rigoureux de l'île ne leur permettant pas de s'y établir en permanence.

D'une superficie de quelque 570 km², le **parc national d'Anticosti** ⋆⋆ a été créé pour protéger les plus beaux sites de l'île, entre autres la **chute Vauréal** ⋆⋆, la **grotte à la Patate**, la **baie de la Tour** ⋆⋆ et le **canyon de l'Observation** ⋆.

Le parc permet à chaque personne une utilisation rationnelle du territoire afin de s'adonner à son activité préférée. Plusieurs kilomètres de sentiers de randonnée sillonnent ce havre de verdure qui se prête bien à la marche, à la baignade ou à la pêche. Réputé pour ses cerfs de Virginie, le parc offre également des panoramas à couper le souffle. En effet, plages immenses, chutes, grottes, escarpements et rivières composent son magnifique décor.

À l'**Écomusée d'Anticosti** ⋆, on peut admirer des photographies prises à l'époque où Menier était propriétaire de l'île d'Anticosti. Tout en faisant revivre l'histoire de l'île, l'Écomusée présente les milieux écologiques d'Anticosti.

Au pays de Gilles Vigneault ⋆⋆

« Mon pays, ce n'est pas un pays, c'est l'hiver », voilà comment Gilles Vigneault, fier fils de la Basse-Côte-Nord, décrit son coin de littoral subarctique, où l'on voit flotter des icebergs au printemps et au début de l'été. Des animaux (ours, orignaux, phoques, baleines) peuvent y être admirés parfois à plusieurs endroits, non pas derrière les barreaux d'un zoo, mais, aux abords des villages, sur les rochers dénudés, sur les plages de sable fin et dans l'eau.

Baie-Johan-Beetz ⋆

En arrivant à Baie-Johan-Beetz, vous remarquerez certainement la **maison Johan-Beetz** ⋆, coiffé d'un toit rouge mansardé. Johan Beetz est né en 1874 au château d'Oudenhouven, dans le Brabant (Belgique). Le chagrin causé par le décès de sa fiancée l'amène à vouloir partir pour le Congo. Un ami l'incite plutôt à émigrer au Canada. Passionné de chasse et de pêche, il visite la Côte-Nord, où il décide bientôt de s'installer.

En 1897, il épouse une Canadienne et construit cette coquette maison Second Empire qu'il décore lui-même. En 1903, il fait figure de pionnier en entreprenant l'élevage d'animaux à fourrure, dont les peaux sont vendues à la Maison Révillon de Paris.

Au cours de sa vie sur la Côte-Nord, Johan Beetz a contribué à améliorer la vie de ses voisins. Grâce à ses études universitaires, pendant lesquelles il apprit les rudiments de la médecine, il fut l'homme de science auquel les villageois faisaient confiance. Muni de livres et d'instruments de fortune, il réussit à soigner, tant bien que mal, les habitants de la Côte-Nord. Il réussit même à préserver le village de la grippe espagnole grâce à une quarantaine savamment contrôlée. Ainsi, si vous demandez aux aînés de vous parler de monsieur Beetz, vous n'entendrez que des éloges.

D'une superficie de près de 120 km², le **refuge d'oiseaux migrateurs de Watshishou** ⋆ protège une importante aire de nidification pour le cormoran à aigrettes et l'eider à duvet et abrite plusieurs autres colonies d'oiseaux aquatiques.

Aguanish

Le **Trait de scie** ⋆⋆ est un canyon naturel creusé par la rivière Aguanish qu'il est possible d'admirer en excursion guidée dans une embarcation motorisée. La sortie est d'une durée de deux à trois heures. Le lieu est saisissant par sa profondeur et son débit d'eau. Vous apercevrez aussi des marmites de géants creusées par la force du courant dans le roc. Impressionnant!

Natashquan ⋆⋆⋆

Charmant petit village de pêcheurs aux maisons de bois usées par le vent salé, Natashquan a vu naître le célèbre poète et chansonnier Gilles Vigneault en 1928. Plusieurs de ses chansons ont pour thème les gens et les paysages de la Côte-Nord. Natashquan, mot d'origine innue, signifie «l'endroit où l'on chasse l'ours». Une cinquantaine de kilomètres plus loin se trouve le village de Kegaska, où s'arrête la route 138.

Lieu éloigné comptant quelques centaines d'habitants, Natashquan est étrangement vivant et plusieurs initiatives touristiques intéressantes s'y déroulent. De bons petits restos, de belles auberges, un paysage nordique hallucinant et une hospitalité exemplaire vous assurent un dépaysement hors de l'ordinaire.

À l'intérieur de la **Vieille École de Natashquan** ⋆, on fait l'interprétation de certains des personnages les plus célèbres du poète chanteur qu'est Gilles Vigneault. Un guide sur place relate d'ailleurs quelques anecdotes impliquant M. Vigneault et plus généralement la vie à Natashquan.

Le **Site patrimonial des Galets** ⋆⋆ protège ces petites maisons pittoresques que l'on aperçoit de loin sur la pointe. Aujourd'hui abandonnés, ce sont les bâtiments où les pêcheurs préparaient autrefois leur poisson.

Le **Centre d'interprétation Le Bord du Cap** ⋆ est une reconstitution de l'ancien magasin général du village. On y voit les registres comptables, d'anciennes marchandises et des outils. Une autre pièce est dédiée à Gilles Vigneault, où sont exposés la plupart de ses albums (en 33 tours) et où l'on projette un petit film sur la vie du poète et sur l'histoire du magasin général.

Harrington Harbour ⋆

Les trottoirs de bois font la renommée de Harrington Harbour, ce village de pêcheurs isolés sur une petite île. Le sol, composé de gros rochers inégaux, rendait difficile l'aménagement d'une agglomération conventionnelle: les habitants ont donc relié les maisons entre elles par des passerelles de bois légèrement surélevées. Le quai est la place centrale de l'île.

Tête-à-la-Baleine ⋆

Tête-à-la-Baleine est un village pittoresque où l'on pratique toujours la chasse au «loup marin» (phoque commun). On peut y observer un phénomène particulier à la Basse-Côte-Nord: la migration saisonnière... des habitants! En effet, les pêcheurs possèdent deux maisons, l'une sur la terre ferme et l'autre, plus modeste, construite sur une île au large et habitée par toute la famille durant la saison de la pêche. Cette dernière porte le nom de «maison de mer».

Ainsi, les pêcheurs de Tête-à-la-Baleine se rendent sur l'**île Providence**, pendant l'été, pour se rapprocher des bancs de poissons. Cette tradition est en perte de vitesse, ce qui a entraîné l'abandon de plusieurs maisons insulaires ces dernières années.

La belle **chapelle de l'île Providence**, la plus vieille chapelle de la Basse-Côte-Nord, élevée en 1895, a été joliment conservée.

Blanc-Sablon

La région isolée de Blanc-Sablon a pourtant été fréquentée, dès le XVIe siècle, par les pêcheurs basques et portugais, qui y ont établi des pêcheries où l'on faisait fondre la graisse des «loups marins» et où la morue était salée avant d'être expédiée en Europe. Les Vikings, dont le principal établissement a été retrouvé sur l'île de Terre-Neuve, toute proche, auraient peut-être implanté un village dans les environs de Blanc-Sablon vers l'an 1000. À **Brador**, le site du fort (Pontchartrain) de Courtemanche (XVIIIe siècle) a été mis au jour.

Blanc-Sablon n'est qu'à environ 4 km de la frontière avec le Labrador, ce territoire subarctique qui fut constitué de terres amputées au Québec et qui est aujourd'hui partie intégrante de la province de Terre-Neuve-et-Labrador. De Blanc-Sablon, une route y conduit en suivant le littoral. L'île de Terre-Neuve est quant à elle accessible par traversier au départ de Blanc-Sablon.

▾ Le Site patrimonial des Galets. © Thierry Ducharme

Le Nord-du-Québec

Gigantesque territoire septentrional s'étendant depuis le 49e parallèle jusqu'au nord du 62e parallèle, le **Nord-du-Québec** ⋆ constitue 51% du territoire du Québec et ne compte qu'environ 44 000 habitants (Inuits, Cris et autres Jamésiens). Cet ensemble géographique comprend les régions touristiques d'Eeyou Istchee Baie-James et du Nunavik.

La singulière beauté de ses paysages dénudés, la rudesse de son climat hivernal et sa végétation, où la toundra succède à la taïga et à la forêt boréale, en font une région résolument différente du reste du Québec. Le Nord-du-Québec peut paraître plus difficile d'accès que d'autres régions du Québec, mais ce vaste territoire, royaume des peuples autochtones du Nord, mérite le détour.

De plus en plus, le Nord-du-Québec attire les visiteurs des quatre coins du monde. Ses vastes contrées sauvages et sa faune unique agissent comme des aimants sur les amateurs de grands espaces et de nature vierge, et les citadins qui souhaitent vivre l'expérience autochtone se laissent fasciner par la culture des peuples cri et inuit.

Si l'infrastructure touristique du Nord-du-Québec se développe de plus en plus, il demeure difficile d'y partir à l'improviste. Il est recommandé de réserver ses chambres dans les hôtels ainsi que toutes les visites envisagées. D'ailleurs, pour découvrir ces terres lointaines de même que pour aller à la chasse ou à la pêche, il est fortement recommandé de s'offrir les services d'un pourvoyeur.

©ULYSSE
0
100
200km
N
Ivujivik
Salluit
Kangiqsujuaq
Détroit d'Hudson
Akulivik
Parc national des Pingualuit
Quaqtaq
Puvirnituq
Île Akpatok
Killiniq
Monts Torngat
Péninsule d'Ungava
Kangirsuk
Baie d'Ungava
Mont D'Iberville (1646m)
Aupaluk
Parc national Kuururjuaq
Inukjuak
NUNAVIK
Tasiujaq
Kangiqsualujjuaq
Kuujjuaq
Baie d'Hudson
Riv. aux Feuilles
Riv. Koksoak
Riv. à la Baleine
Riv. George
Riv. Caniapiscau
Parc national Tursujuq
Umiujaq
Kuujjuaraapik / Whapmagoostui
Grande rivière de la Baleine
Kawawachikamach
55e parallèle
Caniapiscau
Schefferville
Fontanges
Brisay
LG-2
LG-3
Laforge
Réservoir Smallwood
Réservoir Caniapiscau
adisson
LG-4
TERRE-NEUVE-ET-LABRADOR
Réservoir La Grande
Nitchequon
109
EEYOU ISTCHEE BAIE-JAMES
Fermont
Riv. Eastman
Nemaska
Riv. Rupert
MANICOUAGAN
DUPLESSIS
Lac Mistassini
Route du Nord
Lac Albanel
167
Oujé-Bougoumou
Mistissini
SAGUENAY–LAC-SAINT-JEAN
Sept-Îles
138
Chapais
113
Chibougamau
Waswanipi
Fleuve Saint-Laurent
Lebel-sur-Quévillon
Baie-Comeau
167
Lac Saint-Jean

▲ L'aménagement Robert-Bourassa. © Dreamstime.com/Berlinguette

Eeyou Istchee Baie-James ★

Qu'on l'appelle Moyen-Nord, Radissonie, Jamésie, Baie-James ou Eeyou Istchee (le nom du territoire cri), ce territoire aussi indéfinissable qu'innommable représente la contrée québécoise la plus nordique qui soit accessible par les routes. Ici, tout est différent: le temps, le climat, la faune, la flore, l'espace, les gens… C'est donc tout un univers qui s'ouvre au voyageur un peu plus téméraire en quête d'authenticité et de dépaysement.

Le territoire d'Eeyou Istchee Baie-James, qui comprend neuf communautés, quatre municipalités et trois localités et qui s'étend sur quelque 340 000 km^2, est géré par un gouvernement régional.

La route de la Baie-James

Au cours des années 1972-1973, les travailleurs québécois ont mis 450 jours pour percer la forêt boréale sur 740 km (de Matagami à Chisasibi) afin de construire la route de la Baie-James. Le défi était considérable, quand on connaît la taille des rivières qu'ils ont dû enjamber et le nombre incroyable de lacs contournés. En vous y aventurant, observez le paysage qui change subtilement. Ainsi vous verrez

l'épinette noire rapetisser, puis devenir frêle et rabougrie.

Radisson ★★

On se rend surtout à Radisson pour visiter une partie de l'impressionnant complexe hydroélectrique La Grande. Vous avez la possibilité de visiter l'**aménagement Robert-Bourassa** ★★★, autrefois connu sous le nom de La Grande-2. Vous pouvez également visiter **La Grande-1**, qui se trouve à quelque 100 km de La Grande-2 en direction de Chisasibi.

L'aménagement Robert-Bourassa (incluant la centrale Robert-Bourassa et la centrale La Grande-2-A) est l'un des plus grands et des plus puissants aménagements au monde. Aménagée à 140 m sous terre, la centrale Robert-Bourassa constitue la plus grande centrale souterraine du monde. Son barrage du même nom est long de 2,8 km et haut de 162 m et un réservoir d'une superficie de 2 835 km² l'alimente.

La route du Nord ★

Inaugurée en 1993, la route du Nord permet de rejoindre la route de la Baie-James à partir de Chibougamau. Parcourir cette route, toute de gravier sur 407 km, est une aventure en soi. Construite principalement pour le développement du projet Eastmain d'Hydro-Québec, la route du Nord est aussi utilisée pour le transport du bois des compagnies forestières et empruntée par des touristes avides de nouvelles sensations, ainsi que par des chasseurs et des pêcheurs.

Nemaska ★

Les Français ont pratiqué la traite des fourrures dès 1663 dans la région de Nemaska, qui signifie «là où abonde le poisson» en langue crie. Le commerce a continué de jouer une place déterminante dans l'histoire de Nemaska, principalement avec la Compagnie de la Baie d'Hudson, qui y a tenu un poste de 1905 à 1970. Souvent décrit comme «le cœur de la nation crie», ce village de 730 habitants est devenu le centre administratif du Grand Conseil des Cris.

Chibougamau

Située à 250 km au nord-ouest du lac Saint-Jean, Chibougamau est la plus importante ville nordique au Québec avec ses quelque 7 500 habitants. Depuis l'ouverture de la route du Nord en 1993, elle se veut la porte d'entrée du Nord québécois. Ville jeune, elle vit le jour grâce à la découverte, au début du XXe siècle, de minerais sur son territoire. Plusieurs compagnies minières s'y sont succédé au cours des ans. Aujourd'hui, ses vocations forestières et minières sont bel et bien assurées.

Oujé-Bougoumou ★

Le dernier-né des villages cris est aussi le plus remarquable à bien des points de vue. Après avoir été forcé d'abandonner leur village sept fois sur une période de 50 ans pour faire place aux activités minières, un groupe de Cris de la région a choisi le lac Opémiska pour s'installer de façon définitive en 1994. Leur acharnement leur a valu la reconnaissance du statut de réserve et leur a permis de réaliser un village unique et fascinant.

Sa conception a été confiée à l'architecte d'origine amérindienne Douglas Cardinal, qui est également l'auteur du Musée canadien de l'histoire à Gatineau et du National Museum of the American Indian de Washington, D.C. Il a imprégné Oujé-Bougoumou d'un caractère marqué par la tradition. Chaque résidence évoque, en particulier par sa toiture, le tipi ancien. Vu à vol d'oiseau, l'ensemble du village a la forme d'une oie qui se termine par la reconstitution d'un village traditionnel utilisé pour les grands événements et l'accueil touristique.

▲ Aurores boréales, Nunavik. © Dreamstime.com/Berlinguette

Mistissini ★

Situé à mi-chemin entre la vallée du Saint-Laurent et la baie d'Hudson, Mistissini signifie «grosse pierre» en langue crie. Ce village tire son nom de l'énorme rocher qui a servi de point de repère à des générations de Cris.

Avec ses 2 336 km², le **lac Mistassini** constitue la plus grande étendue d'eau naturelle au Québec, principale source d'alimentation de la rivière Rupert. Sa profondeur atteint 180 m. Champlain en connaissait l'existence, mais les premiers explorateurs français, notamment Guillaume Couture, ne l'atteindront qu'en 1663. Le jésuite Charles Albanel le traverse en 1672 au cours d'une expédition le menant du lac Saint-Jean à la baie James.

Le Nunavik ★

En 1912, le gouvernement fédéral divise la Terre de Rupert entre le Manitoba, l'Ontario et le Québec. Ainsi la frontière septentrionale du Québec passe de la rivière Eastmain au détroit d'Hudson, 1 100 km plus au nord. On nommera alors cette région «Nouveau-Québec». Avec la Convention de la Baie-James et du Nord québécois, le gouvernement du Québec crée une nouvelle région, celle-là appelée «Kativik», pour désigner l'ensemble des villages situés au nord du 55e parallèle. Mais, en 1986, la communauté inuite tient un référendum et adopte le nom de «Nunavik», qui signifie littéralement «grande terre habitée».

Umiujaq ⋆

À proximité d'Umiujaq, sur la côte est de la baie d'Hudson, se trouve le **parc national Tursujuq** ⋆⋆, créé en 2012. Cet immense espace de plus de 26 000 km² constitue le plus grand parc national du Québec. Il compte de nombreux attraits exceptionnels, tels le **lac Guillaume-Delisle**, havre pour les phoques et les bélugas, et les **cuestas hudsoniennes**, des collines asymétriques modelées par l'érosion glaciaire.

Salluit ⋆

Le site de Salluit, dominé par les montagnes dentelées et les collines abruptes, est très spectaculaire. Niché entre mer et montagnes, dans le magnifique **fjord de Salluit** ⋆⋆, le village est l'un des plus pittoresques du Nunavik. La **baie Déception**, que les Inuits appellent «Pangaligiak», est un lieu réputé pour la chasse, la qualité de sa pêche et la richesse de sa faune et de sa flore.

Kangiqsujuaq ⋆

Entouré de montagnes et situé au creux d'une superbe vallée, le village de Kangiqsujuaq (dont le nom inuktitut signifie «la grande baie») se dresse fièrement dans la baie de Wakeham. Deux rivières à débit important traversent le village. Il s'est développé à partir de 1912 autour d'un poste de traite de la société Révillon Frères. Le village est la porte d'entrée du parc national des Pingualuit (voir ci-dessous). Il est possible de visiter l'exposition permanente du parc qui se trouve au centre d'accueil et d'interprétation.

Parc national des Pingualuit ⋆⋆⋆

L'attrait naturel, culturel et touristique par excellence de la région est sans contredit le **cratère des Pingualuit** ⋆⋆⋆, aujourd'hui protégé par le parc national des Pingualuit. D'une superficie de 1 134 km², le parc est situé à moins de 100 km du village de Kangiqsujuaq. Le cratère des Pingualuit, jadis appelé cratère du Nouveau-Québec, est le résultat de l'impact d'une météorite tombée il y a environ 1,4 million d'années. Son diamètre est de 3,4 km et sa profondeur maximale, de 246 m. Déjà connu par les Inuits de la région, il aurait été identifié par un aviateur intrigué par sa rondeur parfaite. L'eau du **lac Pingualuk**, qui occupe le fond du cratère, est l'une des plus pures au monde et se régénère tous les 330 ans. Inauguré en 2007, le parc national des Pingualuit est le premier parc national à avoir vu le jour au Nunavik.

▼ Le parc national Tursujuq. © User:NicolasPerrault/Wikimedia Commons/CC0 1.0

Kuujjuaq ★

Située à 1 304 km au nord de Québec, Kuujjuaq, la capitale administrative, économique et politique du Nunavik, s'étend sur une terre plate et sablonneuse au bord de la rivière Koksoak, à 50 km en amont de son embouchure sur la baie d'Ungava. Avec une population dépassant les 2 000 habitants, dont un bon nombre de non-Autochtones, elle constitue la plus importante communauté inuite du Québec.

Appelé alors Fort Chimo, Kuujjuaq était au XIXe siècle et au début du XXe siècle un poste de traite de la Compagnie de la Baie d'Hudson. Depuis, le village a été déménagé sur l'autre berge de la rivière Koksoak, où il était plus facile de construire la piste d'atterrissage exploitée par une base militaire américaine dans les années 1940. Aujourd'hui on peut toujours visiter le «Vieux-Chimo», où il reste quelques bâtiments du temps de la Compagnie de la Baie d'Hudson.

La **rivière Koksoak** ★ est l'une des merveilles de la région. Elle donne à Kuujjuaq une tout autre dimension et offre un cadre pittoresque. Ses marées façonnent des paysages d'une beauté fascinante.

Parc national Kuururjuaq ★★

D'une superficie de 4 460 km^2, le parc national Kuururjuaq est le deuxième parc à avoir été créé au Nunavik. Il est traversé par la **rivière Koroc**, qui prend sa source dans les **monts Torngat**. C'est dans cette chaîne de montagnes, à la frontière du Québec et du Labrador, que se dresse le mont D'Iberville, le plus haut sommet du Québec (1 646 m).

Les grands thèmes

Loisirs et plein air

Agrotourisme

Le Québec agricole dévoile de plus en plus ses charmes et ses secrets aux visiteurs à la recherche d'une activité à la fois récréative et éducative. En leur donnant accès aux fermes et lieux de production, l'agrotourisme permet d'établir un lien privilégié avec les producteurs agricoles québécois, d'apprécier leur savoir-faire, de se procurer des produits du terroir et parfois même de s'asseoir autour d'une table champêtre ou de dormir au gîte de la ferme. Entre l'autocueillette de différents fruits, la visite d'érablières, de vignobles, de cidreries ou de bergeries, le choix des activités est vaste!

Baignade

Les plages de sable, de galets ou de roches sont nombreuses. On les trouve sur les berges du fleuve, au bord d'un des milliers de lacs que compte le Québec et même dans le golfe du Saint-Laurent. Vous n'aurez aucune difficulté à en dénicher une à votre goût, même si l'eau peut parfois être un peu froide.

La Ville de Montréal a aménagé une plage sur l'île Notre-Dame, où vous pourrez vous rafraîchir dans l'eau filtrée du fleuve. Attention, il s'agit d'une plage très populaire et le nombre de baigneurs y est limité: arrivez tôt.

Les plages des Îles de la Madeleine constituent l'un des points forts de cet archipel en été. Elles sont facilement accessibles et il est agréable de s'y baigner jusqu'à la fin de septembre.

Canot

Le territoire québécois, pourvu d'une multitude de lacs et de rivières, comble les amateurs de canot. Bon nombre de parcs nationaux et de réserves fauniques sont le point de départ d'excursions de canot d'une ou de plusieurs journées. Dans ce dernier cas, des emplacements de camping rustique sont mis à la disposition des canoteurs.

Canyoning

Le canyoning se présente comme un sport hybride alternant la marche, la descente en rappel et la nage, et consistant à parcourir un cours d'eau encaissé dont le profil est accidenté. En fait, on peut pratiquer le canyoning aussi bien dans des canyons que dans des gorges, des cascades et des défilés. Plutôt récent au Québec, ce sport s'adresse à tous ceux qui sont en bonne condition physique, savent nager et n'ont pas peur d'être suspendus dans le vide.

◄ Camping d'hiver en Abitibi. (double page précédente) © iStockphoto.com/matdupuis

L'un des endroits les plus populaires au Québec où l'on pratique la descente en rappel est situé au pied du mont Sainte-Anne, non loin de la ville de Québec: la chute Jean-Larose, avec ses trois cascades vrombissantes qui se jettent dans des bassins d'eau limpide. Il existe également dans les environs d'autres canyons qui s'offrent aux mordus du canyoning, tels le canyon de la Vieille-Rivière et le canyon des Éboulements.

Chasse

Pour pouvoir chasser sur le territoire québécois, un résident doit se procurer un permis de chasse du Québec, disponible chez les dépositaires autorisés: magasins de sport, quincailleries, dépanneurs, ou dans certaines pourvoiries, zecs et réserves fauniques gérés par la Sépaq. Et pour obtenir un permis de chasse avec arme à feu, arbalète et arc, il faut être titulaire du certificat du chasseur approprié à l'engin utilisé.

De plus, un permis de chasse fédéral, délivré par le Service canadien de la faune et vendu dans les bureaux de poste, peut être requis, notamment pour la chasse aux oiseaux migrateurs, qui requiert également le permis de chasse provincial.

Pêche

Pour pouvoir pêcher sur le territoire québécois, résidents et visiteurs doivent se procurer un permis de pêche sportive du Québec, en vente chez les dépositaires autorisés: magasins de sport, quincailleries, dépanneurs, ou dans certaines pourvoiries, zecs et réserves fauniques. Le permis de pêche sportive autorise

▼ Le rocher Percé, Gaspésie. © iStockphoto.com/Vladone

en général la pêche de la plupart des espèces de poissons d'intérêt sportif au Québec, sauf le saumon atlantique, pour lequel il existe un permis de pêche au saumon, disponible auprès des zecs, des réserves fauniques de pêche au saumon et de certains dépositaires et pourvoiries.

Descente de rivière

La descente de rivière, ou rafting, est un sport riche en émotions fortes. Il consiste à affronter des rapides en radeau ou canot pneumatique. Ces embarcations, qui accueillent généralement une dizaine de personnes, sont d'une résistance et d'une flexibilité nécessaires pour bien résister aux rapides.

La descente de rivière est particulièrement appréciée au printemps, lorsque les rivières sont en crue avec un courant beaucoup plus impétueux. Il va sans dire qu'il faut être en bonne condition physique pour participer à une excursion du genre, d'autant plus qu'entre les rapides, c'est la force des rameurs qui mène le bateau. Cependant, une excursion bien organisée, en compagnie d'un guide expérimenté, ne présente pas de danger démesuré. Les entreprises qui proposent de telles descentes fournissent généralement l'équipement nécessaire au confort et à la sécurité des participants. Alors, embarquez-vous et laissez les rivières enfin libérées des glaces de l'hiver vous faire sauter de plaisir et tournoyer au milieu de grandes éclaboussures!

Équitation

Plusieurs centres équestres proposent des cours ou des promenades. Quelques-uns d'entre eux organisent même des excursions de plus d'une journée. Selon les centres, on peut retrouver deux styles équestres: le style classique (selle anglaise) et le style western. Tous deux étant bien différents, il est utile de vérifier lequel est offert par le centre que vous avez choisi au moment de la réservation. Certains parcs québécois disposent de sentiers de randonnée équestre.

Escalade

Les amateurs pourront s'adonner à l'escalade hiver comme été. Ainsi, on retrouve quelques parois de glace destinées aux grimpeurs de tous les niveaux. Pour cette activité, on doit se munir d'un équipement adéquat (qui est parfois loué sur place) et, bien sûr, connaître les techniques de base. Certains centres proposent des cours d'initiation.

Golf

Dans tous les coins du Québec, des terrains de golf ont été aménagés. Ils sont généralement en activité du mois de mai au mois d'octobre.

Kayak

Le kayak n'est pas un sport nouveau, mais sa popularité va croissant au Québec. De plus en plus de gens découvrent cette activité merveilleuse qui permet de sillonner un cours d'eau dans une embarcation très stable et sécuritaire (en fait, un kayak de mer…) et confortable à un rythme qui leur convient pour apprécier la nature environnante.

En effet, une fois installé dans un kayak, on a l'impression d'être littéralement assis sur l'eau et de faire partie de la nature. Une expérience aussi dépaysante que fascinante! Il existe trois types de kayaks dont le galbe varie: le kayak de lac, le kayak de rivière et le kayak de mer. Ce dernier, qui peut accueillir une ou deux personnes selon le modèle, est le plus populaire car plus facilement manœuvrable.

Motoneige

Voilà un sport très populaire au Québec; après tout, c'est le Québécois Joseph-

▲ Observation des baleines dans le parc marin du Saguenay–Saint-Laurent. © Philippe Renault/hemis.fr

Armand Bombardier qui inventa la motoneige, donnant ainsi naissance à ce qui allait devenir un des plus importants groupes industriels du Québec, aujourd'hui impliqué dans la fabrication d'avions et de matériel ferroviaire.

Un réseau de quelque 33 000 km de sentiers de motoneige balisés, entretenus et signalisés, sillonne le territoire québécois. Des circuits traversant diverses régions touristiques mènent les intrépides au cœur de vastes régions sauvages.

Observation des baleines et des phoques

L'estuaire et le golfe du Saint-Laurent recèlent une vie aquatique riche et variée. On y trouve d'innombrables mammifères marins dont plusieurs espèces de baleines (béluga, rorqual commun et rorqual bleu) et de phoques (phoque gris, phoque commun). Dans le parc marin du Saguenay–Saint-Laurent (cogéré par Parcs Québec et Parcs Canada), qui borde les régions touristiques de Charlevoix, du Saguenay–Lac-Saint-Jean, du Bas-Saint-Laurent et de Manicouagan, des excursions d'observation des baleines sont organisées.

Observation des oiseaux

Outre les parcs fédéraux et québécois, plusieurs sites particulièrement intéressants sont accessibles pour observer les oiseaux.

Parcours d'aventure en forêt

Les parcours d'aventure en forêt poussent comme des champignons au Québec depuis quelques années et sont de plus en plus populaires auprès des jeunes comme des adultes.

À ce jour, au Québec, on dénombre plusieurs parcs spécialisés dans ce genre d'aventure en forêt. Les différents parcours qu'ils offrent se font au moyen de ponts suspendus, ponts-défis, ponts de singe, poutres, filets, cordes, passerelles de bois, tyroliennes, lianes et filets, qui représentent autant de défis à affronter. Ces parcours vous entraîneront dans les airs à travers divers jeux ludiques et spor-

▲ Ski alpin à la Station Mont Tremblant, dans les Laurentides. © iStockphoto.com/AlpamayoPhoto

tifs, offrant souvent des vues saisissantes à partir de la cime des arbres.

Patin

La plupart des municipalités entretiennent des patinoires aménagées dans les parcs, sur les rivières ou sur les lacs. Quelquefois, on peut y louer des patins, alors qu'une petite cabane permet de les chausser tout en restant au chaud.

Patin à roues alignées

Ce sport est le pendant estival du patin à glace. Il demande un certain temps d'adaptation, mais, une fois à l'aise sur ces patins, vous apprécierez la facilité avec laquelle les kilomètres défileront sous vos pieds. On pratique le patin à roues alignées surtout en milieu urbain, sur des pistes revêtues.

Pêche sur glace

Communément appelée «pêche blanche», la pêche sur glace a vu sa popularité grandir d'année en année. Le principe consiste, comme son nom l'indique, à pêcher le poisson dans un trou sur la glace. Une petite cabane de bois est installée sur le lac ou sur la surface gelée du cours d'eau afin de pouvoir s'y tenir au chaud pendant les longues heures de patience que demande cette activité. Les régions les plus populaires pour ce type de pêche sont les Cantons-de-l'Est, la Mauricie et le Saguenay–Lac-Saint-Jean.

Planche à neige

La planche à neige (ou surf des neiges) est apparue au Québec au début des années 1990. Bien que marginal à l'origine, ce sport ne cessa de prendre de l'ampleur, si bien qu'aujourd'hui les stations de ski de l'Amérique du Nord accueillent souvent plus de planchistes que de skieurs. Ça se comprend! Avec la planche à neige, les sensations éprouvées dans une descente quintuplent.

Planche à voile et cerf-volant de traction

La planche à voile et le cerf-volant de traction sont notamment pratiqués aux Îles de la Madeleine, véritable «pays du vent». Si la planche à voile est aujourd'hui bien connue, le cerf-volant de traction

▲ Randonnée pédestre. © iStockphoto.com/pchoui

l'est sans doute moins. Cet ensemble de sports hybrides consiste à utiliser la force du vent pour se déplacer à l'aide d'un immense cerf-volant. Il peut être pratiqué sur l'eau à bord d'une planche de surf (surf cerf-volant ou *kitesurf*), sur la plage à bord d'un petit buggy (*kite buggy*), et même sur la neige à l'aide d'une planche à neige ou de skis alpins. Les adeptes de ce sport semblent être de véritables acrobates et parviennent à réaliser des prouesses à couper le souffle. Mais le maniement n'est pas si simple, car les vents puissants peuvent causer des ennuis majeurs. Une bonne préparation et un encadrement adéquat sont de mise avant de s'envoler.

Plongée sous-marine

La plupart des régions disposent de bons sites de plongée sous-marine et le Québec compte pas moins de 200 centres de plongée, écoles ou clubs.

Randonnée pédestre

Activité à la portée de tous, la randonnée pédestre se pratique en maints endroits au Québec. Plusieurs parcs et réserves proposent des sentiers de longueurs et niveaux de difficulté divers. Certains offrent même des sentiers de longue randonnée. S'enfonçant dans les étendues sauvages, les parcours peuvent s'étendre sur des dizaines de kilomètres.

Raquette

Ce sont les Amérindiens qui ont inventé les raquettes, qui jadis leur servaient essentiellement à se déplacer sur la neige sans s'enfoncer. Au Québec, on pratique généralement la raquette, un loisir de plus en plus populaire, dans les centres de ski de fond et dans les parcs et réserves.

Ski alpin

On dénombre plusieurs stations de ski alpin au Québec. Certaines d'entre elles disposent de pistes éclairées qui sont ouvertes en soirée.

Ski de fond

Les centres de ski de fond et les parcs et réserves sillonnés de sentiers de ski de fond sont nombreux. Dans la plupart des centres, il est possible de louer de l'équipement à la journée. Plusieurs

▲ Traîneau à chiens. © iStockphoto.com/Tony Tremblay

comportent des sentiers de longue randonnée, le long desquels on a installé des refuges afin d'accueillir les skieurs.

Ski nautique et motomarine

Le ski nautique et la motomarine sont deux activités praticables sur les lacs et les rivières du Québec. On voit aussi des motomarines sur le fleuve, même à la hauteur de Montréal.

Traîneau à chiens

Autrefois utilisé comme moyen de déplacement par les Inuits du Grand Nord, le traîneau à chiens est devenu une activité sportive très prisée. Des compétitions d'envergure internationale sont d'ailleurs organisées ici même au Québec, tels Les Internationaux de traîneau à chiens du Canada, qui ont lieu à Saint-Just-de-Bretenières, dans la région de Chaudière-Appalaches. Chacun peut cependant s'initier aux plaisirs des randonnées en traîneau, car, depuis quelques années, des entreprises de plein air ont commencé à proposer aux visiteurs de tous âges des promenades qui peuvent durer de quelques heures à plusieurs jours.

Vélo

Le vélo constitue un moyen des plus agréables pour découvrir les régions du Québec.

Inaugurée officiellement en 2007, la **Route verte** est un itinéraire cyclable de plus de 5 000 km qui sillonne le territoire québécois d'est en ouest et du nord au sud sur plusieurs axes. Elle est composée de pistes cyclables en site propre, de voies partagées et de chaussées désignées qui permettent la pratique sécuritaire du vélo et la découverte du patrimoine naturel et culturel du Québec.

▲ Forêt boréale. © iStockphoto.com/heleneconada

Des sentiers de vélo de montagne ont également été aménagés dans plusieurs parcs.

Vol libre (deltaplane et parapente)

Le vol en deltaplane se pratique au Québec depuis le début des années 1970. Les montagnes ou monts se prêtant bien à ce sport se trouvent en Gaspésie, dans la région de Charlevoix, dans les Appalaches et les Laurentides. Le parapente est une activité sportive beaucoup plus récente au Québec. Rappelons qu'elle consiste à se laisser porter par un parachute directionnel gonflé par les vents.

Réputés assez dangereux, ces sports ne peuvent être pratiqués sans avoir suivi au préalable un cours offert par un moniteur accrédité.

La flore

Vu la différence de climat, la végétation varie sensiblement d'une région à l'autre; alors que dans le nord du territoire québécois elle est plutôt rabougrie, dans le sud elle s'avère luxuriante. En général, au Québec, les types de végétation représentent selon quatre strates (du nord au sud): la toundra, la forêt subarctique, la forêt boréale et la forêt mixte.

La toundra occupe les confins septentrionaux du Québec, principalement aux abords de la baie d'Hudson et de la baie d'Ungava. Étant donné que la belle saison dure à peine un mois, que la température hivernale est excessive et que le gel du sol atteint plusieurs mètres de profondeur, la végétation de la toundra ne se compose que d'arbres miniatures, de mousses et de lichens.

La forêt subarctique ou forêt de transition couvre, quant à elle, plus du tiers du

▲ Castor. © iStockphoto.com/PeaceLilyPhotography

▲ Chevreuil. © Dreamstime.com/Denis Pepin

Québec, faisant le lien entre la toundra et la forêt boréale. Il s'agit d'une zone à la végétation très clairsemée où les arbres connaissent une croissance extrêmement lente et réduite. On y trouve plus particulièrement de l'épinette et du mélèze.

La forêt boréale s'étend également sur une très grande partie du Québec, depuis la forêt subarctique et, à certains endroits, jusqu'aux rives du fleuve Saint-Laurent. C'est une région forestière très homogène où l'on trouve surtout des résineux, dont les principales essences sont l'épinette blanche, l'épinette noire, le sapin baumier, le pin gris et le mélèze, ainsi que des feuillus. On l'exploite pour la pâte à papier et le bois de construction.

La forêt mixte, qui se déploie le long du fleuve Saint-Laurent jusqu'à la frontière canado-américaine, est constituée de conifères et de feuillus. Elle est riche de nombreuses essences telles que le pin blanc, le pin rouge, la pruche, l'épinette, le merisier, l'érable, le bouleau, le hêtre et le tremble.

La faune

L'immense péninsule du Québec, à la géographie diverse et aux climats variés, s'enorgueillit aussi d'une faune d'une grande richesse.

En effet, une multitude d'animaux peuplent ses vastes forêts, plaines ou régions septentrionales, alors que ses lacs et rivières regorgent de poissons et d'animaux aquatiques. Voici quelques espèces typiques:

Le **caribou** (renne arctique): ce cervidé de grande taille, au museau velu, au pelage pâle et aux bois aplatis, vit dans la toundra. Son nom, qui signifie «qui creuse la neige pour se nourrir», vient de l'algonquin. À maturité, il peut peser jusqu'à 250 kg.

Le **castor**: habile constructeur de barrages et travailleur infatigable, il est l'emblème officiel du Canada. La traite de sa fourrure fut d'ailleurs à l'origine de la colonisation européenne du pays. On le reconnaît

▲ Orignal. © iStockphoto.com/paulbinet

à son corps massif, à ses pattes arrière courtes et palmées, et à sa large queue plate et écailleuse qui lui sert de gouvernail lorsqu'il nage. Ses puissantes incisives inférieures lui permettent d'abattre les arbres nécessaires à la construction de son habitation.

Le **chevreuil** (cerf de Virginie): plus petit cervidé du nord-est de l'Amérique du Nord, le chevreuil atteint un poids maximal d'environ 150 kg. On l'identifie à sa robe rousse et à sa queue au dessous blanc. Vivant souvent à l'orée des bois, ce magnifique animal est l'un des principaux gibiers du Québec. Le grand panache dont est pourvu le mâle tombe chaque hiver et repousse le printemps venu.

Le **loup**: ce prédateur vit en meute, et il ressemble à un chien de type berger allemand. Il mesure entre 67 cm et 95 cm, et pèse au plus une cinquantaine de kilos. Le loup attaque ses proies en meute (souvent des cerfs), ce qui fait de lui un animal peu apprécié des cœurs tendres. À une certaine époque, on tenta même de l'éliminer complètement. Heureusement, ces efforts furent vains, mais parvinrent à diminuer substantiellement le nombre de loups vivant au Québec. Le loup s'approche rarement de l'être humain.

La **mouffette rayée**: pourvu d'un pelage noir agrémenté d'une bande blanche allant du museau jusqu'au bout de la queue, ce petit mammifère est surtout connu pour sa technique de défense assez particulière: la mouffette rayée possède deux glandes remplies d'un liquide malodorant dont elle peut asperger ses adversaires en cas d'attaque. Les premiers Européens arrivés au pays l'ont d'ailleurs surnommée «bête puante». On la retrouve un peu partout au Québec, même parfois au centre-ville de Montréal; c'est une petite bête sympathique, mais avec laquelle il faut savoir tenir ses distances.

L'**orignal** (élan du Canada): plus grand cervidé du monde, il se distingue par ses bois aplatis en éventail, sa tête allongée au nez arrondi et sa bosse au garrot. L'orignal est un des plus puissants représentants de

▲ Émile Nelligan.

la faune québécoise. Il peut mesurer plus de 2 m et peser jusqu'à 600 kg.

L'**ours noir**: on le retrouve essentiellement en forêt, et il constitue la variété d'ours la plus répandue au Québec. Cet animal impressionnant peut atteindre jusqu'à 150 kg à l'âge adulte, quoiqu'il demeure le plus petit ours canadien. Attention, l'ours noir est un animal imprévisible et dangereux.

Le **porc-épic**: petit mammifère rongeur que l'on retrouve en grand nombre dans les forêts de conifères et de feuillus, le porc-épic est célèbre pour sa façon très singulière de se défendre: en cas d'attaque, il se replie sur lui-même et hérisse ses poils, formant ainsi un genre de pelote d'épingles inattaquable.

Le **raton laveur**: ce petit mammifère d'une dizaine de kilos est reconnaissable à son masque noir, aux six anneaux de sa queue et à son magnifique pelage. Nocturne et aussi rusé qu'un renard, le raton laveur vit dans le sud du Québec. Vu qu'il trouve la majorité de ses aliments dans l'eau, sa réputation de propreté provient de son habitude de les manipuler avant de les manger.

Le **renard roux**: fort mignon, ce petit animal possède une magnifique fourrure d'un roux flamboyant. On le retrouve un peu partout en forêt. Très rusé, il évite le plus souvent possible les humains; on l'aperçoit donc très rarement. Il chasse les petits mammifères et se nourrit en plus de petits fruits et de noix.

Le **béluga**: ce mammifère cétacé de couleur blanche d'environ 5 m de long habite généralement les eaux polaires, mais on le retrouve aussi au Québec dans l'estuaire du fleuve Saint-Laurent, à l'embouchure de la rivière Saguenay. C'est la plus petite espèce de baleine à fréquenter les eaux du Saint-Laurent.

Les eaux et le territoire du Québec sont également peuplés d'une multitude d'autres bêtes, dont l'écureuil, la marmotte, le renard arctique, plusieurs espèces de chauve-souris, l'ours polaire, le tamia, la belette, plusieurs espèces de musaraignes, la loutre, la baleine, le cachalot, le phoque et de nombreuses espèces d'oiseaux, dont le canard malard et le harfang des neiges, ou chouette blanche, emblème aviaire du Québec.

Les arts au Québec

Au Québec, l'expression artistique a pendant longtemps été à l'image d'une société qui se tenait constamment sur la défensive, tourmentée par la médiocrité de son présent et par des doutes quant à son avenir. Mais, depuis les années d'après-guerre et surtout avec la Révolution tranquille, la culture québécoise a bien évolué et s'est affirmée. Ouverte aux influences extérieures, et souvent très innovatrice, elle affiche maintenant une remarquable vitalité.

Lettres québécoises

L'essentiel des débuts de la littérature de langue française en Amérique du Nord est constitué d'écrits des premiers explorateurs (dont ceux de Jacques Cartier) et des communautés religieuses. Sous forme de récits, ces textes relatent différentes observations destinées principalement à faire connaître le pays aux autorités de la métropole. Le mode de vie des Autochtones, la géographie du pays et les premiers temps de la colonisation française figurent parmi les principaux thèmes abordés par des auteurs comme le père Sagard (*Le grand voyage au pays des Hurons*, 1632) ou par le baron de Lahontan (*Nouveaux voyages en Amérique septentrionale*, 1703).

La tradition orale domine la vie littéraire durant tout le XVIIIe siècle et au début du XIXe siècle. Les légendes issues de cette tradition (revenants, feux follets, loups-garous, chasse-galerie) sont par la suite consignées par écrit. Plusieurs années s'écoulent donc avant que le mouvement littéraire ne prenne un véritable envol, qui aura lieu à la fin du XIXe siècle. La majorité des créations d'alors, fortement teintées de la rhétorique de la «survivance», encensent les valeurs nationales, religieuses et conservatrices.

Les premières publications québécoises font l'éloge de la vie à la campagne, loin de la ville et de ses tentations. Les romans d'Antoine Gérin-Lajoie (*Jean Rivard le défricheur*, 1862, et *Jean Rivard, économiste*, 1864) en sont le parfait exemple. Ce traditionalisme continuera de marquer profondément la création littéraire jusqu'en 1930. En poésie, l'École littéraire de Montréal, plus particulièrement Émile Nelligan, qui s'inspire entre autres des œuvres des symbolistes et de Baudelaire, fait contrepoids au courant dominant pendant quelque temps.

Un changement fondamental va s'opérer au cours des années de la crise économique et de la Seconde Guerre mondiale. On voit graduellement apparaître le thème de l'aliénation des individus, et la ville devient le cadre de romans, comme c'est le cas de *Bonheur d'occasion* (1945) de la Franco-Manitobaine Gabrielle Roy (qui a vécu la plus grande partie de sa vie au Québec) et de *Au pied de la pente douce* (1945) de Roger Lemelin.

▲ Gratien Gélinas. © Library and Archives Canada, e000001350 /Domaine public

Le modernisme s'affirme franchement à partir de la fin de la guerre. Yves Thériault, auteur très prolifique, publie entre autres, de 1944 à 1962, contes et romans inuits et amérindiens (*Agaguk*, 1958; *Ashini*, 1960), qui marqueront toute une génération de Québécois. La poésie connaît une période d'or grâce à une multitude d'auteurs, notamment Gaston Miron, Alain Grandbois, Anne Hébert, Rina Lasnier et Claude Gauvreau. On assiste également à la véritable naissance du théâtre québécois grâce à la pièce *Tit-Coq* de Gratien Gélinas, qui sera suivie d'œuvres variées, dont celles de Jacques Ferron. Pour ce qui est des essais, le *Refus global* (1948), signé par un groupe de peintres automatistes, fut sans contredit le plus incisif des nombreux réquisitoires contre le régime duplessiste.

La Révolution tranquille «démarginalise» les auteurs. Une multitude d'essais, tel *Nègres blancs d'Amérique* (1968) de Pierre Vallières, témoignent de cette période de remise en question, de contestation et de bouillonnement culturel. Au cours de cette époque, véritable âge d'or du roman, de nouveaux noms, entre autres ceux de Marie-Claire Blais (*Une saison dans la vie d'Emmanuel*, 1965), Hubert Aquin (*Prochain épisode*, 1965) et Réjean Ducharme (*L'avalée des avalés*, 1966), s'ajoutent aux écrivains de la période précédente.

La poésie triomphe, alors que le théâtre, marqué particulièrement par l'œuvre de Marcel Dubé et par l'ascension de nouveaux dramaturges comme Michel Tremblay, s'affirme avec éclat. Parmi les plus brillants représentants du théâtre québécois d'aujourd'hui figurent André Brassard, Robert Lepage, Denis Marleau, Lorraine Pintal, René-Richard Cyr, Normand Chaurette, René-Daniel Dubois, Michel-Marc Bouchard, Wajdi Mouawad et Evelyne de la Chenelière.

Parmi les auteurs contemporains, on retrouve Dany Laferrière, Robert Lalonde, Marie Laberge, Louis Hamelin, Élise Turcotte ou encore Michel Rabagliati, sans oublier Yves Beauchemin et Victor-Lévy Beaulieu.

Musique et chanson

En ce qui a trait à la musique, il faut attendre les années d'après-guerre pour que le modernisme puisse commencer à s'afficher au Québec. Cette tendance s'affirme résolument à partir des années 1960, alors qu'on tient pour la première fois, en 1961, une Semaine internationale de la musique actuelle. Les grands orchestres, notamment l'Orchestre symphonique de Montréal (OSM), commencent dès lors à intéresser un plus vaste public. L'intérêt pour la musique s'est également propagé en région, avec notamment la présentation d'un grand festival de musique dans la région de Lanaudière et d'un festival international de musique actuelle à Victoriaville.

La chanson, qui a toujours été un élément important du folklore québécois, connaît un nouvel essor avec la généralisation de la radio et l'amélioration de la qualité des enregistrements. Des artistes comme Ovila Légaré, la Bolduc et le Soldat Lebrun seront parmi les premiers à obtenir la faveur du public. Avec la Révolution tranquille, des chansonniers comme Claude Gauthier, Raymond Lévesque, Claude Léveillée, Jean-Pierre Ferland, Gilles Vigneault et Félix Leclerc font vibrer les «boîtes à chansons» du Québec par des textes fortement teintés d'affirmation nationale et culturelle. À partir de la fin des années 1960, la chanson d'ici se permet d'aller dans toutes les directions et d'explorer tous les styles. Des artistes tels que Robert Charlebois et Diane Dufresne produisent des œuvres éclatées qui empruntent autant aux musiques américaines et britanniques qu'à la chanson française, alors que Leonard Cohen fait sa marque sur la scène internationale en anglais. Aujourd'hui, cette diversité caractérise toujours la musique québécoise, qui vibre aux rythmes aussi éclectiques des Jean Leloup, Richard Desjardins, Pierre Lapointe, Ariane Moffatt, Isabelle Boulay, Les Cowboys Fringants, Rufus Wainwright, Malajube, Les Trois Accords, Arcade Fire, Patrick Watson, The Besnard Lakes, The Dears, Godspeed You! Black Emperor ou Céline Dion, pour n'en nommer que quelques-uns.

On se doit également de souligner le succès remporté par le parolier Luc Plamondon, entre autres avec les opéras rock *Starmania* et *Notre-Dame-de-Paris*, ainsi que par la Bottine souriante et les Charbonniers de l'enfer, qui jouent une musique inspirée de la tradition québécoise.

La musique québécoise ne se limite toutefois pas à la chanson. Le Québec a notamment produit plusieurs grands musiciens de jazz, que ce soit les virtuoses que sont Oscar Peterson, Oliver Jones et Paul Bley, ou les artistes plus expérimentaux que sont René Lussier et Jean Derome. La musique classique n'est pas en reste, avec notamment le grand compositeur que fut André Mathieu, des musiciens de la trempe d'Alain Lefèvre et de Louis Lortie, sans oublier le chef d'orchestre Yannick Nézet-Séguin.

Les arts visuels

Ayant pour toile de fond idéologique le clérico-nationalisme, les œuvres d'art québécoises du XIXe siècle s'illustrent par leur attachement à un esthétisme désuet. Néanmoins encouragés par de grands collectionneurs montréalais, des peintres locaux adhèrent à des courants quelque peu novateurs à la fin du XIXe siècle et au début du XXe siècle. Il y a d'abord la vogue des paysagistes qui font l'éloge de la beauté du pays. La peinture à la manière de l'école de Barbizon, qui s'applique à représenter le mode de vie pastoral, bénéficie également d'une certaine reconnaissance. Puis, inspirés par l'école de La Haye, des peintres introduisent timidement le subjectivisme dans leurs œuvres.

Les peintures d'Ozias Leduc, qui s'inscrivent dans le courant symboliste, démontrent aussi une tendance à l'interprétation subjective de la réalité, tout comme les sculptures d'Alfred Laliberté réalisées au début du XXe siècle. Quelques créations de l'époque laissent entrevoir une certaine perméabilité aux courants européens, comme c'est le cas des tableaux de Suzor-Coté. Mais c'est dans la peinture de James Wilson Morrice, inspirée de Matisse, que l'on peut le mieux sentir l'empreinte des écoles européennes. Mort en 1924, Morrice est perçu par plusieurs comme le précurseur de l'art moderne au Québec. Il faudra néanmoins attendre plusieurs années, marquées notamment par les peintures très attrayantes de Marc-Aurèle Fortin, paysagiste mais aussi peintre urbain, avant que les arts visuels québécois ne se placent au diapason des courants contemporains.

▲ James Wilson Morrice.
© William Notman (1826-1891)/Domaine public

L'art moderne québécois commence d'abord à s'affirmer au cours de la Seconde Guerre mondiale grâce aux chefs de file que sont Alfred Pellan et Paul-Émile Borduas. Dans les années 1950 prennent forme deux tendances : l'expressionnisme abstrait, dont se réclament Marcelle Ferron, Marcel Barbeau, Pierre Gauvreau et surtout Jean Paul Riopelle, et l'abstraction géométrique, où s'illustrent particulièrement Jean-Paul Jérôme, Fernand Toupin, Louis Belzile et Rodolphe de Repentigny.

Les tendances de l'après-guerre s'imposent toujours dans les années 1960, et l'on commence à mettre les artistes à contribution dans l'aménagement des lieux publics. La diversification des procédés et des écoles devient réelle à partir du début des années 1970, jusqu'à présenter aujourd'hui une image très éclatée des arts visuels grâce à l'intégration de la

L'art autochtone

Les œuvres autochtones furent longtemps considérées comme des spécimens anthropologiques et collectionnées presque exclusivement par les musées d'ethnographie. Ce n'est que graduellement au cours du XXe siècle qu'on leur a conféré le statut « d'œuvres d'art ». Comme les Premières Nations, traditionnellement, ne dissociaient pas l'art des objets de la vie quotidienne, leurs œuvres ne correspondaient pas aux canons de la tradition artistique européenne. C'est à force de luttes de toutes sortes que leurs œuvres ont été intégrées aux collections des musées d'art. Aujourd'hui, plus d'une centaine de musées canadiens possèdent des collections d'art autochtone. Les pratiques artistiques varient énormément selon les régions du pays. L'art amérindien et l'art inuit, surtout, diffèrent de plusieurs façons.

Les Inuits définissent l'art par le mot *sananquaq*, nom inuktituk qui signifie « petite représentation de la réalité ». Pour les artistes, qui sont souvent aussi des chasseurs et des pêcheurs, les meilleures œuvres sont celles qui reproduisent fidèlement les formes et les mouvements des animaux et des humains. Les sculptures comme les gravures sont animées par des histoires tirées des grands thèmes de la tradition orale de ces peuples : les mythes et légendes, les rêves, les forces de la nature, les relations qu'entretiennent les êtres humains et les animaux, les travaux de la vie quotidienne.

Au Québec, les Amérindiens pratiquent moins la sculpture que leurs voisins du nord. De façon générale, les œuvres d'art amérindiennes sont réalisées avec des matériaux comme le bois, le cuir ou la toile. Les artistes amérindiens font beaucoup de travail tridimensionnel (masques, « capteurs de rêves », objets décorés), de sérigraphie et d'œuvres sur papier.

vidéo, de l'audio et des nouvelles technologies.

Le cinéma

Il faut attendre l'après-guerre pour que naisse un authentique cinéma québécois. Entre 1947 et 1953, des producteurs privés portent à l'écran des œuvres populaires telles que *La petite Aurore, l'enfant martyre* en 1951 et *Tit-Coq* en 1952. Malheureusement, l'entrée en force de la télévision au début des années 1950 porte un dur coup au cinéma naissant qui stagnera par la suite pendant une décennie complète. Sa renaissance est largement tributaire à la venue de l'Office national du film (ONF) à Montréal en 1956. C'est dans les studios de l'ONF, particulièrement avec la création de la Production française en 1964, que se formeront certains des plus grands cinéastes québécois comme Michel Brault, Claude Jutra, Pierre Perrault et Denys Arcand, pour ne nommer que ceux-là. Gilles Carle, quant à lui, s'était déjà joint en 1961 à l'équipe française de l'ONF, organisme qu'il a quitté en 1966.

Ces dernières années, parallèlement à l'industrie cinématographique, la démocratisation des moyens de production a permis à une nouvelle génération de cinéastes de se mettre au monde sans trop avoir à se soucier des budgets de production.

▲ Capteurs de rêves. © iStockphoto.com/Syldavia

› Quelques films marquants

Mon oncle Antoine (Claude Jutra, 1971). Considéré par plusieurs comme le meilleur film jamais produit au Québec, il contribua à bâtir la réputation de la cinématographie québécoise à l'étranger.

Les Ordres (Michel Brault, 1974). Ce film sur les événements d'Octobre 1970 mêle habillement les techniques du documentaire héritées de l'expérience du cinéma direct et la fiction.

Le Déclin de l'empire américain (Denys Arcand, 1986). Remarquablement bien écrit et joué, le film obtient un succès international sans précédent dans l'histoire du cinéma québécois. Prix de la critique internationale à Cannes en 1986.

Cosmos (1996). Film collectif produit par Roger Frappier, il fera découvrir au public une nouvelle génération de réalisateurs de grand talent. Denis Villeneuve (*Un 32 août sur terre*, *Maelström*, *Polytechnique*, *Incendies*), Manon Briand (*2 secondes*, *La turbulence des fluides*, *Liverpool*) et André Turpin (*Un crabe dans la tête*) font notamment partie de l'aventure.

Les Invasions barbares (Denys Arcand, 2003). Arcand remet en scène les personnages du *Déclin de l'empire américain* dans ce film à la fois drôle et désespérant, qui traite de la mort sans sombrer dans le

La poutine, un mets québécois à la conquête du monde

▲ © iStockphoto.com/WoodenDinosaur

Au Québec, tous les casse-croûte, restaurants familiaux, « roulottes à patates » et « bineries » la servent. On la retrouve aussi depuis peu de temps un peu partout au Canada, ainsi qu'à Paris, sur la Côte d'Azur, au Vietnam, et même, plus récemment, à New York, à Los Angeles et en Floride. Serait-ce tout simplement son goût unique qui attire autant de mordus? Ou serait-elle devenue en soi un mets exotique pour le reste du monde? Quoi qu'il en soit, la poutine, invention culinaire québécoise, est en voie d'assouvir les habitants des cinq continents.

Malgré son nom qui sonne russe, la poutine – la recette originale est à base de pommes de terre frites et de fromage en grains, le tout arrosé de sauce brune – aurait été inventée à Drummondville ou à Warwick, selon les sources.

Quoi qu'il en soit, la poutine est aujourd'hui servie à toutes les sauces : poutine italienne, poutine au poulet, poutine aux moules, poutine au bœuf braisé, poutine déjeuner, poutine indienne, poutine au bleu, poutine à la bière, etc. À Montréal même, le chef cuisinier du restaurant Au Pied de Cochon, Martin Picard, en apprête une particulièrement décadente au foie gras.

En février, les villes de Montréal et Québec participent à la Poutine Week, pendant laquelle de nombreux restaurants créent une version originale de poutine vendue pour moins de 10$.

mélodrame. Le film remporte notamment deux prix à Cannes et l'Oscar du meilleur film en langue étrangère.

C.R.A.Z.Y. (Jean-Marc Vallée, 2005). Ce portrait de famille émouvant qui raconte la difficile acceptation par un père de famille de l'homosexualité de l'un de ces fils. Rythmé par la musique des années 1960 et 1970, le film réussit la rare prouesse de combler à la fois la critique et le grand public.

Depuis 2011, les cinéastes québécois se retrouvent souvent aux Oscars. Le film *Incendies* de Denis Villeneuve, fut finaliste cette année-là. Puis, en 2012, ce fut au tour de Philippe Falardeau, avec son film *Monsieur Lazhar*, et en 2013, Kim Nguyen, avec *Rebelles*. Enfin, en 2014, Jean-Marc Vallée, avec *Dallas Buyers Club*, rafla trois Oscars. Quant au Festival de Cannes, il a récompensé le cinéaste Xavier Dolan en plusieurs occasion pour ses films, entre autres *J'ai tué ma mère*, *Les Amours imaginaires*, *Laurence Anyways* et *Mommy*.

▲ Dégustation de tire sur la neige dans une cabane à sucre. © iStockphoto.com/François Pilon

Cuisine

Jadis familiale, rurale et résolument rustique, la cuisine québécoise s'est raffinée au fil des années et des courants culinaires à la mode. Paradoxalement, c'est le retour à une cuisine «artisanale» du terroir qui a permis à la cuisine québécoise de se transformer en gastronomie, un heureux mariage entre tradition et modernité.

La réputation du Québec en ce qui concerne sa gastronomie n'est plus à faire. De tous les horizons, on salue le travail de nombreux chefs qui, par leur talent, ont su innover depuis les dernières décennies pour le plus grand plaisir des gourmands. D'ailleurs, on n'hésite plus à mettre en valeur la qualité des produits frais du terroir québécois tout en prodiguant un intérêt certain pour les saveurs du monde entier. Résultat: une cuisine inventive, colorée, savoureuse et copieuse aux accents d'ici et d'ailleurs.

Cabane à sucre

Au début du dégel, la sève commence à monter dans les arbres. C'est à ce moment que l'on procède à des entailles dans les érables afin de la recueillir; après une longue ébullition, elle se transforme en «sirop d'érable». C'est à cette époque de l'année (mars et avril) que les Québécois s'en vont à la campagne (dans les érablières) passer une journée à la cabane à sucre pour y manger des œufs dans le sirop d'érable ainsi que du lard ou des couennes de lard frites (appelées «oreilles de criss»). Après quoi on passe à la dégustation de la tire sur la neige. La tire est obtenue en faisant bouillir le sirop d'érable. Déposé chaud sur la neige, le sirop se fige alors, puis la tire est prête et se consomme à l'aide de petits bâtonnets.

▶ Le lac Sacacomie en Mauricie. (double page suivante)
© iStockphoto.com/OSTILL

Index

1000 De La Gauchetière 62

A

Abbaye cistercienne d'Oka 114
Abbaye de Saint-Benoît-du-Lac 95
Abitibi 130
Abitibi-Témiscamingue 128
Académie de musique et de danse du Domaine Forget 224
Agrotourisme 260
Aguanish 248
Aires de repos de la sauvagine 152
Alma 237
Amazoo iögo 94
Aménagement Robert-Bourassa 253
Amérindiens 43
Amos 131
Angliers 135
Aquarium du Québec 178
Arbraska/Parc Laflèche 127
Archipel des Sept Îles 245
Arthabaska 151
Arts 270
Arts visuels 273
Assemblée nationale du Québec 168
Aster 203
ASTROLab du parc national du Mont-Mégantic 100
Atrium 62
Authier 133
Avenue Bernard 70
Avenue Cartier 170
Avenue du Mont-Royal 68
Avenue Laurier 70

B

Bagotville 231
Baie-Comeau 242
Baie Déception 256
Baie des Chaleurs 210
Baie-du-Febvre 152
Baie-James 252
Baie-Johan-Beetz 247
Baie-Saint-Paul 222
Baie-Trinité 245
Baignade 260
Banc-de-Pêche-de-Paspébiac, Site historique du 212
Banque de Montréal 54
Banque Royale, ancien siège social de la 52
Barrage Daniel-Johnson 243
Basilique-cathédrale Notre-Dame de Québec 163
Basilique Notre-Dame 54
Basilique Sainte-Anne-de-Beaupré 172
Basilique St. Patrick 63
Bas-Saint-Laurent 196
Bataille-de-la-Châteauguay, Lieu historique national de la 88
Bataille-de-la-Ristigouche, Lieu historique national de la 213
Batiscan 142
Beauce 195
Beaumont 190
Beauport 172
Beaupré 174
Bécancour 150
Belvédère Camillien-Houde 69
Belvédère Champlain 127
Belvédère de l'Anse-de-Tabatière 230
Belvédère du pic Champlain 201
Belvédère Kondiaronk 69
Berthier-sur-Mer 190
Berthierville 107
Bibliothèque et salle d'opéra Haskell 97
Bibliothèque 158
Biennale de Sculpture de Saint-Jean-Port-Joli, La 194
Big Hill 219
Bilodeau Économusée du Pelletier-Bottier et de la Taxidermie 236
Biodôme de Montréal 73
Bioparc de la Gaspésie 212
Biosphère 72
Blanc-Sablon 249
Bonaventure 212
Boréalis 141
Boucherville 86
Boulevard Saint-Laurent 66
Brador 249
Bromont 94
Butte à Mounette 218
Butte du Vent 216
Buttes des Demoiselles 217
Buttes pelées 218

C

Cabane à sucre 277
Cacouna 200
Calvaire d'Oka 114
Calvaire 146
Camp Explora 123
Camp Spirit Lake 133
Canal-de-Carillon, Lieu historique national du 115
Canal-de-Chambly, Lieu historique national du 80
Canal de Lachine 58
Canaux 72
Canot 260
Cantons-de-l'Est 90
Canyon des Portes de l'Enfer 202
Canyoning 260
Canyon Sainte-Anne 174
Cap-à-l'Aigle 227
Cap-aux-Meules 216
Cap-Chat 207
Cap-de-la-Madeleine 141
Cap-des-Rosiers 208
Capitole de Québec 170
Cap-Santé 179
Cap Tourmente 174
Carleton-sur-Mer 213
Carrefour culturel Paul-Médéric 222
Cascapédia 213
Casino de Charlevoix 225
Casino de Montréal 72
Casino du Lac-Leamy 124
Cathédrale de l'Assomption 140
Cathédrale de Nicolet 153
Cathédrale de Saint-Jérôme 116
Cathédrale Holy Trinity 163
Cathédrale Marie-Reine-du-Monde 60
Cathédrale Sainte-Thérèse-d'Avila 131
Cathédrale Saint-François-Xavier 232
Causapscal 213
Caverne Lusk 127
Ceinture fléchée 105
Centrale de Beauharnois 88
Centrale électrique de la Rivière-des-Prairies 77
Centre Archéo Topo 242
Centre Bell 60
Centre Canadien d'Architecture 62
Centre d'art des Récollets – St. James 140
Centre d'Art Marcel Gagnon 206
Centre de découverte du milieu marin 242
Centre de la Biodiversité du Québec 150
Centre de la Nature du mont Saint-Hilaire 82
Centre de la nature 76
Centre des sciences de Montréal 58
Centre des sciences 144
Centre d'histoire de Montréal 55

Centre d'histoire et d'archéologie de la Métabetchouane 234
Centre d'interprétation de Baie-du-Febvre 152
Centre d'interprétation de la Côte-de-Beaupré 172
Centre d'interprétation de l'eau 76
Centre d'interprétation de l'histoire du Trait-Carré 181
Centre d'interprétation des battures et de réhabilitation des oiseaux 234
Centre d'interprétation des mammifères marins 240
Centre d'interprétation du cuivre de Murdochville 207
Centre d'interprétation du patrimoine de Plaisance 123
Centre d'interprétation du phoque 219
Centre d'interprétation du site archéologique Droulers-Tsiionhiakwatha 88
Centre d'interprétation et d'observation de Cap-de-Bon-Désir 242
Centre d'interprétation Le Bord du Cap 248
Centre-du-Québec 148
Centre écologique de Port-au-Saumon 227
Centre national des naufrages du Saint-Laurent 245
Centre Phi 55
Centre-ville 60
Cep d'Argent, Le 96
Cerf-volant de traction 264
Chalet du Mont-Royal 69
Chambly 80
Chambord 235
Chanson 272
Chantier Gédéon 135
Chapelle commémorative 172
Chapelle de l'île Providence 249
Chapelle des Ursulines 163
Chapelle Notre-Dame-de-Bon-Secours 59
Chapelles de procession 172
Charlesbourg 181
Charlevoix 220
Charny 189
Chasse 261
Château Dufresne 73
Château Frontenac 158
Château Montebello 122
Château Ramezay – Musée et site historique de Montréal 59
Château-Richer 172
Chaudière-Appalaches 186
Chelsea 127
Chemin du Gros-Cap 216
Chemin du Roy 177
Chibougamau 254
Chicoutimi 232
ChocoMotive 122
Chomedey 77
Chouette à voir! 84
Christ Church 63
Chutes Coulonge, parc des 126
Chutes de Plaisance 124
Cimetière Mont-Royal 69
Cimetière Notre-Dame-des-Neiges 70
Cimetière St. Matthew 171
Cinéma 274
Circuit des murales 98
Citadelle de Québec 165
Cité de l'énergie 143
Cité de l'Or 131
Climat 22
Coaticook 97
Cocathédrale Saint-Antoine-de-Padoue 85
Collège de l'Assomption 105
Colline Parlementaire 168
Colonne Nelson 59
Complexe Desjardins 64
Complexe G 169
Compton 97
Cosmodôme 77
Coteau-du-Lac, Lieu historique national de 87
Coteau-du-Lac 87
Côte-de-Beaupré 172
Côte-du-Sud 188
Côte-Nord 238
Cours Le Royer 55
Couvent des Récollets 140
Couvent des sœurs des Saints-Noms-de-Jésus-et-de-Marie 86
Cratère des Pingualuit 256
Croix de Gaspé 209
Croix du Mont-Royal 69
Cuestas hudsoniennes 256
Cyclorama de Jérusalem 172

D

Danville 100
Deltaplane 267
Desbiens 234
Descente de rivière 262
Deschambault 180
Deschambault-Grondines 180
Desjardins, Richard 133
DHC/ART 55
Dispensaire de la Garde à La Corne 133
Domaine de la forêt perdue 142
Domaine des Côtes d'Ardoise 93
Domaine Forget 224
Domaine Joly-De Lotbinière 188
Domaine Mackenzie-King 127
Domaine Pinnacle 92
Domaine seigneurial Sainte-Anne 143
Dorion 86
Drummondville 151
Duhamel 123
Dunham 92
Duvernay 77

E

Eaton Corner 100
Écluse de Sainte-Catherine 84
École des arts visuels de l'Université Laval 171
École du Rang II, L' 133
Écomusée d'Anticosti 247
Économusée de la bière 146
Économusée de la boucanerie 218
Économusée de la meunerie 224
Économusée de la vigne et du vin 93
Économusée du papier 223
Économusée du sable 217
Éco-Odyssée 127
Édifice Ernest-Cormier 58
Édifice Marie-Guyart 169
Édifice New York Life 54
Édifice Price 163
Édifice Sun Life 60
Eeyou Istchee Baie-James 252
Eeyou Istchee 252
Église anglicane St. George 60
Église anglicane St. James 89
Église de La Présentation-de-la-Sainte-Vierge 84
Église de la Sainte-Famille 179
Église de L'Assomption-de-la-Sainte-Vierge 105
Église de Notre-Dame-de-Liesse 198
Église de Saint-Antoine-de-Tilly 188
Église de Saint-Augustin-de-Desmaures 178
Église de Sainte-Agnès 225
Église de Sainte-Luce 203
Église de Saint-Eustache 112
Église de Saint-Georges 195
Église de Saint-Joachim 174
Église de Saint-Louis 188
Église d'Oka 114
Église du Gesù 63
Église La Purification-de-la-Bienheureuse-Vierge-Marie 107
Église Notre-Dame-de-Jacques-Cartier 171
Église Notre-Dame-de-la-Présentation, Lieu historique national de l' 144
Église Notre-Dame-de-Lorette 183
Église Notre-Dame-des-Neiges 200
Église Notre-Dame-des-Victoires 166
Église orthodoxe russe St-Georges 134
Église Saint-Charles-Borromée 181

Église Saint-Charles-Borromée 180
Église Saint-Christophe 151
Église Saint-Édouard 150
Église Sainte-Famille 176
Église Sainte-Geneviève 107
Église Sainte-Jeanne-de-Chantal 87
Église 146
Église Sainte-Marguerite-de-Blairfindie 80
Église Sainte-Rose-de-Lima 76
Église Saint-Étienne-de-Beaumont 190
Église Saint-François-de-Sales 124
Église Saint-François-de-Sales 178
Église Saint-François-Xavier 152
Église Saint-Grégoire-le-Grand 153
Église Saint-Hilaire 82
Église Saint-Jean-Baptiste 230
Église Saint-Jean-Baptiste 68
Église Saint-Jean-Baptiste 194
Église Saint-Joseph 180
Église Saint-Joseph 195
Église Saint-Mathias 81
Église Saint-Michel de Sillery 177
Église Saint-Michel 86
Église Saint-Paul 144
Église Saint-Pierre de La Vernière 216
Église Saint-Pierre 176
Église Saint-Roch 172
Église Saint-Vincent-de-Paul 76
Église St. Matthew, ancienne 171
Électrium, le centre d'interprétation de l'électricité d'Hydro-Québec 86
Éole 207
Éole Cap-Chat 207
Épopée de Capelton, L' 97
Équitation 262
Ermitage Saint-Antoine de Lac-Bouchette 234
Escalade 262
Espace Félix-Leclerc 176
Espace pour la vie 72
Espace Shawinigan 144
Exotarium 113
Exporail, le Musée ferroviaire canadien 84

F

Falaises de la Belle Anse 216
Fatima 216
Faubourg Saint-Jean 170
Faune 268
Ferme Bos G. 212
Festival de la chanson de Tadoussac 240
Festival de l'Oie Blanche 191
Festival de musique émergente 134
Festival du cinéma international en Abitibi-Témiscamingue 134
Festival international de jazz de Montréal 64
Festival International du Domaine Forget 224
Festival Western 143
Fjord de Salluit 256
Flore 267
Fonderie Horne 134
Fontaine de Tourny 168
Foresta Lumina 97
Forges-du-Saint-Maurice, Lieu historique national des 141
Fort-Chambly, Lieu historique national du 80
Fort-Coulonge 126
Fort de l'île Sainte-Hélène 72
Fortifications-de-Québec, Lieu historique national des 156
Fort Ingall 203
Fort-Jacques-Cartier-et-du-Manoir-Allsopp, site historique du 179
Fort-Lennox, Lieu historique national du 81
Forts-de-Lévis, lieu historique national des 189
Forts-et-Châteaux-Saint-Louis, Lieu historique national des 158
Fort-Témiscamingue, Lieu historique national du 135
Fossambault-sur-le-Lac 185
Frelighsburg 92
Fresque des Québécois 166
Fresque murale du peuple Huron-Wendat 185
Fumoir d'Antan 218
Funiculaire 165

G

Garage de la culture 146
Gare du Palais 167
Gare maritime Iberville du Port de Montréal 58
Gare Windsor 60
Gaspé 208
Gaspésie 204
Gatineau 124
Géographie 20
Georgeville 96
Gespeg, site d'interprétation micmac de 208
Godbout 243
Golf 262
Granby 94
Grande Allée 168
Grande Bibliothèque 67
Grandes-Piles 145
Grand-Métis 206
Grange Walbridge 93
Grévin Montréal 63
Grondines 180
Grosse-Île-et-le-Mémorial-des-Irlandais, Lieu historique de la 191
Grosse Île, La 218
Grotte de Saint-Elzéar 212
Grotte le Trou du Diable 180
Guérin 135

H

Habitat 67 58
Harrington Harbour 248
Havre-Aubert 217
Havre-aux-Maisons 218
Havre-Saint-Pierre 246
Histoire 25
Hochelaga-Maisonneuve 72
Hôpital général des Sœurs Grises 55
Hôtel Clarendon 163
Hôtel de Glace 181
Hôtel de ville de Montréal 59
Hôtel de ville 98
Hôtel de ville 140
Hôtel du Parlement 168
Hôtel Jean-Baptiste-Chevalier 165
Hôtel-Musée Premières Nations 183
Hôtel Tadoussac 240
Howick 88

I

Île aux Basques 200
Île aux Coudres 223
Île aux Grues 192
Île aux Lièvres 199
Île Bonaventure 210
Île Boudreau 219
Île Brion 219
Île d'Anticosti 246
Île de la Grande Entrée 219
Île de la Pointe aux Loups 218
Île d'Entrée 219
Île d'Orléans 175
Île du Cap aux Meules 216
Île du Havre Aubert 217
Île du Havre aux Maisons 218
Île Notre-Dame 71
Île Providence 249
Île Sainte-Hélène 71
Îles de la Madeleine 214
Îles du Pot à l'Eau-de-Vie 199
Île Verte 200
Îlot des Palais 167
Insectarium de Montréal 73
Inuits 43

J

Jardin botanique 72
Jardin Daniel-A. Séguin 84
Jardin de Saint-Roch 171
Jardin des glaciers 242
Jardin des Gouverneurs 158
Jardin Jeanne-d'Arc 169
Jardins à fleur de peau, Les 131
Jardin Scullion 237

Jardins de Métis 206
Jardins de Quatre-Vents 227
Jardins du cap à l'Aigle 227
Jardins 72
Joliette 105

K

Kahnawake 87
Kamouraska 198
Kangiqsujuaq 256
Kayak 262
Knowlton 94
Kuujjuaq 257

L

La Baie 231
Labelle 119
L'Acadie 80
Lac aux Castors 70
Lac-Beauport 182
Lac-Bouchette 234
Lac Brome 95
Lac des Sables 118
Lac Guillaume-Delisle 256
Lac Masson 117
Lac Mégantic 100
Lac-Mégantic 100
Lac Memphrémagog 95
Lac Mistassini 255
La Corne 133
La Côte, site de 216
Lac Pingualuk 256
Lac-Saint-François, réserve nationale de faune du 88
Lac-Saint-Jean 234
Lac-Supérieur 119
Lac Témiscouata 203
La Doré 236
La Fabrique 171
La Grande-1 253
La Grave, Site historique de 217
La Malbaie 224
Lanaudière 102
L'Ange-Gardien 172
L'Anse-à-Beaufils 210
L'Anse-au-Griffon 208
L'Anse-Saint-Jean 230
La Pocatière 198
Lapointe, Alexis 226
La Prairie 85
La Présentation 84
La Sarre 133
L'Ascension-de-Notre-Seigneur 237
L'Assomption 104
La Tuque 146
Laurentides 110
Laval 74
Lavaltrie 107
La vieille fromagerie Perron 235
Le Bic 201
Leclerc, Félix 175
Lennoxville 97
Le Nordik Spa-Nature 127
Les Bergeronnes 242
Les Éboulements 224
Les Escoumins 242
L'Étang-du-Nord 216
Lévis 189
Lieu historique national de Coteau-du-Lac 87
Lieu historique national de la Bataille-de-la-Châteauguay 88
Lieu historique national de la Bataille-de-la-Ristigouche 213
Lieu historique national de la Grosse-Île-et-le-Mémorial-des-Irlandais 191
Lieu historique national de la Maison-Wilfrid-Laurier 151
Lieu historique national des Fortifications-de-Québec 156
Lieu historique national des Forts-de-Lévis 189
Lieu historique national des Forts-et-Châteaux-Saint-Louis 158
Lieu historique national de Sir-Wilfrid-Laurier 107
Lieu historique national du Canal-de-Carillon 115
Lieu historique national du Canal-de-Chambly 80
Lieu historique national du Fort-Chambly 80
Lieu historique national du Fort-Lennox 81
Lieu historique national du Fort-Témiscamingue 135
Lieu historique national du Manoir-Papineau 122
Lieu historique national du Phare-de-Pointe-au-Père 202
Lieu historique national Louis-S.-St-Laurent 97
L'Islet-sur-Mer 192
L'Isle-Verte 200
Littérature 271
Loisirs 260
Longueuil 85
Lotbinière 188
Louis-S.-St-Laurent, Lieu historique national 97

M

MacPherson-Le Moine, manoir seigneurial 192
Magasin de l'Abbaye d'Oka 114
Magasin Général Historique Authentique 1928 210
Magasin général Le Brun 147
Magog 96
Main 66
Maison amérindienne 82
Maison Arthur-Villeneuve 232
Maison Bélisle 104
Maison Chapais 198
Maison Cirice-Têtu 158
Maison de la culture et du patrimoine 112
Maison de la culture Roland-Jomphe 246
Maison de la culture 140
Maison de mère d'Youville 55
Maison des contes et légendes 107
Maison des dunes 240
Maison des Jésuites de Sillery 178
Maison Dr Joseph-Frenette 213
Maison Drouin 176
Maison Dumulon 134
Maison Félix-Leclerc 86
Maison Jacquet 159
Maison Johan-Beetz 247
Maison Lamontagne 202
Maison Louis-Cyr 108
Maison Louis-Jolliet 165
Maison nationale des Patriotes 84
Maison provinciale des Clercs de Saint-Viateur 105
Maison René-Richard 222
Maison Rosalie-Cadron 107
Maison symphonique de Montréal 64
Maison Trestler 86
Maison Tsawenhohi 184
Maison-Wilfrid-Laurier, Lieu historique national de la 151
Maison William Wakeham 209
Malartic 131
Manic-2 243
Manic-5 243
Manicouagan 240
Manoir Baby-Méthot (Saint-Pierre-les-Becquets) 150
Manoir Boucher de Niverville 140
Manoir Fraser 227
Manoir Fraser 199
Manoir Globensky 112
Manoir Hovey 97
Manoir Le Boutillier 208
Manoir Masson 104
Manoir Mauvide-Genest 175
Manoir-Papineau, Lieu historique national du 122
Manoir Richelieu 225
Manoir Rouville-Campbell 82
Manoir seigneurial MacPherson-Le Moine 192
Marais de la Rivière aux Cerises 96
Marché Bonsecours 59
Marché du Vieux-Port 167
Marché Vieux Hull 124
Mashteuiatsh 235
Maskinongé 147
Matamajaw, site historique 213
Mauricie 136
Méduse 171
Melocheville 88

Métis-sur-Mer 206
Microbrasserie Nouvelle-France 146
Mile-End 70
Milton-Parc 66
Mine Canadian Malartic 131
Minganie 245
Mirabel 115
Mission Saint-François-Xavier 88
Mistissini 255
Monastère des Ursulines 140
Monastère des Ursulines 163
Mont Arthabaska 151
Montebello 122
Montérégie 78
Montmagny 191
Montréal 50
Mont Royal 68
Mont-Sainte-Anne, station touristique 174
Mont-Saint-Hilaire 82
Monts Torngat 257
Mont-Tremblant 118
Monument à Jacques Cartier 209
Monument à Maisonneuve 52
Monument aux Patriotes 112
Monument de l'UNESCO 158
Monument-National 64
Monument Samuel de Champlain 158
Morrin Centre 158
Motomarine 266
Motoneige 262
Moulin à vent de Grondines 180
Moulin de Beaumont 190
Moulin de La Chevrotière 180
Moulin des Jésuites 181
Moulin des Pionniers 236
Moulin du Portage 188
Moulin La Pierre 151
Moulin Légaré 113
Moulin Michel de Gentilly 150
Moulins de L'Isle-aux-Coudres 223
Moulin seigneurial de Pointe-du-Lac 146
Moulin seigneurial des Éboulements 224
Murdochville 207
Musée acadien du Québec 212
Musée amérindien de Mashteuiatsh 235
Musée amérindien et inuit 243
Musée Armand-Frappier 77
Musée Beaulne 97
Musée canadien de l'histoire 124
Musée canadien des enfants 124
Musée Colby-Curtis 97
Musée d'art contemporain de Baie-Saint-Paul 222
Musée d'art contemporain de Montréal 64
Musée d'art contemporain des Laurentides 116
Musée d'art de Joliette 105
Musée de Guérin 135
Musée de la civilisation 167
Musée de la Défense aérienne 231
Musée de la Gaspésie 208
Musée de la grange octogonale Adolphe-Gagnon 201
Musée de la mémoire vivante 194
Musée de la Mer 217
Musée de l'Amérique francophone 163
Musée de la nature et des sciences de Sherbrooke 98
Musée de la Petite Maison Blanche 232
Musée de la place Royale 166
Musée de la rivière Cascapédia 213
Musée de l'Auberge Symmes 126
Musée de l'Hôtel des Postes 151
Musée des Abénakis 151
Musée de sainte Anne 172
Musée des beaux-arts de Montréal 60
Musée des beaux-arts de Mont-Saint-Hilaire 82
Musée des beaux-arts de Sherbrooke 98
Musée de sculpture sur bois des Anciens Canadiens 194
Musée des Pionniers 123
Musée des plaines d'Abraham 168
Musée des religions du monde 153
Musée des Ursulines 140
Musée des Ursulines 163
Musée du Bas-Saint-Laurent 199
Musée du Bûcheron 145
Musée du chocolat de la confiserie Bromont 94
Musée du comté de Brome 95
Musée du Fjord 231
Musée du Fort 159
Musée Dufresne-Nincheri 73
Musée du Haut-Richelieu 80
Musée du Royal 22e Régiment 165
Musée Eaton Corner 100
Musée Empress of Ireland 202
Musée ferroviaire canadien, Exporail, le 84
Musée François-Pilote 198
Musée Gilles-Villeneuve 107
Musée huron-wendat 183
Musée J.-Armand-Bombardier 94
Musée le Chafaud 210
Musée Les Voitures d'Eau 223
Musée Louis-Hémon 237
Musée Louis-Langlois 245
Musée Marguerite-Bourgeoys 59
Musée maritime de Charlevoix 223
Musée maritime du Québec 192
Musée Marius-Barbeau 195
Musée McCord 62
Musée minéralogique de l'Abitibi-Témiscamingue 131
Musée minéralogique et minier de Thetford Mines 195
Musée Missisquoi 93
Musée national des beaux-arts du Québec 170
Musée québécois de culture populaire 140
Musée régional d'Argenteuil 115
Musée régional de la Côte-Nord 245
Musée régional de Rimouski 202
Musée régional de Vaudreuil-Soulanges 86
Musée Shaputuan 245
Musée Stewart 72
Musique 272
Mystic 93

N

Natashquan 248
Nemaska 254
Neuville 178
New Richmond 213
Nicolet 152
Nid'Otruche 113
Nordais 207
Nord-du-Québec 250
Normandin 236
North Hatley 97
Notre-Dame-de-la-Merci 108
Notre-Dame-de-l'Île-Perrot 87
Notre-Dame-des-Bois 100
Notre-Dame-du-Mont-Carmel 142
Notre-Dame-du-Portage 198
Nouvelle 213
Nunavik 255

O

Observation des baleines 263
Observation des oiseaux 263
Observation des phoques 263
Observatoire de la Capitale 169
Odanak 151
Odyssée des Bâtisseurs, parc thématique l' 237
Oka 113
Onhoüa Chetek8e 182

Onondaga, sous-marin 202
Oratoire Saint-Joseph du Mont-Royal 70
Orford 96
Ormstown 89
Oujé-Bougoumou 254
Outaouais 120
Outremont 70

P

Palais de justice, ancien 58
Palais de justice, ancien 100
Palais de justice, ancien 159
Palais des congrès de Montréal 64
Palais Montcalm 170
Papeterie Saint-Gilles 223
Parapente 267
Parc Aventures Cap Jaseux 234
Parc côtier Kiskotuk 200
Parc de la caverne du Trou de la Fée 234
Parc de la Chute-Montmorency 172
Parc de la Chute Ste-Agathe 195
Parc de la Falaise et de la chute Kabir Kouba 184
Parc de la Gatineau 127
Parc de la Gorge de Coaticook 97
Parc de la Pointe-Taylor 213
Parc de la rivière Batiscan 142
Parc de la Rivière-des-Mille-Îles 76
Parc de l'Île-Melville 144
Parc de l'île Saint-Quentin 141
Parc des Cèdres 126
Parc des Champs-de-Bataille 168
Parc des Chutes Coulonge 126
Parc des Chutes-de-la-Chaudière 189
Parc des chutes de la Petite rivière Bostonnais 146
Parc des Chutes de Sainte-Ursule 147
Parc des Chutes 199
Parc des régional Chutes-Dorwin 107
Parc des Sept-Chutes 195
Parc des Trois-Bérets 194
Parc du Bois-de-Coulonge 177
Parc du Domaine Vert 115
Parc du Mont-Royal 68
Parc du Vieux-Quai 245
Parc écologique du Lac-Leamy 124
Parc Jean-Drapeau 71
Parc La Fontaine 68
Parc linéaire des Bois-Francs 151
Parc linéaire Le P'tit Train du Nord 116
Parc marin du Saguenay–Saint-Laurent 241
Parc Mitchell, quartier du 100
Parc Montmorency 163
Parc national d'Aiguebelle 133
Parc national d'Anticosti 247
Parc national de Frontenac 195
Parc national de la Gaspésie 207
Parc national de la Jacques-Cartier 182
Parc national de la Mauricie 145
Parc national de la Pointe-Taillon 237
Parc national de la Yamaska 94
Parc national de l'Île-Bonaventure-et-du-Rocher-Percé 210
Parc national de Miguasha 213
Parc national de Plaisance 123
Parc national des Grands-Jardins 222
Parc national des Hautes-Gorges-de-la-Rivière-Malbaie 227
Parc national des Îles-de-Boucherville 86
Parc national des Monts-Valin 234
Parc national des Pingualuit 256
Parc national d'Oka 114
Parc national du Bic 201
Parc national du Fjord-du-Saguenay 230
Parc national du Lac-Témiscouata 203
Parc national du Mont-Mégantic 100
Parc national du Mont-Orford 96
Parc national du Mont-Saint-Bruno 85
Parc national du Mont-Tremblant 119
Parc national du Mont-Tremblant 108
Parc national Forillon 208
Parc national Kuururjuaq 257
Parc national Tursujuq 256
Parc Nature de Pointe-aux-Outardes 242
Parc naturel régional de Portneuf 179
Parc Oméga 123
Parcours d'aventure en forêt 263
Parc régional de la Chute-à-Bull 108
Parc régional de la Forêt Ouareau 108
Parc régional de la Rivière-du-Nord 117
Parc régional des Chutes Monte-à-Peine-et-des-Dalles 108
Parc régional des Sept-Chutes 109
Parc thématique l'Odyssée des Bâtisseurs 237
Paspébiac 212
Passe à saumon Rivière-à-Mars 231
Patin 264
Patin à roues alignées 264
Pêche 261
Pêche blanche 143
Pêche sur glace 264
Péninsule 206
Percé 209
Péribonka 236
Perroquets en folie 115
Petit-Champlain 165
Petite-Nation 123
Petite-Rivière-Saint-François 222
Phare de l'île Verte 200
Phare-de-Pointe-au-Père, Lieu historique national du 202
Phare de Pointe-des-Monts 243
Phare du Cap-Alright 218
Place Bonaventure 62
Place d'Armes 52
Place d'Armes 159
Place de l'Assemblée-Nationale 168
Place des Arts 64
Place des Festivals 64
Place D'Youville 170
Place Jacques-Cartier 59
Place Jean-Paul-Riopelle 66
Place Royale 55
Place Royale 166
Place-Royale 165
Place Ville Marie 62
Plage de Kamouraska 198
Plage de la Dune de l'Ouest 216
Plage de la Dune du Nord 218
Plage de la Dune du Sud 218
Plage de la Grande Échouerie 219
Plage de l'Anse-aux-Coques 203
Plage de l'Horloge 59
Plage du Corfu 216
Plage du Havre 218
Plage du Havre-Aubert 217
Plage Jean-Doré 72
Plage Lac Saint-Joseph 185
Plage Sandy Hook 218
Plaines d'Abraham 169
Plaisance 123
Planche à neige 264
Planche à voile 264

Planétarium de Montréal 73
Plateau Mont-Royal 68
Plein air 260
Plessisville 150
Plongée sous-marine 265
Pointe-à-Callière, Musée d'archéologie et d'histoire de Montréal 55
Pointe-à-la-Croix 213
Pointe-à-Puiseaux 177
Pointe-au-Père 202
Pointe-aux-Outardes 242
Pointe-des-Monts 243
Pointe-du-Buisson, Musée québécois d'archéologie 88
Pointe-du-Lac 146
Pont couvert Félix-Gabriel-Marchand 126
Pont de Québec 177
Pont du Faubourg 230
Population 43
Port-au-Persil 227
Port-Cartier 245
Port-Daniel–Gascons 210
Porte Kent 165
Porte Saint-Jean 163
Porte Saint-Louis 156
Portneuf 179
Poste de traite Chauvin 240
Poterie de Port-au-Persil 227
Poutine 276
Presbytère néoclassique 180
Prison de Québec, ancienne 158
Promenade de l'Anse-aux-Coques 203
Promenade de la poésie 138
Promenade de la Rivière-du-Nord 116
Promenade des Premiers-Ministres 168
Promenade internationale de la poésie 138
Promenade Samuel-De Champlain 178
Pulperie de Chicoutimi 232

Q

Quais du Vieux-Port 55
Quartier chinois 64
Quartier des spectacles 63
Quartier international de Montréal 64
Quartier latin 67

R

Radisson 253
Randonnée pédestre 265
Raquette 265
Rawdon 107
Refuge d'oiseaux migrateurs de Watshishou 248
Refuge Pageau 133
Région de Québec 154
Repentigny 107
Réserve de la biosphère du Lac-Saint-Pierre 152
Réserve de parc national de l'Archipel-de-Mingan 246
Réserve écologique de l'Île-Brion 219
Réserve faunique de Port-Cartier–Sept-Îles 245
Réserve faunique de Port-Daniel 210
Réserve faunique de Portneuf 185
Réserve faunique du Saint-Maurice 145
Réserve faunique Mastigouche 146
Réserve faunique Papineau-Labelle 123
Réserve faunique Rouge-Matawin 109
Réserve faunique Rouge-Matawin 119
Réserve nationale de faune de la Pointe-de-l'Est 218
Réserve nationale de faune du Cap-Tourmente 174
Réserve nationale de faune du Lac-Saint-François 88
Révolution tranquille 40
Rigaud 86
Rimouski 202
Rivière Chaudière 189
Rivière-du-Loup 199
Rivière-Éternité 230
Rivière Koksoak 257
Rivière Koroc 257
Rivière-Ouelle 198
Rivière-Pentecôte 245
Rocher Percé 209
Rock Island 97
Route de la Baie-James 252
Route des vins 92
Route du Nord 253
Route verte 266
Rouyn-Noranda 134
Roxton Pond 94
Rue des Érables 178
Rue du Petit-Champlain 165
Rue piétonnière Sous-le-Cap 167
Rue Prince-Arthur 67
Rue Saint-Denis 68
Rue Sainte-Catherine 62
Rue Saint-Paul 55

S

Saguenay–Lac-Saint-Jean 228
Saguenay 230
Saint-Alexis-des-Monts 146
Saint-André-Avellin 123
Saint-André 198
Saint-André-d'Argenteuil 115
Saint-Anicet 88
Saint-Antoine-Abbé 89
Saint-Antoine-de-l'Isle-aux-Grues 192
Saint-Antoine-de-Tilly 188
Saint-Augustin-de-Desmaures 178
Saint-Benoît-du-Lac 95
Saint-Bernard-de-Lacolle 89
Saint-Bruno-de-Montarville 85
Saint-Casimir 180
Saint-Côme 108
Saint-Constant 84
Saint-Denis-De La Bouteillerie 198
Saint-Denis-sur-Richelieu 84
Saint-Donat 108
Sainte-Adèle 117
Sainte-Agathe-de-Lotbinière 195
Sainte-Agathe-des-Monts 118
Sainte-Anne-de-Beaupré 172
Sainte-Anne-de-la-Pérade 143
Sainte-Anne-des-Monts 207
Sainte-Catherine-de-la-Jacques-Cartier 185
Sainte-Catherine 84
Sainte-Croix 188
Sainte-Dorothée 76
Saint-Édouard-de-Maskinongé 147
Sainte-Famille 176
Sainte-Flavie 206
Saint-Élie-de-Caxton 146
Sainte-Luce 203
Saint-Elzéar 212
Sainte-Marguerite-du-Lac-Masson 117
Sainte-Rose 76
Sainte-Ursule 147
Saint-Eustache 112
Saint-Fabien 201
Saint-Félicien 236
Saint-Félix-d'Otis 231
Saint-Fidèle 227
Saint-François-du-Lac 152
Saint-Fulgence 234
Saint-Georges 195
Saint-Grégoire 153
Saint-Henri-de-Taillon 237
Saint-Hyacinthe 82
Saint-Irénée 224
Saint-Jean-de-l'Île-d'Orléans 175
Saint-Jean-de-Matha 108
Saint-Jean-Port-Joli 192
Saint-Jean-sur-Richelieu 80
Saint-Jérôme 115
Saint-Joachim 174
Saint-Joseph-de-Beauce 195
Saint-Joseph-de-la-Rive 223
Saint-Jude 84
Saint-Lin–Laurentides 107
Saint-Louis-du-Ha! Ha! 203
Saint-Mathias-sur-Richelieu 81
Saint-Mathieu-du-Parc 146
Saint-Michel-des-Saints 109
Saint-Michel-du-Squatec 203
Saint-Narcisse-de-Rimouski 202
Saint-Narcisse 142
Saint-Paul-de-l'Île-aux-Noix 81
Saint-Pierre-de-l'Île-d'Orléans 176

Saint-Pierre-les-Becquets 150
Saint-Placide 115
Saint-Prime 235
Saint-Roch-des-Aulnaies 194
Saint-Roch 171
Saint-Sauveur 117
Saint-Tite 143
Saint-Urbain 222
Saint-Vincent-de-Paul 76
Saint-Zénon 109
Salluit 256
Samuel de Champlain, monument 158
Sanctuaire du Saint-Sacrement 68
Sanctuaire Notre-Dame-de-Lourdes 86
Sanctuaire Notre-Dame-du-Cap 141
Scala Santa 172
Seigneurie des Aulnaies 194
Séminaire, ancien 153
Séminaire de Québec 163
Sentier des Caps de Charlevoix 222
Sentier Le Fjord 240
Sept-Îles 245
Shawinigan 143
Sherbrooke 98
Sillery 177
Silo à grains no 5 58
Sirop d'érable 83
Sir-Wilfrid-Laurier, Lieu historique national de 107
Site de La Côte 216
Site de la Nouvelle-France 231
Site de partage et de diffusion de la culture amérindienne Mokotakan 146
Site d'interprétation de l'anguille 198
Site d'interprétation micmac de Gespeg 208
Site historique de La Grave 217
Site historique de l'Île-des-Moulins 104
Site historique du Banc-de-Pêche-de-Paspébiac 212
Site historique maritime de la Pointe-au-Père 202
Site historique Matamajaw 213
Site ornithologique du marais de Gros-Cacouna 200
Site patrimonial des Galets 248
Site patrimonial du Parc-de-l'Artillerie 158
Ski alpin 265
Ski de fond 265
Ski nautique 266
Société d'écologie de la batture du Kamouraska 198
Société Duvetnor 199
Source Bains Nordiques, La 108
Sous-marin Onondaga 202
Square Dorchester 60
Square Phillips 63
Square Saint-Louis 67
Square Victoria 66
Stade olympique 73
Stanbridge East 93
Stanstead 97
Stanstead Plain 97
Station exploratoire du Saint-Laurent 199
Station Mont Tremblant 118
Station touristique Bromont 94
Station touristique Duchesnay 185
Sutton 95

T

Tadoussac 240
T.E. Draper 135
Témiscamingue 134
Témiscouata 203
Témiscouata-sur-le-Lac 203
Terrasse de Lévis 190
Terrasse Dufferin 158
Terrebonne 104
Terre des Bisons, la 107
Tête-à-la-Baleine 248
Thetford Mines 195
Tour Banque Laurentienne 62
Tour BNP 62
Tour de l'Horloge 59
Tour de Montréal 73
Traîneau à chiens 266
Trait de scie 248
Trécesson 133
Trois-Pistoles 200
Trois-Rives 145
Trois-Rivières 138
Trou de la Fée, Parc de la caverne du 234

U

Umiujaq 256
Union Libre Cidre & Vin 93
Université Bishop's 97
Université du Québec à Montréal 67
Université McGill 62
UQAM 67

V

Valcourt 94
Val-David 118
Val-des-Monts 127
Val-d'Or 130
Val-Jalbert, Village historique de 235
Vaudreuil-Dorion 86
Vélo 266
Véloroute des Bleuets 234
Verchères 86
Vert et Mer 216
Via Batiscan 142
Victoriaville 151
Vieille École de Natashquan 248
Vieille prison de Trois-Rivières 140
Vieille Usine de L'Anse-à-Beaufils, La 210
Vieux Chemin 179
Vieux La Prairie 85
Vieux-Montréal 52
Vieux-Port de Montréal 55
Vieux-Port 167
Vieux presbytère de Batiscan 142
Vieux Presbytère 180
Vieux-Québec 156
Vieux-Sainte-Rose 76
Vieux Séminaire de Saint-Sulpice 54
Vigneault, Gilles 247
Vignoble de la Chapelle Ste Agnès 95
Vignoble de l'Orpailleur 93
Villa Bagatelle 177
Villa Estevan 206
Village des Lilas 227
Village du Père Noël 118
Village Gaspésien de l'Héritage Britannique 213
Village historique de Val-Jalbert 235
Village minier de Bourlamaque 131
Village Québécois d'Antan 151
Ville de Québec 154
Ville-Marie 135
Ville souterraine 61
Vol libre 267

W

Wakefield 127
Waterloo 94
Wendake 182

Z

Zoo de Granby 94
Zoo de St-Édouard 147
Zoo Parc Safari 89
Zoo sauvage de Saint-Félicien 236

▸ Métis-sur-Mer, Gaspésie. (page suivante)